“十二五”国家重点图书出版规划项目
林业应对气候变化与低碳经济系列丛书

总主编：宋维明

低碳经济与生态文明

◎ 张春霞　郑　晶　廖福霖　等著

中国林业出版社

图书在版编目（CIP）数据

低碳经济与生态文明／张春霞，郑晶，廖福霖等著．－北京：中国林业出版社，2015.5

林业应对气候变化与低碳经济系列丛书／宋维明总主编

“十二五”国家重点图书出版规划项目

ISBN 978-7-5038-7928-9

Ⅰ．①低… Ⅱ．①张…②郑…③廖… Ⅲ．①气候变化－影响－经济发展－研究②生态文明－研究 Ⅳ．① F061.3 ② B824.5

中国版本图书馆 CIP 数据核字（2015）第 060339 号

出 版 人： 金　旻
丛书策划： 徐小英　何　鹏　沈登峰
责任编辑： 徐小英
美术编辑： 赵　芳

出版发行　中国林业出版社（100009　北京西城区刘海胡同 7 号）
http://lycb.forestry.gov.cn
E-mail:forestbook@163.com　电话：(010)83143515、83143543
设计制作　北京天放自动化技术开发公司
印刷装订　北京中科印刷有限公司
版　　次　2015 年 5 月第 1 版
印　　次　2015 年 5 月第 1 次
开　　本　787mm × 1092mm　1/16
字　　数　352 千字
印　　张　18
定　　价　62.00 元

林业应对气候变化与低碳经济系列丛书

编审委员会

出版说明

气候变化是全球面临的重大危机和严峻挑战，事关人类生存和经济社会全面协调可持续发展，已成为世界各国共同关注的热点和焦点。党的十八大以来，习近平总书记发表了一系列重要讲话强调，要以高度负责态度应对气候变化，加快经济发展方式转变和经济结构调整，抓紧研发和推广低碳技术，深入开展节能减排全民行动，努力实现“十一五”节能减排目标，践行国家承诺。要正确处理好经济发展同生态环境保护的关系，牢固树立保护生态环境就是保护生产力、改善生态环境就是发展生产力的理念，更加自觉地推动绿色发展、循环发展、低碳发展，决不以牺牲环境为代价去换取一时的经济增长。这为进一步做好新形势下林业应对气候变化工作指明了方向。

林业是减缓和适应气候变化的有效途径和重要手段，在应对气候变化中的特殊地位得到了国际社会的充分肯定。以坎昆气候大会通过的关于“减少毁林和森林退化以及加强造林和森林管理”（REDD+）和“土地利用、土地利用变化和林业”（LULUCF）两个林业议题决定为契机，紧紧围绕《中华人民共和国国民经济和社会发展第十二个五年规划纲要》和《“十二五”控制温室气体排放工作方案》赋予林业的重大使命，采取更加积极有效措施，加强林业应对气候变化工作，对于建设现代林业、推动低碳发展、缓解减排压力、促进绿色增长、拓展发展空间具有重要意义。按照党中央、国务院决策部署，国家林业局扎实有力推进林业应对气候变化工作并取得新的进展，为实现林业“双增”目标、增加林业碳汇、服务国家气候变化内政外交工作大局做出了积极贡献。

本系列丛书由中国林业出版社组织编写，北京林业大学校长宋维明教授担任总主编，北京林业大学、福建农林大学、福建师范大学的二十多位学者参与著述；国家林业局副局长刘东生研究员撰写总序；著名林学家、中国工程院院士沈国舫，北京大学中国持续发展研究中心主任叶文虎教授给予了指导。写作团队根据近年来对气候变化以及低碳经济的前瞻性研究，围绕林业与气候变化、森林碳汇与气候变化、低碳经济与生态文明、低碳经济与林木生物质能源发展、低碳经济与林产工业发展等专题展开科学研究，系统介绍了低碳经济的理论与实践和林业及其相关产业在低碳经济中的作用等内容，阐释了我国林业应对气候变化的中长期战略，是各级决策者、研究人员以及管理工作者重要的学习和参考读物。

2014 年 7 月 16 日

总 序

刘东生

随着中国——世界第二大经济体崛起于东方大地，资源约束趋紧、环境污染严重、生态系统退化等问题已成为困扰中国可持续发展的瓶颈，人们的环境焦虑、生态期盼随着经济指数的攀升而日益凸显，清新空气、洁净水源、宜居环境已成为幸福生活的必备元素。为了顺应中国经济转型发展的大趋势，满足人民过上更美好生活的心愿，党的十八大报告首次单篇论述生态文明，首次把“美丽中国”作为未来生态文明建设的宏伟目标，把生态文明建设摆在总体布局的高度来论述。生态文明的提出表明我们党对中国特色社会主义总体布局认识的深化，把生态文明建设摆在五位一体的高度来论述，也彰显出中华民族对子孙、对世界负责任的精神。生态文明是实现中华民族永续发展的战略方向，低碳经济是生态文明的重要表现形式之一，贯穿于生态文明建设的全过程。生态文明建设依赖于生态化、低能耗化的低碳经济模式。低碳经济反映了环境气候变化顺应人类社会发展的必然要求，是生态文明的本质属性之一。低碳经济是为了降低和控制温室气体排放，构造低能耗、低污染为基础的经济发展体系，通过人类经济活动低碳化和能源消费生态化所实现的经济社会发展与生态环境保护双赢的经济形态。低碳经济不仅体现了生态文明自然系统观的实质，还蕴含着生态文明伦理观的责任伦理，并遵循生态文明可持续发展观的理念。发展低碳经济，对于解决和摆脱工业文明日益显现的生态危机和能源危机，推动人与自然、社会和谐发展具有重要作用，是推动人类由工业文明向生态文明变革的重要途径。

林业承担着发挥低碳效益和应对气候变化的重大任务，在发展低碳经济当中有其独特优势，具体表现在：第一，木材与钢铁、水泥、塑料是经济建设不可或缺的世界公认的四大传统原材料；第二，森林作为开发林业生物质能源的载体，是仅次于煤炭、石油、天然气的第四大战略性能源资源，而且具有可再生、可降解的特点；第三，发展造林绿化、湿地建设不仅能增加碳汇，也是维护国家生态安全的重要途径。因此，林业作为低碳经济的主要承担者，必须肩负起低碳经济发展的历史使命，使命光荣，任务艰巨，功在当代，利在千秋。

党的十八大报告将林业发展战略方向定位为“生态林业”，突出强调了林业在生态文明建设中的重要作用。进入21世纪以来，中国林业进入跨越式发展阶段，先后实施多项大型林业生态项目，林业建设成就举世瞩目。大规模的生态投资加速了中国从森林赤字走向森林盈余，着力改善了林区民生，充分调动了林农群众保护生态的积极性，为生态文明建设提供不竭的动力源泉。不仅如此，习近平总书记还进一步指出了林业在自然生态系中的重要地位，他指出：山水林田湖是一个生命共同体，人的命脉在田，田的命脉在水，水的命脉在山，山的命脉在土，土的命脉在树。中国林业所取得的业绩为改善生态环境、应对气候变化做出了重大贡献，也为推动低碳经济发展提供了有利条件。实践证明：林业是低碳经济不可或缺的重要部分，具有维护生态安全和应对气候变化的主体功能，发挥着工业减排不可比拟的独特作用。大力加强林业建设，合理利用森林资源，充分发挥森林固碳减排的综合作用，具有投资少、成本低、见效快的优势，是维护区域和全球生态安全的捷径。

本套丛书以林业与低碳经济的关系为主线，从两个层面展开：一是基于低碳经济理论与实践展开研究，主要分析低碳经济概况、低碳经济运行机制、世界低碳经济政策与实践以及碳关税的理论机制及对中国的影响等方面。二是研究低碳经济与生态环境、林业资源、气候变化等问题的相关关系，探讨两者之间的作用机制，研究内容包括低碳经济与生态文明、低碳经济与林产品贸易、低碳经济与森林旅游、低碳经济与林产工业、低碳经济与林木生物质能源、森林碳汇与气候变化等。丛书研究视角独特、研究内容丰富、论证科学准确，涵盖了林业在低碳经济发展中的前沿问题，在林业与低碳经济关系这个问题上展开了系统而深入的探讨，提出了许多新的观点。相信丛书对从事林业与低碳经济相关工作的学者、政府管理者和企业经营者等会有所启示。

2014年7月9日

前　言

我们对生态文明的研究已历经十几年，对低碳经济也进行了多年探讨，把低碳经济作为生态文明经济的基本形态之一，把低碳发展作为建设生态文明的基本途径之一，但没有对生态文明与低碳经济两者内在联系的规律进行系统研究。两年前郑晶博士获得了国家社会科学基金项目——基于低碳视角的农户农地利用行为研究（12CGL066），促进了我们对此进行系统深入的探索。在研究过程中，我们认识到，站在时代的前沿，深刻理解中华民族永续发展的客观要求，才能把握低碳经济与生态文明两者的密切联系和发展规律。

因此，本书从多维度对低碳经济与生态文明进行新的探索，一是把低碳经济与生态文明共同放在可持续发展的框架内进行研究；二是以幸福为终极目标，对生态文明建设与低碳经济发展的目标、模式深入探讨；三是对低碳经济与生态文明之间的相辅相成关系进行多角度的阐述。

在研究中我们发现，发展低碳经济首先必须厘清动力问题，它的动力实际上是由两个方面组成的，一方面是广泛认为的应对气候变化，称之为外部动力；另一方面则是往往被忽略的解决能源资源与环境等问题，称之为内部动力，且内部动力比外部动力更加根本和巨大，所以本书提出并分析“低碳经济的本质是能源经济”的理论观点，这对于说服“低碳经济阴谋论”，可能会更加有效和实际。特别是目前国际科学界对气候是变暖还是变冷问题还在争论不休的情况下，揭示低碳经济的内部动力及本质尤其重要。由此，本书对低碳经济的内涵做出了与前人不同的界定，以期更加科学地认识低碳经济，并且坚定不移地促进低碳经济的发展。

我们的研究认为，仅把发展低碳经济与生态文明建设放在可持续发展的框架内探索，还是不够的，还应该从更高层次上认识它们之间内在联系：代内和代际公众的幸福是他们的共同追求，所以本书提出并阐述“生态文明建设的本质是追求幸福”“低碳经济是实现幸福的有效模式”等理论观点，力求对低碳经济发展和生态文明建设进行理论提升，并且为第3篇和第4篇的研究打下理论基础。

本书的第3篇和第4篇实际上是把生态文明与低碳经济作为一个有机联系的整体加以研究。在这个整体中，一方面，需要以生态文明的理论与技术指导低碳经济的发展，使其不仅能够“低碳”，而且能够“经济”，取得经济效益、社会效益和生态效益相统一和最优化。另一方面，也需要通过发展低碳经济，来提升生态文明建设水平。

从实践意义上讲，发展低碳经济，提升生态文明水平，是一个更加迫切需要解决的新的理论与实践课题。本书第 11 章提出的“发展低碳经济，提升经济竞争力”，是提升生态文明建设水平的基础；“发展低碳经济，增强社会和谐度”是提升生态文明建设的核心；“发展低碳经济，充实生态文化内涵”，是提升生态文明建设水平的方向。下面各章都是提升生态文明建设水平的有效措施和途径，我们在每一章的开头都予以说明。

本书还认为，低碳经济还要同创新经济、绿色经济、循环经济协调发展，共同改造提升传统经济，切实把创新驱动、绿色发展、循环发展和低碳发展融为一体，成为生态文明经济体系，才能获得 1 +1 >2 的系统效应，为建设美丽中国，形成人与自然和谐发展的现代化建设新格局，努力走向社会主义生态文明新时代，实现中华民族伟大复兴之梦开辟新的道路。

本书各章的撰写人员为：郑晶，第 2 章、第 3 章、第 8 章、第 9 章、第 10 章；黄森慰，第 11 章；许佳贤，第 4 章；郑晶、许佳贤，第 12 章；许驰，第 14 章、第 15 章；许小晶，第 1 章、第 16 章；林姝敏，第 18 章、第 20 章；罗栋燊，第 17 章；郑晶、邱林卉，第 5 章、第 6 章、第 7 章；郑晶、蒋志军，第 13 章、第 19 章。初稿完成后，由副教授郑晶博士统稿，经反复修改形成第二稿，最后由张春霞教授、廖福霖教授修改定稿。

本书在研究、撰写、出版过程中，得到中国林业出版社徐小英编审，福建农林大学公共管理学院郑逸芳院长、张开晃书记、苏时鹏副院长的大力支持和帮助，研究生陈钦萍、钟婷婷在文字处理方面进行了大量的工作，在此一并表示衷心的感谢。

廖福霖
2014 年 6 月

目　录

出版说明
总　序
前　言

第1篇　低碳经济与生态文明：可持续发展的必然要求

第1章　发展观的演变历程 ……（2）
1.1　从“增长”到“发展” ……（2）
1.2　可持续发展观 ……（13）
1.3　可持续发展观在中国的实践 ……（17）
第2章　生态文明：人类社会文明发展的必然 ……（20）
2.1　生态文明是人类社会文明发展的新阶段 ……（20）
2.2　生态文明的内涵 ……（22）
2.3　生态文明建设 ……（25）
2.4　生态文明的基本理论 ……（27）
第3章　低碳经济：新兴的经济发展模式 ……（31）
3.1　低碳经济的缘起：气候问题与能源问题 ……（32）
3.2　低碳经济的内涵 ……（39）
3.3　低碳经济的特征 ……（42）
第4章　低碳经济：世界经济发展的新趋势 ……（44）
4.1　世界经济发展格局的新变化 ……（44）
4.2　发展低碳是应对世界经济格局变化的必然选择 ……（56）

第2篇　低碳经济与生态文明的共同追求：发展与幸福

第5章　发展与幸福 ……（66）
5.1　发展的困惑 ……（66）
5.2　“幸福”的提出 ……（71）
5.3　发展的终极目标：幸福 ……（76）
第6章　生态文明与幸福 ……（78）
6.1　人类社会文明观的发展历程 ……（78）
6.2　不同社会文明观与幸福 ……（84）

6.3　生态文明建设的本质是追求幸福 …………………………………… (86)
第 7 章　低碳经济与幸福 ……………………………………………… (91)
7.1　经济发展模式与幸福 …………………………………………… (91)
7.2　低碳经济是一种经济发展模式 …………………………………… (93)
7.3　低碳经济是有助于实现幸福的经济发展模式 ………………… (93)

第 3 篇　生态文明：低碳经济发展的指导

第 8 章　生态文明——低碳经济发展的理念指导 …………………… (102)
8.1　生态安全观对低碳经济发展的指导 …………………………… (102)
8.2　生态生产力观对低碳经济发展的指导 ………………………… (103)
8.3　生态文明哲学观对低碳经济发展的指导 ……………………… (105)
8.4　生态文明价值观对低碳经济发展的指导 ……………………… (106)
第 9 章　生态文明——低碳经济发展的方法论指导 ………………… (108)
9.1　现代生态学方法对低碳经济发展的指导 ……………………… (108)
9.2　唯物主义方法论对低碳经济发展的指导 ……………………… (110)
9.3　生态文明中的认识论对低碳经济发展的指导 ………………… (112)
第 10 章　低碳经济与其他形态的生态文明经济协同发展 ………… (114)
10.1　生态文明经济的内涵 ………………………………………… (114)
10.2　生态文明经济形态 …………………………………………… (114)
10.3　低碳经济与其他生态文明经济形态的联系与区别 ………… (121)
10.4　低碳经济与其他形态的生态文明经济协同发展 …………… (124)

第 4 篇　发展低碳经济，提高生态文明水平

第 11 章　发展低碳经济，提高生态文明水平 ……………………… (126)
11.1　发展低碳经济，提升经济竞争力 …………………………… (126)
11.2　发展低碳经济，增强社会和谐度 …………………………… (131)
11.3　发展低碳文化，充实生态文化内涵 ………………………… (135)
第 12 章　低碳经济发展中不同利益主体的博弈分析 ……………… (139)
12.1　“低碳”与“经济”策略的冲突及耦合 ……………………… (139)
12.2　利益主体的行为动机分析 …………………………………… (141)
12.3　利益主体的博弈论分析 ……………………………………… (144)
12.4　结论与建议 …………………………………………………… (151)
第 13 章　低碳经济发展的重要领域 ………………………………… (154)
13.1　节能减排 ……………………………………………………… (155)
13.2　新能源开发 …………………………………………………… (157)
13.3　森林碳汇 ……………………………………………………… (159)

13.4　碳回收与利用 …… (161)
第14章　低碳生产：企业建立持久优势的必然要求 …… (162)
14.1　低碳是企业转型与发展的要求 …… (162)
14.2　企业低碳生产的现状及存在问题 …… (168)
14.3　促进企业低碳转型的政策措施 …… (175)
第15章　低碳消费：低碳生活方式的核心 …… (178)
15.1　低碳时代消费心理的转变 …… (178)
15.2　从“碳足迹”角度看消费 …… (184)
15.3　倡导低碳消费，推动生活方式低碳化 …… (188)
第16章　低碳外贸 …… (192)
16.1　低碳外贸中的新产品：低碳产品 …… (192)
16.2　低碳外贸中的新形态：碳交易 …… (201)
16.3　低碳外贸中的新问题：低碳贸易壁垒 …… (205)
第17章　低碳城市 …… (212)
17.1　低碳城市建设 …… (212)
17.2　城市碳排放根源分析 …… (217)
17.3　发展城市低碳经济 …… (218)
17.4　树立生态文明消费观，发展城市低碳型消费 …… (222)
17.5　建立城市低碳制度体系 …… (224)
第18章　低碳经济的国际交流与合作 …… (227)
18.1　发展低碳经济需要国际合作与交流 …… (227)
18.2　中国低碳经济与国际交流合作的途径 …… (231)
18.3　中国促进低碳经济国际交流与合作的对策 …… (237)

第5篇　发展低碳经济的引擎与保障：技术与制度

第19章　低碳技术——低碳经济发展的引擎 …… (240)
19.1　低碳技术的重要性 …… (240)
19.2　中国低碳技术的发展 …… (245)
19.3　影响我国低碳技术发展的重要因素 …… (251)
第20章　低碳经济发展的战略与制度保障 …… (253)
20.1　确立低碳经济发展的战略 …… (253)
20.2　制定低碳经济发展的激励性政策 …… (255)
20.3　完善低碳经济发展的法律体系 …… (263)
20.4　建立低碳经济发展的行政管理体系 …… (264)

参考文献 …… (267)

第1篇

低碳经济与生态文明：可持续发展的必然要求

第1章 发展观的演变历程

发展是人类永恒的话题。发展观是人们对发展问题总的看法和根本观点，是从哲学角度对发展问题进行的深入思考，是一定时期经济与社会发展的需求在思想观念层面的聚焦和反映。世界观和方法论体现在发展问题上就是发展观。有什么样的发展观，就会有什么样的发展道路、发展模式和发展战略，就会对发展的实践产生根本性、全局性的重大影响。发展观必须回答几个基本问题，如“什么是发展”“为什么要发展”“怎样发展”和“如何评价发展”。

人类生存繁衍的历史，就是同大自然相互作用、共同发展和不断进化的历史。确立什么样的发展观，是世界各国面临的共同课题，也伴随各国经济社会的演变进程而不断完善。随着世界各国对发展实践的不断开展，人们对发展问题的认识也不断深化。从“发展 = 经济增长”“发展不仅仅是经济增长”，再到“可持续发展”，半个世纪以来，人类发展观经历了不断演变的过程。

1.1 从“增长”到“发展”

1.1.1 第一阶段：突出强调经济增长

人类的生存和发展都必须以经济活动为前提，以经济增长来保障人类生活质量的提高，因此，经济增长成为世界各国追求的目标。20世纪60年代之前，各国以发展经济为中心，以物质财富的增长为发展目标来构建经济发展理论，促进经济的增长。世界各国普遍把国民生产总值的增加当做一个国家经济增长的代名词。这种突出强调经济增长，并几乎把经济增长等同于社会发展的观点，就是传统的经济增长观。

经济增长观的形成，得益于早期工业化思想的影响，但更重要的是第二次世界大战后历史发展潮流的驱动。第二次世界大战后，西方发达国家进入了经济高速增长的发展时期，广大殖民地、半殖民地的第三世界国家也先后实现民族独立。这些国家为了振兴本国经济，消除贫困，重新确立本国在世界体系中的地位，真正走上自主发展的道路，普遍开始了工业化的进程。相对于已经完成了工业化的发达国家，这些国家被称为发展中国家。对在第二次世界大战后独立的广大发展中国家而言，如何改变国家经济落后的面貌，迅速跟上时代的步伐，成为最迫切的课题。由于发展中国家的地域占世界陆地面积的70%，占全世界国家和人口的80%，发展作为第三世界的迫切问题被提上联合国的议事日程。联合国于1960年开始以每十年为一个规划期，先后提出“第一个发展十年”“第二个发展十年”和“第三个发展十年”的国际发展战略，遂使发展研究成为世界各国共同关注的问题，发展研究成为国际学术界研究的热点问题，发展经济学、发展社会学、发展政治学、可持续发展理论等被统称为发展理论的新兴学科在世界迅速兴起。正是在这个背景下，“发展”一词成为了国际生活中的通用术语。

为了促进经济的增长，在这一阶段，西方经济学家普遍认为：发展问题，尤其是发展中国家的发展问题就是经济增长问题；发展的本质或发展的关键在于经济增长；国内生产总值（GDP），也逐渐演化成为衡量一个国家经济社会是否真正进步的最重要的指标。因而，以GDP增长统帅一切的发展理念在当时得到世界公认。例如，这一阶段发展观的主要代表人物刘易斯在他的代表作《经济增长理论》中将发展视同于增长，即“总人口人均产出的增长”，同时提出“发展中国家经济落后的原因在于工业化程度不够，经济馅饼不大；而加快工业化的步伐，提高工业化的程度，把经济馅饼做大，就会导致经济增长和社会进步”（庞元正，2000）。曾任当时巴西计划部部长的德尔芬·内托有一句代表性的话：“把馅饼做大，分而食之。”（苏振兴，1987）显然，发展问题在当时看来就是经济增长问题。这种发展观也得到了当时许多国际组织的支持，1961年12月，第16届联合国大会一致通过并实施的“联合国第一个发展十年战略”时，也将促进发展工作的重心放在提高不发达国家的经济增长速度方面。联合国内居主导地位的看法是，通过高速的经济增长，可以使穷国变富，使发展中国家摆脱不发达状态，实现工业化，从而达到缩小发达国家和发展中国家之间的巨大差距、增进全人类福利的目的（宋泽滨，齐爱兰，2001）。

实践证明，这种发展观对于促进经济增长、积累财富起到了积极作用，在20世纪60年代确实有一些发展中国家通过单纯的经济方式加快了经济增长速度，就第三世界整体来说，也达到了联合国“第一个发展十年”所设定的国民生产总值年度增长率5%的目标，取得了相当的成就（宋泽滨，齐爱兰，2001）。然而，这种发展观指导下的发展中国家大多沿袭发达国家发展的老路，以工业化为主要内容，以国内生产总值增长为目标，在发展中只关心经济增长而不顾其他方面，把社会发展仅仅看做一种经济现象。他们过分强调追求经济总量的增长或国民生产总值增长，忽视了社会发展的其他方面。许多发展中国家在经济增长的同时，并没有实现预期的发展目的，即只有明显的生产量的增长，而没有社会经济结构、社会状况、政治经济体制等的明显进步和质的提高，相反却出现了严重的分配不公、社会腐败、政治动荡。由于经济增长方式的缺陷，有些国家甚至在经济增长后又出现严重的倒退。这些问题引发了世界各国对经济增长观的深刻反思。单纯追求经济增长的发展观受到了普遍批评。人们将这种现象称为"有增长而无发展""无发展的增长"。

1.1.2 第二阶段："增长不等于发展"

进入20世纪70年代，许多国家的社会问题日益严重，追求单纯经济增长而置社会发展目标于不顾的国家，最终都遭到了失败。这样的发展带来了一系列负面效应，20世纪60年代以后，人们开始反思发展问题，力图区分"经济增长"与"经济发展"，提出"增长不等于发展"。在这一时期，人们认识到此前的经济增长观的缺陷，即物本性、单一性、短视性和急功近利性，未能区分"发展"与"增长"这两个概念，把发展、进步等同于经济增长。经济增长和经济发展是既相联系又相区别的两个概念。经济增长是指一国或一地区在一定时期内产品和劳务产出(output)的增长。经济发展则是指随着产出的增长而出现的经济、社会和政治结构的变化，这些变化包括投入结构、产出结构、产品结构、分配状况、生活水平、社会结构等在内的变化。可见，经济增长的内涵较狭窄，是一个偏重于数量的概念，是指一国的人均产值或人均收入的增加；而经济发展的内涵较广，是一个既包括数量又包括质量的概念，既指低收入国家中的经济增长加上物质利益分配的改善，也指增长的综合效益(庞元正，丁冬，2000)。经济增长是手段，经济发展是目的。经济增长是经济发展的条件，经济发展是经济增长的结果。一般而言，没有经济增长就不可能有经济发展，但有经济增长不一定会带来经济发展，即出现"无发展的增长"。

例如，1968年，瑞典发展经济学家缪尔达尔在对南亚和东南亚发展中国家考察的基础上，出版了《亚洲的戏剧：对一些国家贫困问题的研究》一书。该书认为，发展不只是GNP的增长，而且包括整个经济、文化和社会发展过程的上升运动。这实质上指出，发展是一个摆脱贫困、实现现代化的过程，即从传统农业社会向现代化社会转变的过程。同时，他还提出，发展中国家应实行社会改革政策的主张。1969年，在新德里举行的国际发展协会第3届世界大会上，英国发展经济学家达德利·西尔斯发表的题为"发展的意义"演讲中指出，"把发展与经济发展以及经济发展与经济增长相混淆是我们十分轻率的表现"，"对于一个国家发展来说，应该提出的问题是，贫困发生了什么变化？失业发生了什么变化？不平等发生了什么变化？如果这三个中心问题中一个或两个恶化了，特别是三个问题都恶化了，那么，即使人均收入成倍增长，把这种结果称为是发展也是不可思议的”。在20世纪70年代，理论界甚至出现了一股否定经济增长的潮流，不再把经济增长作为发展目标，而是把增加就业、改善收入分配状况和消除贫困作为发展目标。此外，人们认识到实现经济增长还必须进行一定的社会变革。当时的联合国秘书长吴丹提出，发展等于经济增长加社会变革。

在这种发展观的影响下，1970年10月，第25届联合国大会制定了“第二个发展十年计划(1970～1980)”。这个发展十年计划有了明显的转变，改变了“第一个十年发展计划(1960～1970)”单纯以国民生产总值的增长为指标，不仅规定了经济增长的指标，而且规定了如要求发展中国家更公平地分配收入和财富，制定就业目标要反映社会状况等其他指标。联合国的“第二个发展十年”指出：“发展的最终目的是对收入和财富实行更平等的分配，以促使社会提高生产效率，提高实际就业水平，更大程度地保证收入和改善教育、卫生、营养、住房及社会福利设施以及环境保护。因此，社会性质和社会结构的变迁必须同迅速的经济增长并驾齐驱，而且应切实减少现存的地区、部门和社会内部的不平等。这些目标是发展的决定性因素和最终结果，因而它们被看做是同一动态过程的合成体。”(鲍宗豪，张华金，2004)可以看出，联合国的发展观念已突破经济范畴，进入社会领域，已开始扬弃单纯追求经济增长的发展观念，认识到发展应是经济增长与社会结构的变迁共同构成的。

然而，不少国家由于种种原因，缺乏实施这种发展观的内在动力，特别是进入20世纪80年代，随着工业化的深入，自然资源、生态环境等问题日益严重，因此不得不对发展的内涵再次反思，以寻求更能促进发展的新的发展观。

1.1.3 从“发展”到“可持续发展”：可持续发展观的产生

可持续发展观形成于20世纪80年代，在90年代得到世界各国的认同。可持续发展观是人类社会长期理论和实践发展的智慧结晶，是人们在追求财富最大化与高质量生活水平的同时，又面临若干重大社会现实问题的背景下产生的。

1.1.3.1 从“发展”到“可持续发展”的转变

可持续发展观的形成和发展，有其客观历史条件。18世纪以来，由于科学技术快速发展，工业化急速推进，人类开始骄傲地提出“征服自然”的口号。经过多年的发展，一系列困扰人类的世界性问题频繁出现，如人口膨胀、环境污染、粮食短缺、能源枯竭、资源匮乏及发展中国家的贫困、世界性的核威胁、国际间的恐怖活动等。

近百年来，人口压力越来越大，尽管许多人还在对马尔萨斯关于人口与生活资料的关系的论述品头论足，但不幸的是，世界人口发展的轨迹似乎印证了他所说的只要有生活资料，人口就会增长的论断。工业革命以来社会生产力的极大提高，生活资料的空前丰富，伴随的是人口数量以前所未有的加速度增长。正如马克思、恩格斯在《共产党宣言》中所说的，人类不到一百年时间“所创造的生产力，比过去一切世代所创造的生产力还要多、还要大。自然力的征服，机器的采用，化学在农业和工业中的应用，轮船的行驶，铁路的通行，电报的使用，整个大陆的开垦，河川的通航，仿佛用法术从地下呼唤出来大量人口”。18世纪中期至20世纪初，世界人口以每年0.5%的速度增长。到了20世纪，人口增长速度显著加快。20世纪初至50年代，人口年增长率上升到1%左右，50年代以后，更达到年均增长2%的惊人水平，眼看着世界总人口规模一步一步踏上新的台阶。在1820～1920年，世界人口从10亿增到20亿，翻了一番。然而，在随后的100年，1920～2020年，人口将攀升到80亿，呈近4倍的增长（彼得·P·罗杰斯，2008）。部分国家和地区过重的人口压力，已经使得在这些地区建立人与自然的和谐关系几乎失去客观基础。

其次，人口膨胀以及一些不适宜的人类活动引起了环境污染、生态破坏，对环境造成了巨大压力，甚至引发人类生存和发展的危机。造成现代环境问题的具体原因有：①工业化。它使人类生产活动逐步脱离自然，相对生态系统而言，工业化生产过程以及人类消费过程产生的各种类型的物质，异质性特别明显，增加了自然生态系统的消纳难度。②人口的增长。导致自然环境显现其脆弱的一面。生态系统内长期演化而形成的供给能力受到挑战，并遭到破坏。③不断蔓延的全球经济一体化，使得物质流动的空间范围显著扩大，过去不曾利用的物质或难以利用的物质，逐步纳入经济活动之中，地表结构出现大面积的变化（如石油的开采、放射性物质的使用等）。④制度问题。在人类需求不断扩张的时候，人类并没有发展出一套良好的规则，以有效地规范需求和限制过多的消费。⑤自觉能力的迟缓。只是到了直接影响到人类的日常生活时，人们才开始觉悟到问题的严重性（周海林，2004）。

恩格斯于1873年在《自然辩证法》中曾指出：“我们不要过分陶醉于我们人类对自然界的胜利。对于每一次这样的胜利，自然界都对我们进行报复。每一次胜利，在第一线都确实取得了我们预期的结果，但是在第二线和第三线却有了完全不同的、出乎预料的影响，它常常把第一个结果重新消除。美索不达米亚、希腊、小亚细亚以及别的地方的居民，为了得到耕地，毁灭了森林，他们梦想不到，这些地方今天竟因此成为荒芜的不毛之地……”100多年过去了，在自然界无情地对人类进行报复，并给所有生命带来难以弥补的灾难的时候，恩格斯的论断才被人们所理解。自20世纪50年代以来，有关生态环境破坏的表述不计其数。在追求经济增长的过程中，伴随着人们对自然掠夺性的开发和利用，大量消耗资源，严重破坏环境，导致越来越严重的能源危机、环境污染、资源浪费、生态恶化等全球性问题。社会的进一步发展面临严峻的挑战，不仅制约社会经济发展，而且已经直接威胁到整个人类的生存。与环境问题相似，在物质财富日益充足的同时，贫困并没有减轻。

这促使人们对既往的发展观进一步地进行深入思考，在此基础上，“可持续发展观”应运而生。其核心内容是，要求当代社会发展既能满足当代人的需要，同时又不对后代人满足其需要构成威胁和危害，达到经济、社会、生态环境三者持续、健康发展。它是关于发展观的一个重要进展，是人类文明进展到新历史时期的重要标志。

1.1.3.2 从“发展”到“可持续发展”的理论形成

可持续发展观的产生导致了发展观的历史性变化，是20世纪发展观演变中具有重大意义的事件。可持续发展理论的形成，是人类社会进入一个新的发展阶段后，新的社会生活观在经济理论上的直接反映，是在新的发展阶段对既往发展观的扬弃。

从经济发展史的角度来看，可持续发展理论的出现，是用发展观取代单纯经济增长观后的又一次理论飞跃。纵观半个世纪以来发展观的变迁，可以看出，随着科学的进步、生产力水平的提高及其带来的各种问题的不断累积，人类对于人与自然的关系和自身社会经济行为的认识水平也提高了。当生产力水平比较低下、大面积的绝对贫困呈现在人们面前时，人们自然地首先把经济增长作为解决问题的出路。当人们发现片面追求经济增长并不能带来社会问题的自动解决，相反还会引发或使社会问题恶化时，人们开始思考经济发展与社会发展的相互关系。在随着世界经济和人口的急剧增长，生产力水平的迅速提高，资源的消费与废弃物的排放超出地球的再生能力和自我净化能力的征兆日益明显的情况下，人们才开始认真地把经济、社会、人口、资源、环境当做是一个复合的大系统来看待，认识到只有系统的各个组成部分相互协调发展才不至于使发展的道路越来越狭窄。这样，可持续发展的思想才成了国际社会的共识。经济与社会的协调发展则是可持续发展战略的一个极其重要的组成部分。

在漫长的人类历史进程中，工业革命爆发前，以及工业革命爆发后的一段时间内，由于物质匮乏和生存压力，人类面临的主要任务是维持自身的生存、满足基本的消费需求。在这种情况下，追求财富的增加成为经济活动的主题，反映在经济理论上，就是追求经济增长，即研究如何追求和实现经济效用的最大化，实现社会产品总量的增加。这一时期人类主要从自然界中直接获取生活资料，或者借助于自然资源生产必需的消费品，对自然资源的依赖程度较高。由于人口压力较小，以及主要生产过程与自然生物过程相结合(如农业、畜牧业生产)，人类对资源和环境的索取所造成的资源损耗和环境退化表现得相对缓慢，生产和消费模式是否具有可持续性根本就不可能成为人们关注的焦点。

工业革命是人类生产和消费方式的革命。生产力的巨大发展，使得人们的温饱问题从总体上得以解决。人类社会从整体上跨越了维持基本生存的阶段，进入到追求生活质量的新阶段。从理论研究的角度，人们在这一阶段发现，前一阶段单纯地追求经济量的增长，并不一定就会给人类的社会福利带来真正的好处，相反，现实世界里出现了经济总量增加而人类生活福利并未增加的现象。正如联合国开发计划署在其《1996年人类发展报告》中指出的那样，在有些地方出现无工作的增长（jobless growth）、无声的增长（voiceless growth）、无情的增长（ruthless growth）、无根的增长（rootless growth）、无未来的增长（futureless growth）。为此，理论界对追求经济增长进行了反思，从而提出了在经济增长的同时，还要追求社会的发展，即：要把经济增长与投入结构的变化、产出结构的变化、产品的构成与质量的改进、居民生活水平的提高以及社会成员分配状况的改善有机地结合在一起，这样才能把经济总量增加带来的潜在实惠真正变成社会成员实实在在的福利增加。正是在这种背景下，发展取代增长成为理论研究的主题（这里讲的发展，是取其广义。在发展经济学的教科书中，发展问题的对象往往仅仅指的是发展中国家。事实上，如果从广义的意义上进行理解，发达国家同样存在发展问题。联合国及有关国际组织，把发展中国家和发达国家置于同一研究框架下比较其发展状况，正是从广义上来理解和运用发展的概念）。在发展的主题下，人们既关注如何利用稀缺的资源获取最大的社会产品总量，也关心产品质量、生产效率、财富分配、生活环境等事关其生活质量的方方面面。不断追求生活质量提高的生产和消费模式，往往使人类沉溺于欲望的满足而难以自拔，过分地依赖于自身已经掌握的手段和技术，对自然和环境进行肆无忌惮地索取和掠夺，从而埋下了自然和社会经济系统崩溃的祸根。虽然少数有先见之明的清醒者不断给予提醒并发出呼吁，但其声音往往被淹没在一个又一个消费欲望被满足而发出的欢呼声中。很快，在追求生活质量提高的道路上不断取得重大进展的人们发现，人类自身的生产和消费模式难以为继了：高消费赖以支撑的自然资源日渐减少，自身的生产和消费方式所带来的诸多副作用使其对本身的前景产生了疑问。人类发明了代步的汽车，指望从此有了迅捷的交通工具，可交通的堵塞使得一些地区车速慢于步行；人们发明了空气调节器，指望可以过上四季如春的惬意生活，哪曾想到正是自身的活动导致地球气温升高。此情此景恰如毒瘾发作而难以自拔的瘾君子，为了满足眼前的欲望，不断使用更大剂量来获得暂时的快感。每个人都不知道这样的日子能够持续多久。

可持续发展理论正是针对盲目追求生活质量不断提高的生产和消费方式所带来的不可持续的发展前景而提出的全新发展理念，是对经济增长和发展理论的扬弃。它从人本主义出发，追求长期而永久的人类利益，把人类的全面发展与环境、资源的保护和永续利用有机结合起来。一方面，它把人的地位提高到前所未有的高度，一切以人为本，发展是为了人类永恒的利益；另一方面，它又把人还原成普通的生物链条当中的一环，提出发展必须遵循自然规律，实现人口、资源和环境的和谐共处。这一理论转变自20世纪后期以来，表现得极其显著。例如，在西方流行的有代表性的经济学、发展经济学著作和教科书中，20世纪八九十年代一个十分显眼的共同趋势就是在既有的版本里加进或融入发展与环境、资源等论述可持续发展理论的章节和内容，同时，新古典经济增长理论也有了进一步的发展。传统的新古典经济增长理论只考虑资本和劳动两大生产要素，这种理论很容易引导人们为了追求经济总量的增长而不断扩大生产规模，加剧对资源和环境的破坏。而发端于20世纪五六十年代、完善于80年代的新经济增长理论，把知识和技术看成是经济增长的内生变量，技术要素可以取得递增的收益。这一新理论，揭示了有别于传统的粗放资源投入型经济增长道路的存在，也为可持续发展理论形成和发展提供了理论资源。

1.1.3.3　从“发展”到“可持续发展”的发展历程

从“发展”到“可持续发展”的这种发展观经历了一个不断深化的过程。

基于生态学的自然保护的观念比较准确，而这可以追溯到20世纪30年代的美国。当时，由于草原表土拓荒以及季节性大旱，在美国西南部大平原地区发生了严重的沙尘暴，造成一种区域性的人为悲剧。20世纪30年代正值美国大萧条时期，自然灾害伴随着经济危机，公众意识里开始出现自然保护概念。

早期的发展观带来的负面影响引发了社会各界的关注。真正环保意识的觉醒应该归功于美国海洋生物学家蕾切尔· 卡逊（刘青松，2003）。蕾切尔·卡逊1962年出版《寂静的春天》一书，通过对杀虫剂、DDT的滥用造成的危及生命系统的悲剧性描述，告诫人类警惕现代农业污染对自然生态的深刻影响以及人类必须与自然融洽发展。此书出版就引起轰动，引发了人们对发展观念的讨论，促进和加速了环境保护科学的兴起和发展。因而被称作“现代环境运动的肇始”（蕾切尔·卡逊，1997）。

之后，对人类未来发展前景的研究和成果大量涌现，至今方兴未艾。大体分为悲观论、乐观论、持续论三类，分别代表了认识的不同阶段。主要代表作有《增长的极限》（罗马俱乐部，1972），《熵——一种新的世界观》（J·里夫金等，1987），《多少算够》（艾伦·杜宁，1997），《自然之死》（卡洛琳·麦茜特，1999），《哲学走向荒野》（霍尔姆斯·罗尔斯顿，2000），《自然的终结》（比尔·麦克基尔，2000）等。

20世纪70年代以来，由于人口膨胀、资源耗竭、环境污染等问题越来越严重，国际社会和学术界对环境与发展问题越来越予以重视。大量的国际生态环保组织的成立，标志着世界环境环保运动进入一个崭新的阶段。它们制定的宣言、公约、法规等成为极具指导意义的纲领性文献，如《人类环境宣言》（1972）、《联合国海洋法公约》

（1982）、《南极条约》（1988）、《里约环境与发展宣言》（1992）、《21世纪议程》（1992）、《气候变化框架公约》（1992）、《生物多样性公约》（1992）等。

1972年6月5日～16日，联合国第一次"人类环境会议"在瑞典斯德哥尔摩召开，共有113个国家和一些国际机构的1300多名代表参加了会议。这次会议标志着全人类对环境问题的觉醒，是人类第一次将环境问题纳入世界各国和国际政治的事务议程，是世界环境保护史上第一个路标，对推动世界各国保护和改善人类环境发挥了重要作用和影响。大会通过了《人类环境宣言》，该宣言指出："为了在自然界里取得自由，人类必须利用知识在同自然合作的情况下建设一个较好的环境。为了这一代和将来的世世代代，保护和改善人类环境已经成为人类一个紧迫的目标。这个目标将同争取和平和全世界的经济与社会发展这两个既定的基本目标共同和协调地实现。"《人类环境宣言》所提出的在保护和改善人类环境方面的基本原则，在世界上产生了很大影响。可见，这次"人类环境会议"已经明确提出了可持续发展的初步思想，认识上也更加注重发展和自然环境的协调。

同年，两位著名美国学者巴巴拉·沃德和雷内·杜博斯的享誉颇高的《只有一个地球》一书问世，该书从整个地球的发展前景出发，从社会、经济和政治的不同角度，评述经济发展和环境污染对不同国家产生的影响，呼吁各国人民重视维护人类赖以生存的地球。该书把人类对生存与环境的认识推向可持续发展的高度。罗马俱乐部发表了研究报告《增长的极限》，该书明确提出了"持续增长"和"合理的持久的均衡发展"的概念，敏锐地认识到了自然资源和环境对人类发展具有重要的、不可替代的作用，唤醒了人类对自然资源和环境的关注。

在1972年斯德哥尔摩会议的推动下，人类更加广泛和深入地开展了对环境与发展问题的探索。20世纪80年代以来，世界各国开始从经济、政治、社会等多方面研究发展问题，从而形成了一种新的发展观。

1980年3月，联合国第一次使用了"可持续发展观"的概念，随后这个概念逐步被更多人使用。1983年，联合国教科文组织委托法国学者写了《新发展观》一书，指出新的发展观是"整体的""综合的"和"内生的"，其经济发展不仅包含数量上的变化，而且还包括收入结构的合理化、文化条件的改善、生活质量的提高以及其他社会福利的增进。也就是说，经济发展体现为经济增长、社会进步与环境改善的同步进行。这种新的综合发展观在实践中逐步演变成"协调发展观"。

1983年，在挪威首相布伦特夫人的倡导下成立起来的世界环境与发展委员会（WCED），组织了世界范围的专家经过900多天的认真论证，于1987年向联合国提出了一份题为《我们共同的未来》的报告。该报告在系统探讨了人类面临的一系列重大的经济、社会和环境问题之后，提出“可持续发展”的概念。报告以此为主题对人类共同关心的环境与发展问题进行了全面论述，受到世界各国政府组织和舆论的极大重视。它使可持续发展观真正成为国际社会的共识，标志着可持续发展观的形成。报告提出，可持续发展是“既满足当代人的需要，又不对后代人满足其自身需求的能力构成危害的发展”。其目标是要求做到：生态的持续性、经济的持续性和社会的持续性，把生态、经济、社会统一为不可分割的整体。它体现了经济、社会、资源环境必须协调发展的思想，是人类对于人与自然的关系以及自身社会经济行为认识的飞跃。此时的研究重点是人类社会在经济增长的同时如何适应并满足生态环境的承载能力，以及人口、环境、生态和资源与经济的协调发展方面。其后，这一理论不断地充实完善，形成了自己的研究内容和研究途径。

1991年，世界自然保护同盟、联合国环境规划署和世界野生生物基金会又共同发表了《保护地球——可持续生存战略》，提出“要在生存于不超过维持生态系统涵容能力之情况下，改善人类的生活品质”，并且提出人类可持续生存的九条基本原则，同时还提出了人类可持续发展的价值观和130个行动方案，着重论述了可持续发展的最终落脚点是人类社会，即改善人类的生活品质，创造美好的生活环境。《生存战略》认为，各国可以根据自己的国情制定各不相同的发展目标，但是，只有在“发展”的内涵中包括提高人类健康水平、改善人类生活质量和获得必须资源的途径，并创造一个保障人类平等和自由权利的环境，才是真正的“发展”。

1992年6月3日~14日，联合国在巴西著名城市里约热内卢召开了举世瞩目的联合国环境与发展大会。共有178个联合国成员国的代表团参加，102位国家元首或政府首脑以及联合国的有关机构和国际组织的代表出席了会议。会议通过了《里约环境与发展宣言》和《21世纪议程》两个纲领性文件以及相关文件。会议深刻地阐明了保护环境和发展之间的相互依存关系，对可持续发展的认识深度和范围得到进一步扩展，指出要消灭贫困，环境与发展应满足所有国家的利益和需要，减少和消除不可持续的生产方式和消费方式，实施适当的人口政策，并且提出了实行可持续发展的一整套系统化的战略、政策和行动举措。它标志着可持续发展观被全球不同发展理念的各类国家所普遍认同，而不再仅仅是被关注的一种新的发展理论。这次会议将可持续发展的概念和理论推向行动，探讨建立一种新的全球伙伴关系。在全球范围内第一次全面系统地宣告确立了可持续发展战略和行动的地位。

在里约环境与发展大会的推动下，国际社会在可持续发展领域出现了许多积极的变化，具体表现在：①《气候变化框架公约》《生物多样性公约》和《荒漠化公约》等诸多环境公约相继生效。全球性、区域性和双边环境保护公约、条约和议定书不断出台，公约所涉及的领域不断扩大。有关公约的实施正在取得进展，有的已产生良好效果。②各国政府做了大量的努力，将可持续发展纳入本国经济和社会发展战略。150个国家建立了相应的组织机构，2000多个城市制订了地方《21世纪议程》。③各国际组织致力于可持续发展。联合国于1993年成立了可持续发展委员会，审议《21世纪议程》在全球的执行情况，联合国系统内外的许多机构都将其经常性活动与实施《21世纪议程》结合起来。④可持续发展的观念逐步深入人心，全民环境意识大大增强，关心并参与保护环境的人与日俱增。环境与发展大会以前，发达国家的民间团体和非政府组织在推动政府重视环境方面起到了先锋作用。在不足十年的时间里，民间环保组织已遍布全球，并空前活跃，在促进从社区到全球的环保行动方面发挥着广泛、积极的作用。⑤国际社会从总体上对各项环境问题的研究更加深入，政策措施日益具体化。在一些环境保护比较成功的国家里，可持续发展的法律不断出台，政策体制更加灵活。一方面，政府的法律、政策和标准等不断细化、发展和完善；另一方面，通过财政措施、税收、生态标签、排污权交易等手段，调动市场的力量，引导并推动生产和消费模式的改变。

1995年，联合国在哥本哈根召开了第一次关于社会发展问题的世界首脑会议，通过了《哥本哈根社会发展问题宣言》和《社会发展问题世界首脑会议行动纲领》，再次强调：经济发展、社会发展和环境保护是可持续发展的相互依赖互为加强的组成部分，而可持续发展是努力实现全体成员更高的生活质量的框架，公平的社会发展确认穷人有权可持续地利用环境资源，要保证各代人的平等和对环境综合、持久的利用，努力实现对当代和未来各代人类的责任，其后，推动全球范围的可持续发展，成为联合国的中心议题之一。

进入21世纪后，人类依然面临着更为严峻的环境与发展的矛盾。首先，人口的持续增长对已经比较脆弱的地球生态系统带来更大的压力。到2002年，全世界有约60亿人口，到2100年估计要增长到110亿，这意味着世界人口将在现有的基数上还要再增加50亿。其次，是能源消费问题。不可再生能源的大量消费带来了能源短缺和气候变化在内的许多环境问题。再次，是安全饮用水问题。目前全世界有10多亿人口没有安全饮用水。这一问题不仅严重地影响人体健康，而且也严重制约了他们的发展。最后，是粮食安全问题。在粮食消费上，世界各个主要地区的食品消费水平都得到了普遍的提高，从量上看食品问题应该得到了普遍的改善，但是这个问题的改善不是通过积极有效的途径实现的，而是依靠发展中国家大量从发达国家进口粮食实现的。这样的困境造成一些发展中国家大量砍伐森林的局面，此外还有仍然在肆虐的艾滋病等疾病、贫困人口增加和贫富差距大等社会发展问题。

因此，可持续发展仍然是世界关注的焦点。2002年8月26日~9月4日，联合国可持续发展世界首脑会议在南非约翰内斯堡举行，这是继1972年斯德哥尔摩联合国人类环境会议、1992年里约热内卢联合国环境与发展大会之后的又一次国际社会关于人类环境与发展的盛会。位于南非大陆的约翰内斯堡，俗称为“约堡”，是世界上森林覆盖率最高的城市，被誉为“人造森林”。来自192个国家和地区的政府代表团，104位国家元首或政府首脑以及国际组织、非政府组织的代表2万余人出席了会议。会议回顾了里约热内卢会议10年来可持续发展取得的进展，总结了存在的问题，通过了《可持续发展问题世界首脑会议执行计划》，重申了对世界可持续发展具有奠基石作用的里约峰会原则和进一步全面贯彻实施《21世纪议程》的承诺，标志着可持续发展战略的实施进入了一个新阶段。

1.2　可持续发展观

可持续发展作为一个全新的理论体系，正在逐步形成和完善，其内涵与特征也引起了全球范围的广泛关注和探讨。各个学科从各自的角度对其进行了不同的阐述，虽然至今尚未达成一致的定义和公认的理论模式，但其基本含义和思想内涵是一致的。

1.2.1　可持续发展的定义

自可持续发展提出以来，学者们从不同的角度对可持续发展进行了定义。有的定义着重于自然属性。可持续性的概念源于生态学，即所谓“生态持续性”(ecological sustainability)。它主要指自然资源及其开发利用程度间的平衡。世界自然保护同盟(IUCN)1991年对可持续性的定义是“可持续地使用，是指在其可再生能力(速度)的范围内使用一种有机生态系统或其他可再生资源”。同年，国际生态学联合会(INTECOL)和国际生物科学联合会(IUBS)进一步探讨了可持续发展的自然属性。他们将可持续发展定义为“保护和加强环境系统的生产更新能力”，即可持续发展是不超越环境系统再生能力的发展。此外，从自然属性方面定义的另一种代表是从生物圈概念出发，即认为可持续发展是寻求一种最佳的生态系统，以支持生态的完整性和人类愿望的实现，使人类的生存环境得以持续。

另一种定义则着重于社会属性。1991年，由世界自然保护同盟、联合国环境规划署和世界野生生物基金会共同发表了《保护地球——可持续生存战略》。其中提出的可持续发展定义是“在生存不超出维持生态系统涵容能力的情况下，提高人类的生活质量”，并进而提出了可持续生存的9条基本原则。这9条基本原则既强调了人类的生产方式与生活方式要与地球承载能力保持平衡，保护地球的生命力和生物多样性，又提出了可持续发展的价值观和130个行动方案。报告还着重论述了可持续发展的最终目标是人类社会的进步，即改善人类生活质量，创造美好的生活环境。报告认为，各国可以根据自己的国情制定各自的发展目标。但是，真正的发展必须包括提高人类健康水平，改善人类生活质量，合理开发、利用自然资源，必须创造一个保障人们平等、自由、人权的发展环境。

有些则着重于经济属性，把可持续发展的核心看成是经济发展。当然，这里的经济发展已不是传统意义上的以牺牲资源和环境为代价的经济发展，而是不降低环境质量和不破坏世界自然资源基础的经济发展。在《经济、自然资源、不足和发展》中，作者巴比尔(Edward B. Barbier)把可持续发展定义为：“在保护自然资源的质量和其所提供服务的前提下，使经济发展的净利益增加到最大限度。”普朗克(Pronk)和哈克(Hag)在1992年为可持续发展所做的定义是：“为全世界而不是为少数人的特权所提供公平机会的经济增长，不进一步消耗自然资源的绝对量和涵容能力。”英国经济学家皮尔斯(Pearce)和沃福德(Warford)在1993年合著的《世界末日》一书中，提出了以经济学语言表达的可持续发展定义：“当发展能够保证当代人的福利增加时，也不应使后代人的福利减少。”而经济学家科斯坦萨(Costanz)等人则认为，可持续发展是能够无限期地持续下去——而不会降低包括各种“自然资本”存量(量和质)在内的整个资本存量的消费数量。他们还进一步定义：“可持续发展是动态的人类经济系统与更为动态的，但在正常条件下变动却很缓慢的生态系统之间的一种关系。这种关系意味着，人类的生存能够无限期地持续，人类个体能够处于全盛状态，人类文化能够发展，但这种关系也意味着人类活动的影响保持在某些限度之内，以免破坏生态学上的生存支持系统的多样性、复杂性和基本功能。”

此外，还有从科技属性出发所做的定义，主要是从技术选择的角度扩展了可持续发展的定义，倾向这一定义的学者认为：“可持续发展就是转向更清洁、更有效的技术，尽可能接近‘零排放’或‘密闭式’的工艺方法，尽可能减少能源和其他自然资源的消耗。”还有的学者提出：“可持续发展就是建立极少产生废料和污染物的工艺或技术系统。”他们认为污染并不是工业活动不可避免的结果，而是技术水平差、效率低的表现。他们主张发达国家与发展中国家之间进行技术合作，缩短技术差距，提高发展中国家的经济生产能力。

但是，在所有的定义中，最为人所知的是《我们共同的未来》中对可持续发展的定义：“既满足当代人的需求，又不对后代人满足其自身需求的能力构成危害的发展。”

这一概念在1989年联合国环境规划署(UNEP)第15届理事会通过的《关于可持续发展的声明》中得到接受和认同。

1.2.2　可持续发展的内涵

可持续发展是一个涉及经济、社会、文化、技术及自然环境的综合概念，是一种立足于环境和自然资源角度提出的关于人类长期发展的战略和模式。这并不是一般意义上所指的在时间和空间上的连续，而是特别强调环境承载能力和资源的永续利用对发展进程的重要性和必要性。它的内涵主要包括三个方面：

首先，可持续发展鼓励经济增长。它强调经济增长的必要性，必须通过经济增长提高当代人福利水平，增强国家实力和社会财富。但可持续发展不仅要重视经济增长的数量，更要追求经济增长的质量。这就是说，经济发展包括数量增长和质量提高两部分。数量的增长是有限的，而依靠科学技术进步，提高经济活动中的效益和质量，采取科学的经济增长方式才是可持续的。因此，可持续发展要求重新审视如何实现经济增长。要达到具有可持续意义的经济增长，必须审计使用能源和原料的方式，改变传统的以“高投入、高消耗、高污染”为特征的生产模式和消费模式，实施清洁生产和文明消费，从而减少每单位经济活动造成的环境压力。环境退化的原因产生于经济活动，其解决的办法也必须依靠于经济过程。

其次，可持续发展的标志是资源的永续利用和良好的生态环境。经济和社会发展不能超越资源和环境的承载能力。可持续发展以自然资源为基础，同生态环境相协调。它要求在严格控制人口增长、提高人口素质和保护环境、资源永续利用的条件下，进行经济建设，保证以可持续的方式使用自然资源和环境成本，使人类的发展控制在地球的承载力之内。可持续发展强调发展是有限制条件的，没有限制就没有可持续发展。要实现可持续发展，必须使自然资源的耗竭速率低于资源的再生速率，必须通过转变发展模式，从根本上解决环境问题。如果经济决策中能够将环境影响全面系统地考虑进去，这一目的是能够达到的。但如果处理不当，环境退化和资源破坏的成本就非常巨大，甚至会抵消经济增长的成果而适得其反。

最后，可持续发展的目标是谋求社会的全面进步。发展不仅仅是经济问题，单纯追求产值的经济增长不能体现发展的内涵。可持续发展观认为，世界各国的发展阶段和发展目标可以不同，但发展的本质应当包括改善人类生活质量，提高人类健康水平，创造一个保障人们平等、自由、教育和免受暴力的社会环境。这就是说，在人类可持续发展系统中，经济发展是基础，自然生态保护是条件，社会进步才是目的。而这三者又是一个相互影响的综合体，只要社会在每一个时间段内都能保持与经济、资源和环境的协调，这个社会就符合可持续发展的要求。显然，在21世纪，人类共同追求的目标，是以人为本的自然—经济—社会复合系统的持续、稳定、健康的发展。

1.2.3 可持续发展的基本原则

可持续发展具有十分丰富的内涵。就其社会观而言，主张公平分配，既满足当代人又满足后代人的基本需求；就其经济观而言，主张建立在保护地球自然系统基础上的持续经济发展；就其自然观而言，主张人类与自然和谐相处。其基本原则有：

1.2.3.1 公平性原则

所谓公平是指机会选择的平等性。可持续发展的公平性原则包括两个方面：一方面本代人的公平即代内之间的横向公平。可持续发展要满足所有人的基本需求，给他们机会以满足他们过上美好生活的愿望。当今世界贫富悬殊、两极分化的状况完全不符合可持续发展的原则。因此，要给世界各国以公平的发展权、公平的资源使用权，要在可持续发展的进程中消除贫困。各国拥有按其本国的环境与发展政策开发本国自然资源的主权，并负有确保在其管辖范围内或在其控制下的活动，不致损害其他国家或在各国管理范围以外地区的环境责任。另一方面代际间的公平即世代的纵向公平。人类赖以生存的自然资源是有限的，当代人不能因为自己的发展与需求而损害后代人满足其发展需求的条件——自然资源与环境，要给后代人以公平利用自然资源的权利。

1.2.3.2 持续性原则

可持续发展有着许多制约因素，其主要限制因素是资源与环境。资源与环境是人类生存与发展的基础和条件，离开了这一基础和条件，人类的生存和发展就无从谈起。因此，资源的永续利用和生态环境的可持续性是可持续发展的重要保证。人类发展必须以不损害支持地球生命的大气、水、土壤、生物等自然条件为前提，必须充分考虑资源的临界性，必须适应资源与环境的承载能力。换言之，人类在经济社会的发展进程中，需要根据持续性原则调整自己的生活方式，确定自身的消耗标准，而不是盲目地、过度地生产、消费。

1.2.3.3 共同性原则

可持续发展关系到全球的发展。尽管不同国家的历史、经济、文化和发展水平不同，可持续发展的具体目标、政策和实施步骤也各有差异，但是公平性和可持续性则是一致的。并且要实现可持续发展的总目标，必须争取全球共同的配合行动。这是由地球整体性和相互依存性所决定的。因此，致力于达成既尊重各方的利益，又保护全球环境与发展体系的国际协定至关重要。正如《我们共同的未来》中写的：“今天我们最紧迫的任务也许是要说服各国，认识回到多边主义的必要性。”“进一步发展共同的认识和共同的责任感，是这个分裂的世界十分需要的。”这就是说，实现可持续发展就是人类要共同促进自身之间、自身与自然之间的协调，这是人类共同的道义和责任。

1.3　可持续发展观在中国的实践

中国作为世界上最大的发展中国家，实践可持续发展观具有深远而重大的意义。中国21世纪议程提出，应该要“寻找一条人口、经济、社会、环境和资源相互协调的，既能满足当代人的需要而又不对后代人需求的能力构成危害的可持续发展道路”（中国21世纪议程管理中心，1994）。从现实发展情况来看，这是中国发展的需要和必然选择。在超过半个世纪的时间里，作为一个发展中国家，中国在可持续发展问题上经过了艰难的探索和发展，取得了一定的成绩。

新中国在成立初期到改革开放前的30年内，与其他发展中国家一样强调经济增长，目的是要摆脱“一穷二白”的落后状态，把我国建设成为工业化强国和社会主义强国。新中国成立初期，人们对于发展的理解还停留在经济增长，认为必须把经济增长放到高于一切、压倒一切的地位，制定了“赶超式”的经济发展战略，其目标就是快速实现工业化。十一届三中全会后，国家强调“以经济建设为中心”，强调经济发展在整个社会发展中的首要地位，同时也开始注重社会各个方面综合发展。不过当时大多数人对“现代化”的理解仍然局限于实现工业化及其在工业化基础上所发生的社会变迁过程。

随着经济社会的发展以及世界发展理念的变化，环境保护等可持续发展思想开始进入中国学术界和决策层的眼帘。1973年，中国环境保护迈出了关键性的一步，在北京召开了全国第一次环境保护会议。会议遇到的首要问题，就是社会主义的中国有没有环境污染和公害。这次会议唤醒了国人对环保的关注。从此，中国的环境保护事业艰难起步。1979年，中国第一部《环境保护法》正式颁布，标志着中国的环境保护已从一般号召，开始向法治化迈进。然而当时不少政府决策者和理论界人士认为先污染后治理是客观规律，在经济发展的初级阶段是不可逾越的，公开宣扬“先建设后治理”论。我国从第六个五年计划(1981～1985)开始，计划的名称由过去的“国民经济计划”改为“国民经济和社会发展计划”，反映了我国政府对计划经济时期单纯追求经济增长率、忽视社会发展倾向的否定和对经济发展与社会发展相互关系的认识的深化。在1983年，政府把环境保护确定为基本国策，提出了“环境保护是我国的一项基本国策”，从而把环境保护从经济发展的边缘移到了经济发展的中心位置，对中国环境保护事业产生了积极而深远的影响。

20世纪80年代，中国参与了《我们共同的未来》报告的起草和讨论工作，是最早提出和实践可持续发展战略的国家之一。自1992年联合国制定《21世纪议程》以来，世界各国都在采取行动，促进可持续发展战略的实施，实现可持续发展已成为世界各国共同追求的目标。中国政府于1992年签署了《里约环境与发展宣言》和《21世纪议程》。1994年3月25日，中国率先发布了第一个国家级的21世纪议程——《中国21世纪议程——中国21世纪人口、环境与发展白皮书》。这充分反映了中国政府以强烈的历史使命感和责任感，去完成对国际社会应尽的义务和不懈地为全人类共同事业作出更大贡献的决心，赢得了国际社会的广泛关注和支持。1996年，八届全国人大第四次会议通过的《国民经济和社会发展"九五"计划和2010年远景目标纲要》中，把科教兴国和可持续发展列为国家两大发展战略，可持续发展被正式确定为国家的基本发展战略之一，这标志着中国正式走上可持续发展道路，可持续发展开始从学术共识转变为政府工作的重要内容和具体行动。之后，与联合国《21世纪议程》相呼应，中国立足自身国情，制定了《中国21世纪议程》，阐明了中国的可持续发展战略和对策。《中国21世纪议程》中提出了可持续发展总体战略与政策，从社会可持续发展、经济可持续发展和资源的合理利用与环境保护等多方面对我国的发展进行了规划和部署。《中国21世纪议程》的制定，得到了全国各部门、各地方的热烈响应和支持，各有关部门相续制定并实施了本部门的"21世纪议程"，并在随后制定的国家和部门"九五"计划和2010年规划中，作为重要目标和内容得到了具体体现。

随着可持续发展的思想在学术界和政府工作规划中不断得以深化，中国在生产生活实践中开始积极推行可持续发展战略，全面推进经济、社会、资源、环境的协调发展，努力建成一个以资源合理开发利用、生态环境健全优美为基础的国民经济体系。所做的努力获得了较有成效的回报。

首先，中国开展了大规模生态保护和节能环保工程以及相关试点。从1998年开始，中国大规模投入生态保护及环境保护基础设施，特别是前者的力度之大、影响面之广，超过之前20多年环境保护的总规模。仅"十五"期间，我国就投入约7000亿元实施以天然林资源保护、退耕还林为主的林业六大工程(邓华宁等，2005)。至今已持续10多年，取得了显著效果。2004年以后，中国政府陆续开展了发展循环经济、节约资源、开发可再生能源等相关工程项目和试点工作。2008年开始，又将节能减排和生态环境建设列为经济刺激计划的重点，从而极大地提高了中国环境基础设施能力。

其次，提出一系列可持续发展相关理念，并在生产实践中加以实践和检验。特别是进入21世纪以来，随着中国加入WTO和进入以重化工业增长为主要特征的工业化和城市化快速发展阶段，中国迅速成为“世界制造工厂”，并成为世界第二大经济体。与此同时，中国在2002年开始出现全面的资源、能源、环境的紧张状态。为了解决面临的环境与发展问题，中国政府提出了一系列与可持续发展相关的新理念，并通过采取相应的具体行动落实这些理念，从而不断丰富中国特色的可持续发展实践。这些理念包括新型工业化道路(2002)，科学发展观(2003)，循环经济(2004)，资源节约型、环境友好型社会(2004)，和谐社会(2005)，节能减排(2006)，创新型国家(2006)，生态文明(2007)，绿色经济和低碳经济(2009)，转变经济发展方式(2010)，绿色低碳发展(2011)。其中不少理念是在中国自己实践和认识的基础上提出和发展的，还有一些是基于国际上的经验，并且很多理念是与世界同步的甚至领先的。

第三，制定了以“节能减排”约束性指标为核心的新时期中国可持续发展战略，并且实现这些目标在国内是具有法律约束力的。从“十一五”开始，中国制定了降低能耗强度20%和减少主要污染物排放10%的约束性指标，并相应制定了综合性工作方案及其重点工作，通过采取法律、行政、经济、技术等一揽子综合措施予以落实。2009年，进一步将应对气候变化的内容充实到节能减排战略中，首次对国际社会承诺自愿的降低碳强度和增加森林碳汇等量化指标。在“十二五”期间，中国政府继续“十一五”的政策取向，提出要以转变经济发展方式为主线，增加了非化石能源比重等约束性指标，提出了合理控制能源消费总量、逐步建立碳排放交易市场等新政策，促进中国的绿色低碳发展和转型，逐步从理念到实践，走出了一条中国特色的可持续发展道路。

第四，为了实现可持续发展战略和节能减排目标，中国政府作出了一系列制度安排。包括制定清洁生产促进法(2002)，环境影响评价法(2002)，水法(2002)，可再生能源法(2005)，循环经济促进法(2008)；修订了节约能源法(2007)，水污染防治法(2008)；出台应对气候变化国家方案(2007)；成立国家应对气候变化和节能减排工作领导小组以及应对气候变化专门管理机构(2008)；全国人大还通过了“关于积极应对气候变化的决定”。这些都为落实上述措施提供了法律保障。正因为上述这些努力，中国“十一五”期间在节能减排领域取得了令人瞩目的突出成绩，如单位GDP能耗下降了19.1%，化学需氧量和二氧化硫排放总量分别下降了12.5%和14.3%。可再生能源技术得到大规模应用，2010年年底全国并网风电容量约2958万kW，年均增长94.75%(国家电力监管委员会，2011)，目前风电装机规模已达世界第一。此外，我国在一些节能减排领域的技术和装备制造上已达国际先进水平(如洁净煤发电等)。

可持续发展既是一项全新的战略思想，又是一门随着科学技术发展而不断快速发展的理论，其中所蕴涵的思想是确立经济发展模式、重构社会文明形式的重要来源。我国提出的生态文明以及现今为人关注的低碳经济都闪现着可持续发展思想的影子。

第2章 生态文明：人类社会文明发展的必然

2.1 生态文明是人类社会文明发展的新阶段

人类及其社会在发展的过程中，人类与自然的关系在不断地发生着变化，从起初的敬畏自然、依赖自然到后来的以人为中心地改造自然甚至破坏自然，人类走过了很长的一段路，经历了不同阶段的文明形式。从原始文明、农业文明到工业文明，现在正在逐渐进入生态文明的阶段。

原始文明是人类社会经历的第一个可以称之为文明的文明阶段。在那个阶段，物质生产活动主要靠简单的采集渔猎，使用的是简单的石头、树枝等生产工具，生产力低下。纵观历史，虽然以使用劳动工具为标志，从野蛮进化到文明，人类已经取得了进步，但那个时期的人类仍然是依赖自然为生，以山洞为居，以树叶为衣，以石器等简单的天然工具来开展生产活动，生存也主要是依靠自然界中现成的生活资料。

随着人类的生存能力不断增强，一方面人类不断找寻适合生存的土地，另一方面开始使用生产工具进行生产，促使了新的生活方式的出现。当采集和狩猎已经不能满足人类发展需求的时候，农业生产和生活方式更加适应人类生存的需要。生产工具的逐渐普及大大增强了人类对自然的利用能力，人类文明也就渐渐转向了农业文明，实现了第一次人类文明的转型。农业文明时代，人类开始依靠自己的主观能动性，利用自然来种植谷物、玉米、水果、蔬菜等可食之物，同时开始养殖家禽家畜来获得生产和生活必需物品，人类由此进入农业文明时代。人类相对于自然的能力开始增强，利用和改造自然环境的力量和作用越来越大。农业文明在相当程度上保持了自然界的生态平衡，但这只是一种在落后的经济水平上的生态平衡，是和人类能动性发挥不足与对自然开发能力单薄相联系的生态平衡，因而不是人们应当赞美和追求的理想境界。从总体上看，农业文明尚属于人类对自然认识和改造利用的幼稚阶段。这就是延续1万多年的农业文明，它对原始文明是一种进步，但仍然是一种较低层次的文明。

人类对自然的影响在人类步入工业文明社会以来达到了巅峰。18世纪80年代开始，一场影响巨大的革命——工业革命在英格兰爆发，标志着人类社会文明的发展进入一个全新的时代，世界各国陆续开始发展工业文明。相较于原始文明、农业文明，工业文明更具有活力和创造性，工业文明时代人类的主观能动性大大增加，科学技术不断进步，人类掌握和运用科学技术的能力空前提高，生产工具不断更新，可以说，工业文明大大提升了社会的生产力，创造出巨额的社会财富，同时也造成了社会、政治、文化等多方面的变化和转型。人类广泛利用机械化大生产，建设工厂，开采矿石，采伐森林，修筑公路、铁路，充分利用各种不可再生能源和可再生能源，并以工业武装农业，建立起工业化农业和化学农业。这种农业已经不是原来农业文明的范畴，成了工业文明的组成部分。人类在短短三四百年的工业文明期间的创造非常灿烂，非常丰富，难以想象的物质财富和精神财富，远远超过以往一切时代的总和。

在后工业化时代，生态文明将会逐渐取代工业文明，成为世界文明发展的必然趋势，成为人类社会文明发展的新阶段。正如上文所说，工业文明使得人类改造自然和利用自然，从而获得财富的能力达到高度的发展，但是工业文明认为，自然是为人类服务的，人类是自然的征服者。在这样的思想指导下，工业文明越发达，其生产力对自然的破坏程度就越大，它必然导致自然界运用其固有的规律对人类进行报复，最终导致自然与人类共同覆灭，这就是工业文明取向下的生产力导致的负效果和负价值。面对工业文明进程中出现的种种问题和严重的后果，学术界开始对工业文明的生产方式进行了反思。从历史上看，这种反思经历了三个阶段，从一开始的浅生态学的反思，到后面的深生态学的反思，再到最后的生态文明观的反思，人类对人与自然、人与人、人与社会的关系的反思越发深刻。

可以说，生态文明则是在工业文明的基础上，对工业文明的吸收和扬弃。在对自然的认识上，生态文明秉承的是人与自然、人与人、人与社会和谐协调，共生共荣，共同发展。例如，对于工业文明中发展出来的先进技术和发达的生产力，生态文明主张利用它们去促进人类与自然的共同繁荣和发展，使得自然为人类服务的同时人类也为自然服务，二者和谐共处，而不是运用这种能力去单方面地征服和改造自然。可以说，生态文明特别重视发挥人的主观能动性即人的积极性、主动性和创造性，促进人类与自然共同走上良性循环的持续发展之路，从而也促进自然—人—社会这个复合体走上共生共荣、共同发展的轨道。

生态文明的这种理念的产生和发展归功于生产力的发展，正是因为生产力发展到今天取得了巨大的进步，新技术层出不穷、突飞猛进，使得人类可以更大程度地发挥自己的主观能动性，运用这些新技术在取得经济效益的同时不断地改善人与自然的关系，建立起一种新的文明形式即生态文明。并且随着人类生态文明意识的提高和科学技术的持续发展，生态文明将不断地向纵深发展，成为人类社会文明的主导。

综上所述，生态文明是人类文明史螺旋上升发展过程中的一个阶段，是对工业文明生产方式的否定之否定，是对以往的农业文明、现存的工业文明优秀成果的继承和保存，同时更有超越。生态文明和以往的农业文明、工业文明一样，都主张在改造自然的过程中发展社会生产力，不断提高人们的物质和文化生活水平，但它又和以往的文明形态不同。生态文明是指人类在物质生产和精神生产中充分发挥人的主观能动性，按照自然生态系统和社会生态系统运转的客观规律建立起来的人与自然、人与社会共生共荣、共同发展的良性运行机制以及和谐协调的社会文明形态。它是人类物质、精神和制度的成果的总和，是一种新的文明形态(廖福霖，2012)。按照生态文明的要求重构经济和科技体系、政治和文化体系，强调发展绿色经济、绿色科技，强调和平与发展，反对工业文明的资源侵略和生态殖民；强调人与自然和谐协调的同一性，实现国际间的公平与代际间的公正。可以说，生态文明是人类21世纪的必然选择，是社会文明发展的必然趋势。它比工业文明更具崇高性和先进性(廖福霖，2007)，是社会文明发展的新阶段。

2.2 生态文明的内涵

生态文明的研究与实践起源于对生态环境问题的关注。20世纪70年代，西方工业化在带来繁荣的同时，造成生态环境的恶化也引起了人们极大的重视。在中国，1987年，著名的生态学家叶谦吉先生在中国学术界首次明确使用生态文明概念。他从生态学和生态哲学的视角对生态文明进行了界定。1995年，美国著名作家、评论家罗伊·莫里森在其出版的《生态民主》一书中，也明确使用了“生态文明”(ecological civilization)这一概念，并将“生态文明”作为“工业文明”之后的一种文明形式(徐春，2010)。其后，学术界对生态文明的研究逐渐升温，2007年10月，中国共产党第十七次全国代表大会首次提出了建设生态文明的任务，并把它作为全面建设小康社会的重要目标和中国特色社会主义建设的重要组成部分写入了党代会的政治报告，将生态文明提到了国家战略的高度。

从生态文明所涉及对象上看，一些学者所持的观点是生态文明注重的是人与自然之间的和谐共处。高长江认为，所谓生态文明，从发展哲学的意义上说，指的是一种人与物的和生共荣、人与自然协调发展的文明(高长江，2000)。王如松(2007)认为，生态文明是天人关系的文明。李文华(2007)认为，生态文明就是把发展与生态保护紧密联系起来，在保护生态环境的前提下发展，在发展的基础上改善生态环境，实现人类与自然的协调发展。但有学者持不同观点，他们将生态文明所注重的范围更为扩大化，认为生态文明不仅仅是人与自然的关系，还包括人与人的关系。杨智明认为，生态文明的核心是人类在改造客观世界的实践中，不断深化对其行为和后果的负面效应的认识，不断调整优化人与自然、人与人的关系。它反映的是人类处理自身活动与自然界关系和人与人之间关系的进步程度（姬振海，2007）。也有学者进一步认为，生态文明是社会文明的生态化表现，是指人们在改造客观物质世界的同时，不断克服改造中的负面效应，积极改善和优化人与自然、人与人的关系，建立有序的生态运行机制和良好的社会环境，建立高度的物质文明、精神文明和制度文明（刘智峰，黄雪松，2005）。

针对这两种观点，有学者以广义和狭义的生态文明之分对其进行了折中，认为狭义的生态文明，一般限于经济方面，即要求实现人类与自然的和谐发展；而广义的生态文明，则囊括了社会生活的各个方面，不仅要求实现人类与自然的和谐，而且也要求实现人与人的和谐，尤其追求社会公正（甘泉，2000）。更进一步地，有学者认为生态文明应该是自然—人—社会的复合系统（廖福霖，2007），是指人类遵循人、自然、社会和谐发展这一客观规律而取得的物质与精神成果的总和，是以人与自然、人与人、人与社会和谐共生、良性循环、全面发展、持续繁荣为基本宗旨的文化伦理形态（潘岳，2006）。

对于生态文明内涵的讨论很多源于对生态文明的哲学和伦理思考。余谋昌（2010）认为，环境哲学是生态文明的哲学基础，环境哲学包括环境伦理学、生态马克思主义、深层生态学、生态神学等，环境哲学的本体论、认识论、方法论、价值论等都对生态文明有着一定的指导意义。李世闻等（2005）认为，生态文明建设需要实现思维方式和思想观念的根本转变，应该从机械论思维方式走向系统思维方式；从“控制自然”走向“尊重自然”；从物质享乐主义的“物质至上”价值观走向“精神至上”价值观；从“增长至上”的发展观走向科学的发展观；从“奢侈性”消费走向适度消费。黄约（2010）则从后现代自然观出发，认为后现代主义自然观所秉承的“整体有机论”的思考方式有助于提高生态实践的有效性，进而保证生态文明建设的健康发展。更多的学者是从马克思主义的相关理论出发来探讨生态文明的哲学基础（张秀华，何煦，2010）。张泽一（2010）认为，生态文明是马克思主义理论的重要思想成果之一，应该从生产力和生产关系两个维度来看待马克思的生态文明理论，并以马克思主义生态理论为指导来解决生态危机。倪志安等（2011）认为，人类社会发展中的生态文明，本质上是马克思实践自然观所揭示的人类实践进程中的一种新型的文明形态。

与其他形式文明所持的价值观不同的是，生态文明将人与自然的和谐作为其价值观中的重点，提出要形成“人—自然”的整体价值观和生态经济价值观（申曙光，1994），提倡人类应在与自然和谐相处的基础上利用与改造自然，从而达到与自然的可持续发展。万本太（2008）主张摒弃极端的人类中心主义，强调人类与其他生物之间存在的权利是平等的，是相互依存、协调共生的。李培超（2011）则认为，生态文明的核心价值就是和谐，这种和谐不仅体现在人与自然的和谐上，还体现在世界和谐、社会和谐以及个人自我身心和谐上。燕乃玲（2007）认为，这种价值观反映在生产上，就是强调要在生态系统可持续前提下进行生产，追求经济与生态之间的良性互动，坚持经济运行生态化，改变高投入、高污染的生产方式，要求发展的强度必须以资源环境承载力为基础（周生贤，2007）。反映在消费和生活方式上，就是倡导人类克制对物质财富的过度追求和享受，选择既满足自身需要又不损害自然环境的生活方式（万本太，2008）。

生态文明与其他文明之间既有联系，又有一定的区别。有学者从生态文明与物质文明、政治文明、精神文明的关系入手，认为生态文明与物质文明、政治文明、精神文明既相互区别又相互联系，互为条件不可分割，构成了社会主义文明建设的完整体系（姬振海，2007）。刘延春（2004）认为，生态文明的价值取向与三个文明有着明显的差异。因此，生态文明完全可以与三个文明相提并论，四位一体共同支撑起我国文明建设体系的大厦。廖福霖（2005）认为，生态文明建设包含着物质文明建设、精神文明建设和政治文明建设，是构建和谐社会的重要载体。潘岳（2006）认为，生态文明应成为社会主义文明体系的基础。社会主义的物质文明、政治文明和精神文明离不开生态文明。吴风章（2007）认为，生态文明从人与自然关系的层面揭示社会进步的本质特征，与物质文明、政治文明、精神文明一起构成文明的整体形态。郑志国（2007）从二者之间的相互关系出发认为，生态文明离不开物质文明建设提供的物质财富，离不开精神文明建设提供的智力支持，离不开政治文明建设提供的制度保证；但是物质文明、政治文明、精神文明发展到一定程度，必然要求通过建设生态文明来调整人与自然的关系等。另有学者则是从人类文明发展的历程角度出发，将生态文明看做是原始文明、农业文明和工业文明之后的一种社会文明形态。大多数学者认为生态文明是在对工业文明及其缺陷进行系统反思和理性批判基础上的一种新的文明形态（王朝全，2009）。俞可平（2005）认为，生态文明作为一种后工业文明，是人类社会一种新的文明形态，是人类迄今最高的文明形态。廖福霖（2005）认为，生态文明是一种新的社会文明形态，以取代工业文明社会。王治河（2007）认为，生态文明是人类文明的一种新的形态，是对现代工业文明的反拨和超越。在这个意义上，生态文明是一种后现代的

“后工业文明”。欧阳志远(2008)根据历史唯物主义的理论及生态问题产生的实际领域，认为生态文明应当是物质文化的进步状态，与农业文明和工业文明构成一个逻辑序列。春雨(2008)指出，生态文明是对农耕文明、工业文明的深刻变革，是人类文明质的提升和飞跃，是人类文明史的一个新的里程碑。但有学者指出，生态文明只是人类未来文明的新特点，而非未来人类文明的全部。未来文明应是工业文明与生态文明相统一的文明(陈昌曙，2000)。也有学者并不认同生态文明就是后工业文明这一提法，认为将生态文明等同于后工业文明的观点具有明显的逻辑错误和一定的现实危害，产生这一错误的原因主要是思维方式和认识程度的局限(刘海霞，2011)。

生态文明的内涵丰富，虽然目前对于生态文明的内涵尚未有完全一致的阐述和界定，对于生态文明的研究视角也在不断地更新和发展。但是在研究过程中不难发现，对于一些重要的问题学术界还是比较一致和认同的，这也是今后生态文明研究中的理论趋势所在。

一是生态文明的尺度和范畴。针对生态文明与其他文明形态的关系，之前主要是从两条路径，即物质文明、精神文明和生态文明的维度和原始文明、农业文明和工业文明的维度来研究生态文明。现今学术界已经大部分认同，生态文明是一种社会文明形式，是有别于工业文明的一种人类社会文明历史发展的新阶段，它与原始文明、农业文明和工业文明一起，构成了人类社会文明的历史，它也将是人类社会文明未来发展的趋势。

二是生态文明研究的对象。初始的生态文明研究主要是从人与自然的关系入手，对于经济发展所带来的负面结果的反思是对人类中心主义的批评，认为应该加入“人—自然”系统的研究随着生态文明研究的深入，有些学者更进一步地认识到，生态文明所涵盖的范围应该更为宽广，应该是对“人—自然—社会”复合系统的研究。

三是生态文明的研究重点。之前的生态文明研究注重于理论研究，今后更多地会转向经济领域，如研究生态生产力的发展和生态文明经济，即生态文明理念是如何贯彻到实践环节中。

2.3　生态文明建设

建设生态文明是贯彻生态文明理念的重要实践环节，生态文明理想和目标的实现需要长期的生态文明建设实践。周生贤(2009)提出，应该从努力形成生态文明的生产方式和消费模式，加快推进可持续发展的体制机制建设，大力发展绿色经济、低碳经济和循环经济等生态文明经济形式和抓好主要污染物减排及整治几个方面入手。对于生态文明的建设，学者们提出应该走中国特色的生态文明建设之路，应该积极吸收和借鉴国外已有的经验成果，但同时要考虑到我们国家现实条件下人民的生存问题、发展问题、富裕问题、尊严问题，即坚持生产发展、生活富裕、生态良好的文明发展道路，而非照搬国外的模式。在这个过程中，要注重发挥我国社会主义制度的优势（李培超，2011）。杨柳等（2010）从中国的实际情况出发，认为中国在现有技术条件下难以迅速摆脱高投入、高消耗、高污染模式，为此，中国建设生态文明不能盲从西方话语霸权，不能忽视环境保护与中国发展阶段之间的矛盾，不能脱离中国现有发展阶段，必须采取大战略：一是全面加速技术进步；二是以加速水循环为核心，提高国土的蓄水能力；三是积极探索从青藏高原调水的“大西线”工程；四是控制两极分化和奢侈消费，改变价值取向；五是提升军力扩展国家安全边界，使用更多的世界资源。

在生态文明建设中，学者们大都认为生态文明的建设必须依靠科技创新，而且是科技创新生态化。工业文明依靠的科学技术所带来的负面效应遭到一些学者的批评，如陈学明指出，科学技术对现代化的推动所带来的对人类的影响既有积极的一面，又有消极的一面。消极的一面主要表现在通过违背自然规律和扭曲自然进程，造成与日俱增的、难以根除的污染，以及核技术和生物工程技术的广泛运用对人类的生存构成威胁等。这种科学技术与自然环境之间的对立引人关注。科学技术本身是“中性”的，关键在于，使用科学技术的人带着什么样的价值观念，为着什么样的目的去加以使用（陈学明，2010）。因此，学者们提出要建设生态文明，就必须用生态价值观来评判科学技术，进行科技创新生态化（黄星君，杨杰，2004；牛桂敏，2006；王健，2007）。如廖福霖（2007）认为，生态经济与知识经济的有机融合，产生了生态化技术体系，相对于工业社会的机械化技术体系，它具有更为合理的技术结构和技术平台，是促进自然—人—社会复合生态系统和谐协调、共生共荣、共同发展的内生力量。

至于如何进行生态文明的建设，其内容十分丰富。学者们从生态工业园区、生态城市、生态农村和生态省等不同区域角度，从森林、江河、农地等不同生态系统角度，从生产和消费等不同经济生活角度，从生态消费、生态旅游、生态文化、生态道德和生态教育等不同层面都进行了相应的研究，也从各自的研究出发，进行了生态文明指标体系的构建。

在保障生态文明的建设方面，学者们也从不同的角度进行了探讨，提出了许多有参考价值的观点，包括树立生态文明观念（钱俊生，2007；郭强，2008）；加大政策推动力度（任勇，2007；魏澄荣，2007；陈池波，2004）；构建生态文明建设的制度框架（赵兵，2010）；健全法制（郭强，2008；刘延春，2004）；加强生态治理（丁开杰，

2007；周生贤，2008)；建立绿色 GDP 核算制度(高磊红，2007；薛晓源，2007；陈家刚，2007)等关于生态文明及生态文明建设研究综述。

2.4　生态文明的基本理论

2.4.1　马克思主义大生态系统观理论

马克思主义的大生态系统观认为，人类社会实际上是指自然—人—社会这样一个大生态系统的复合体。马克思和恩格斯正是站在大生态系统观的立场，以大生态系统观的整体方法论来分析人类社会的发展进程。

首先，大生态系统发展的共同规律是马克思主义的辩证唯物主义。唯物辩证法认为，世界万物都有其内在的直接或间接的联系。恩格斯历来把人类社会与自然界作为一个紧密联系的系统，认为它们是相互作用的，指出“辩证法是关于普遍联系的科学”，后来又在《反杜林论》中进一步把辩证法规定为“关于自然、人类社会和思维的运动和发展的普遍规律的科学”，“辩证法的规律是从自然界和人类社会的历史中抽象出来的”，它“正是历史发展的这两个方面和思维本身的最一般的规律”。恩格斯首先是把自然的发展和人类社会的发展作为历史发展的统一体来阐述的，所以辩证唯物主义的三大规律即对立统一规律、量变质变规律和否定之否定规律，也是自然与人类社会复合体发展运动的共同规律。

其次，马克思、恩格斯在分析人与自然的关系时，认为二者是本质的统一。恩格斯指出：我们连同我们的肉、血和头脑都是属于自然界，存在于自然界的。恩格斯既反对自然主义的历史观，反对抹杀人的主观能动性，又反对人类中心主义的历史观，反对无视自然客观规律的人类行为。恩格斯曾指出：“自然主义的历史观(例如，德莱柏和其他一些自然科学家都或多或少有这种见解)是片面的，他认为只是自然界作用于人，只是自然条件到处决定人的历史发展，忽视了人也反作用于自然，改变自然，为自己创造新的生存条件。”因为人类有主观能动性，所以人类不像动物那样被动地依从自然，而是积极主动、有创造性地认识自然，遵循自然生态系统的客观规律，与其进行物质能量的交换，从而达到人类与自然的和谐协调、共生共荣、共同发展的目的。这里的关键是遵循客观规律办事，这是人类发挥主观能动性，充分体现人类主体性的本质要求。恩格斯认为，人类对自然界的作用之所以比其他动物强大，只是在于人类能够“能动认识和正确运用自然规律”。马克思也指出：“人们创造自己的历史，但他们并不是随心所欲地创造，并不是在他们自己选定的条件下创造，而是在直接碰到的既定的、从过去继承来的条件下创造。”马克思的这段论述也是既强调人的主观能动性和人的主体性，认为人类是创造历史的主体，又反对人类中心主义的违背客观规律的随心所欲。所以马克思还认为，人同自然界完成了本质的统一，是自然界的真正复活。这种本质的统一，实质上就是人类与自然界的和谐协调、共生共荣、共同发展。

第三，马克思恩格斯在分析社会发展与自然发展的关系时，认为两者是有机的整体，是相辅相成的。人类社会就是从自然界脱胎而来，其发展也和自然界的发展紧密相连。马克思主义关于共产主义的学说，是马克思主义世界观的最高境界，而马克思主义关于共产主义文明社会的设想，也集中体现了自然—人—社会复合体的和谐统一、共生共荣、共同发展。马克思把共产主义社会理解为人和自然界之间、人和人之间的矛盾的真正解决，恩格斯也把共产主义称为人类同自然的和解以及人类本身的和解，由此可见一斑。

第四，系统的思想历来是马克思、恩格斯研究问题的重要思想方法，正如李建平教授指出的：“《资本论》是第一部系统论的著作，马克思是社会科学中系统论的真正奠基人。”

可见，马克思、恩格斯总是把自然—人—社会复合体作为统一的有机联系的大生态系统予以研究，并对此进行理论创新，立体地呈现了马克思主义关于人与自然、人与人、人与社会和谐发展的生态文明思想。可以说，马克思主义的大生态系统观是我们辨别、批判人类中心主义的有力武器。它要求站在自然—人—社会复合体整体的立场上观察、分析、解决问题。这就是站在人类最终解放自己的立场，而不只站在人类眼前利益的立场；站在人类全面发展的立场，而不只站在这一代人的立场；站在大多数人类的立场，而不只站在少数人的立场(廖福霖，2007)。

2.4.2 现代生态学理论

生态学(Ecology)一词由德国学者 E. H. Haeckel 于 1869 年提出，他认为生态学是研究生物有机体与其周围环境(包括生物环境和非生物环境)相互关系的科学。生态学发展到现在已有 100 多年的历史，“生态学是研究生物及其环境关系的科学”的论断，已得到最广泛的认可。

朴素的生态学思想古已有之，而生态学作为一门学科则是产生于 19 世纪。经历了 20 世纪上半叶的形成期和 20 世纪下半叶的飞速发展期，到目前为止，生态学已成为具有特定研究对象、研究方法和理论体系的独立学科，并已经普及到社会生活和科学技术的各个领域，形成了各门具体学科和领域的生态学理论体系。早期生态学主要是研究生物与其存在的环境之间的联系。随着生态学研究的深入，人们认识到还必须研究人与其存在的环境的关系，这种环境既包括非生物的环境，也包括了生物的环境，所以生态学就发展到研究人和生物与其环境的关系。之后，随着系统理论的深入发展和运用，生态学被认为应当是研究生态系统的结构和功能的科学。不同层次的自然系统有不同的生态学特征，遵循一定的生态学规律，生态系统划分为自然生态系统和人类生态系统，他们既遵循各自不同的规律，又遵循着某些共同的规律。此时，生态学便成了研究人和生物与其环境的相互关系，研究自然生态系统和人类生态系统的一门科学，涉及生态整体主义、生态法则、生态规律，生态系统结构与功能等诸多方面。

现今，人类社会的发展、全球气候变化和环境污染给生态学提出了新的要求。最近10多年来，科学家们已经将全球气候变化和生态系统的研究紧密联系起来。发展低碳经济，解决气候变化问题的过程中，遵循生态学的规律是十分重要的。正如美国著名现代生态学家巴里·康芒纳《封闭的循环》书中提出的生态系统四法则——“每一种事物都与别的事物相关；一切事物都必然有其去向；自然界所懂得的就是最好的；没有免费的午餐”所描述的一样，在经济发展的过程中，忽视自然、忽视生态环境是行不通的，在追求经济效益的同时应该考虑生态效益和社会效益，应该将生态学的基本原理和方法纳入考虑，遵从生态平衡规律、物质不灭定律和协同演进规律等重要的生态学规律。

生态系统中的生态平衡是目前备受关注的理论和实践问题。生态平衡需要生物的自我控制、自我调节和自我发展，但是生物自我调节是有一定限度的，这种限度在生态学上称为阈值，超过这个阈值，自我调节便会失灵，生态平衡就会走向衰退甚至消亡。就以对气候调节具有重要作用的森林来说，当林地管理过程中采取的是合理强度择伐的经营措施，那么就能使森林生态系统凭借自身的调节能力保持在阈值范围内，处于相对稳定状态，保持生态平衡，从而使得森林生态系统能够充分发挥其生物功能。反之，如果采取大强度砍伐或者皆伐，那么森林的自我调节功能就会失灵，导致其衰退成疏林地乃至沙漠。因此，人类的活动要使生态系统的自我调节保持在阈值之内，是取得经济、社会和生态三大效益和谐统一的重要前提。

除了单个生态系统的平衡称为生态平衡外，生态平衡还指许多生态系统处于平衡状态，甚至全球生态系统处于平衡状态。自然界本身就是一个有机联系的整体，其中大系统与各个小系统之间存在着千丝万缕的联系，是一个相互依存的整体，无法割裂。全球气候状况是一个大系统，如果气候适宜，就对其中包括森林、农田等的小系统的生态平衡提供了良好的外部环境，这些小系统若各自达到自身的生态平衡，又会对全球生态系统造成良性的影响，而全球气候变的适宜，又会再次促进这些小系统的生态平衡，如此往复，便会形成良性循环。

2.4.3 可持续发展理论

随着经济的发展，人类社会对环境的冲击力大大增强，全球范围的环境污染和破坏日益严重。可以说，现代可持续发展理论是人类以人口爆炸、资源短缺、生态破坏和环境污染等沉重的代价换来的认识。作为一种新发展观，可持续发展已经得到国际社会的关注和认同，并在世界许多国家已经付诸实践。1972 年，联合国“人类环境会议”就明确提出要实施环境可持续发展战略，同年，罗马俱乐部发表了《增长的极限》的报告，最早提出了可持续发展的问题；1980 年，国际自然资源保护联合会等国际组织发表的《世界自然保护大纲》是“可持续发展”一词出现最早的国际文件；1987 年，世界环境与发展委员会（WCED）发表的《我们共同的未来》首次系统地阐述了可持续发展的概念和内涵，认为可持续发展就是“既满足当代人的需要，又不对后代人满足其需要的能力构成危害的发展”，明确指出，过去我们关心的是发展对环境产生的影响，而现在则迫切感到生态的压力，经济发展和生态环境从未像现在这样相互紧密地联系在一起；1989 年，第 15 届联合国环境规划署理事会通过了《关于可持续发展的声明》；更重要的是 1992 年 6 月在巴西里约热内卢召开的联合国环境与发展大会，该次会议通过了《里约环境与发展宣言》，这是一个有关环境与发展方面国家和国际行动的指导性文件，由此，可持续发展由观念走向各国政府的共识从而迈向共同行动。

在可持续发展理念发展的过程中，国内外学者们对可持续发展进行了不同的界定，并对其内涵进行了研究。在可持续发展理论研究的主要内容方面，学者们主要从可持续发展模式与评价指标体系、环境与可持续发展、经济与可持续发展、社会与可持续发展以及区域的可持续发展等方面进行了相关的研究。无论是从自然角度、社会角度、经济角度抑或是科技角度，人们对可持续发展的一般原则的认识都是基本一致的，例如公平性原则（包括代际公平和代内公平）、持续性原则等。

第3章　低碳经济：新兴的经济发展模式

作为新兴的经济发展模式，低碳经济的提出是在全球气候变化的背景下提出的，从目前情况看来，全球气候变化直接影响到各国的生态环境系统和社会经济系统的可持续发展。例如，气候异常变化会对旱涝等自然灾害、水资源管理、生物多样性、农林牧渔等产业、生态系统以及人类健康等诸多方面产生影响，且大多数是负面影响。

对全球气候变化问题的关注和解决，其本质是为了更好地实现人类的可持续发展。首先，解决气候变化问题的核心之一就是在处理全球气候变化国际事务中，如何更好地理解和最大限度地满足不同人们、不同层次的排放需要。这意味着要多为后代人考虑，为占全球人口大多数的发展中国家人民的未来考虑，这与可持续发展的要求相一致，即在不损害后代人满足其需要的条件下，最大限度地满足当代人需要。其次，可持续发展要求将生态环境的保护当做发展过程中的一个重要和必要的组成部分，全球气候变化作为一种全球性的、长期性的生态环境问题，本身就是可持续发展的重要内容。

因此，低碳经济是实现可持续发展的有效途径。可持续发展的内在要求首先是实现发展，对于发展中国家而言，发展的权利尤为重要。世界各国在全球气候变化问题所持的“共同但是有区别的责任”，《全球气候变化公约》中强调的“历史上和目前全球温室气体排放的最大部分源自发达国家，发展中国家的人均排放仍然相对较低，其在全球排放中所占的份额将会增加，以满足其社会和发展需要”，说明以往那种发达国家所依靠的高自然资源消耗模式已经受到抨击和挑战。更重要的是，发展中国家应该开创一种低资源消耗、低排放、低污染的可持续发展模式，来避免重复发达国家的老路。低碳经济就是这样一种有效的经济发展模式，是实现可持续发展的有效途径。

3.1 低碳经济的缘起：气候问题与能源问题

3.1.1 气候变化的挑战

3.1.1.1 气候变化及其成因

气候变化已经成为全球关注的热点。根据联合国政府间气候变化专门委员会(IPCC)第四次评估报告(2007)(AR4)的研究结果，自工业革命以来，全球温度线性上升0.74℃，全球平均温度处在上升通道中，尤其从1906年以来，几乎处于直线上升趋势中。在全球变暖的大背景下，中国近百年的气候也发生了明显变化。有关中国气候变化的主要观测事实包括：一是近百年来，中国年平均气温升高了0.5～0.8℃，略高于同期全球增温平均值，近50年变暖尤其明显。从地域分布看，西北、华北和东北地区气候变暖明显，长江以南地区变暖趋势不显著；从季节分布看，冬季增温最明显。1986～2005年，中国连续出现了20个全国性暖冬。二是近百年来，中国年均降水量变化趋势不显著，但区域降水变化波动较大。中国年平均降水量在20世纪50年代以后开始逐渐减少，平均每10年减少2.9mm，1991～2000年略有增加。从地域分布看，华北大部分地区、西北东部和东北地区降水量明显减少，平均每10年减少20～40mm，其中华北地区最为明显；华南与西南地区降水明显增加，平均每10年增加20～60mm(中华人民共和国国家发展和改革委员会，2012)。

气候变化的原因是多方面的，既有自然因素，也有人为因素，其中人类活动对于气候的影响无法忽略。科学数据显示，气候变化与人类的碳排放，即二氧化碳等温室气体的排放量关系紧密。自然界本身排放着各种温室气体，如果依靠地球本身的作用同时吸收和分解温室气体，会使得大气中温室气体的变化呈现一种循环进而使得温室气体增长缓慢。但是，人类活动极大程度上改变了土地利用形式，特别是工业革命以后，大量的森林植被被砍伐破坏，加上化石燃料使用量的大幅度增加，人为因素对气候变化的影响越来越大。据美国能源部二氧化碳信息分析中心(Carbon Dioxide Information Analysis Center，CDIAC)的数据显示，全世界的化石燃料所引起的CO_2排放量由1751年的300万t上升到2008年的8.749亿t。目前，发达国家仍然是二氧化碳等温室气体的主要排放国，但是中国已经超过美国，成为世界上二氧化碳的头号排放大国。近几十年来，中国二氧化碳排放总量急剧增加，例如，2000年以来，中国化石燃料的二氧化碳排放量就增长了92.0%，涨幅不可谓不快，增长幅度如图3-1。

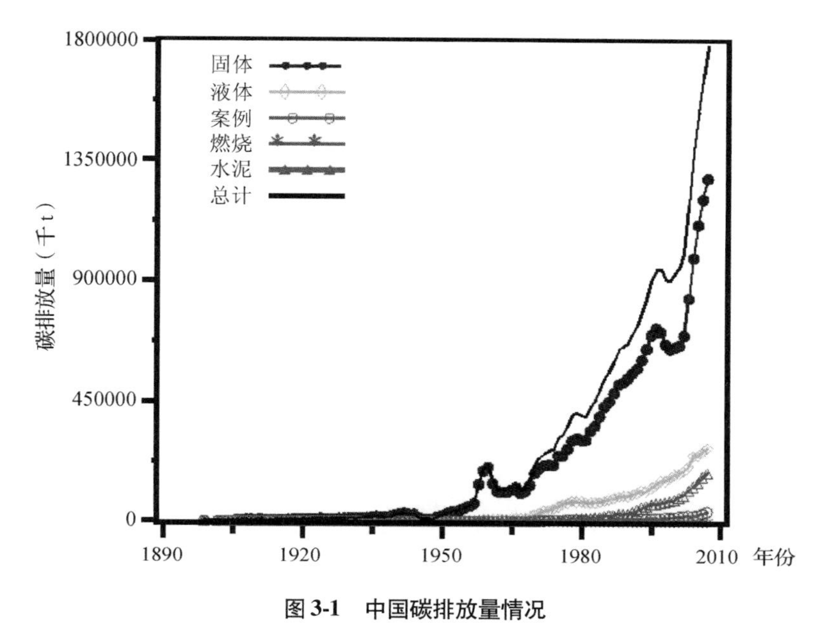

图 3-1 中国碳排放量情况

资料来源：Carbon Dioxide Information Analysis Center

3.1.1.2 气候变化的危害

气候变化对全球水热循环格局带来重大的影响，也造成了近些年的气候变暖。世界上的许多国家都出现了几百年来最热的天气，灾害性气候事件频频发生，给各国造成了极大的损失。例如 1995 年，芝加哥的热浪造成 500 多人死亡；2010 年中国南方连日暴雨造成至少 86 人遇难或失踪。有时候，全球气候变化所带来的后果虽然难以在短期内为公众所直接感知，但是其后果确实已经对生态、经济和社会三大系统均带来了极大的杀伤力。例如，南北半球的山地冰川和积雪面积已经在缩小。全球气候变化对水资源的时空分布造成影响，导致原先降水就丰富的高纬度地区和一些热带地区的降水量继续增加（可能会增加 10% ~40%），同时一些中纬度和热带、副热带等原本干燥地区的降水量可能会减少 10% ~30%。气温变化对于物种的生存也造成威胁，有数据指出，如果全球平均温度增幅超过 1.5 ~2.5℃，约 20% ~30% 的物种有可能会灭绝（中华人民共和国国家发展和改革委员会，2012）。根据现代生态学研究表明，地球上一种物种的灭绝就会带来 28 种物种相继灭绝，并以几何级数递增，一旦人类成为孤家寡人，其自身灭绝的时期也就不远了。其次，由气候变化所带来的自然生态系统的退化又会进一步使经济和社会系统受到伤害。以农林业为例，气温升高加大了其生产过程中可能经历的风险，如病虫害的面积增大和种类增多，从而造成粮食安全问题的几率增加。在社会生活方面，气候的变化对于公共卫生事业也提出了严峻的挑战，无论是产业、人居环境抑或是人类健康都无一例外地会受到巨大的影响。

对于中国而言，全球变暖所带来的影响可能更大，这是因为中国是世界上人口最多的地域辽阔的国家，自然生态系统复杂，加上自身就面临着发展的问题，全球变暖将中国在发展过程中所遭受到的困难更加放大，使中国成为最大受害者之一。《中国应对气候变化国家方案》中把与全球气候变化相关的基本国情概括为：气候条件差，自然灾害较重、生态环境脆弱、能源结构以煤为主、人口众多、经济发展水平较低。气候变暖使得我国气象灾害频发，对农牧业、森林、水资源、海平面及海岸带生态系统等众多生态系统产生了冲击，对农村和城市都会造成危机。方案中指出，近50年来，中国主要极端天气与气候事件的频率和强度出现了明显变化。华北和东北地区干旱趋重，长江中下游地区和东南地区洪涝加重。1990年以来，多数年份全国年降水量高于常年，出现南涝北旱的雨型，干旱和洪水灾害频繁发生；中国沿海海平面年平均上升速率为2.5mm，略高于全球平均水平；中国山地冰川快速退缩，并有加速趋势（中华人民共和国国家发展和改革委员会，2012）。因此，从中国的角度看，为了实现可持续发展，就必须直面气候变化对我国的影响，并采取积极主动的态度和实际行动。

3.1.1.3 气候变化的应对：发展低碳经济

对气候变化的关注使得人类开始寻找一种有别于以往的、能有效缓解气候变化压力的经济发展模式，低碳经济应运而生。低碳经济（low carbon economy）是英国政府在2003年发布的能源白皮书《我们能源之未来：创建低碳经济》中首次提出的。白皮书着眼于降低对化石能源依赖和控制温室气体排放，提出英国到2050年二氧化碳排放量减少60%的低碳发展目标。从低碳经济的名称来看，其重点就是减少经济发展过程中的"碳"，从而减缓对自然环境，特别是对气候的影响。

低碳经济是应对气候变化的重要途径。当前，气候变化所可能带来的恶果和灾难，严重威胁着全人类的生态安全，因此，应对气候变化成为全世界、全人类共同面临的重要课题。应对气候变化，主要可以从一"减"一"增"两方面入手：一是减排，即减少温室气体的排放；二是增加碳汇，即增加对"碳"的吸收和固定能力，这两个方面就是低碳经济的主要内容。例如，低碳经济所倡导的节能减排、发展新能源都是为了"减"，而植树造林发展林业以增加碳汇等都是为了"增"。从能源角度看，采用不同的能源发电所产生的碳排放量差异很大，如果用煤炭发电，那么1度电大约排出的碳有260~360g；如果用石油，就是220~250g；如果用太阳能，就是27~76g；如果用水力发电，就是1.1~64.4g；风和核电、原子能是排放最少的，约2.5~5.7g（王璟珉，聂利彬，2011）。

对中国而言，包括气候问题在内的环境问题一直为党和国家所重视。针对气候变化对我国的影响和挑战，国家于 2007 年正式颁布实施了《中国应对气候变化国家方案》，该方案是按照国务院的部署，国家发展改革委会同 17 个政府部门，组织数十位各个领域的专家，历时两年编制而成，表明我国应对气候变化的决心。此外，我国还采取了一系列的措施以积极应对气候变化。这些举措主要包括：着力推进经济发展方式的转变和经济结构的调整，采取淘汰落后产能的政策和行动，鼓励和倡导节约能源资源的生产方式和消费方式；将单位 GDP 能耗作为约束性指标纳入“十一五”规划，并建立地方、企业节能减排责任制，逐级进行考核；通过加大政策引导和企业参与、资金投入，大力发展水能、核能、太阳能、农村沼气等低碳能源；深化能源资源领域价格和财税体制改革。通过一系列政策措施，控制温室气体的排放（苏伟，2011）。可以看出，这些举措都与低碳经济有着密切的联系。换言之，通过发展低碳经济，我国能更好地将这些措施落到实处，通过实践更好地应对气候变化。

3.1.2　低碳经济的本质是能源问题

3.1.2.1　能源与经济发展的紧密联系

经济增长问题历来受到广泛关注，其中能源与经济增长之间的关系的相关研究大体开始于 20 世纪 70 年代初。

能源是经济发展的重要推动力量，并在一定程度上决定了经济发展的规模和速度。首先，能源与其他要素投入结合在一起共同促进了经济的增长。生产要素的投入需要能源提供动力才能实现生产，并且随着能源使用量的扩大和能源结构的优化，生产力会步入新的阶段，而且会带动新产业的迅速发展和传统产业的改造提升。此外，能源与技术进步和劳动生产率的提高也基本是同步的，历史上每次技术进步背后基本都伴随着能源的影子。例如，蒸汽机的普遍利用是在煤炭大量供给的条件下实现的；电动机的使用与电力的利用直接相关；交通运输的进步则受益于煤炭、石油、电力的利用。能源的使用提高了机械化的程度、降低了劳动成本，资本在一定程度上替代了劳动力，促进了劳动生产率的提高。

因此，经济的发展离不开能源。首先，经济发展对能源量的需求大体上是同向变化，并且在大多数时期基本上存在着一定的比例关系。迄今为止，很少看到某个经济体在经济增长的同时能源总量需求是减少的。随着经济和社会的发展以及人们收入的不断增加，消费者对最终产品的需求结构会不断发生变化，导致对能源需求量的不断变化。在经济发展的最初阶段，消费需求主要为衣食等满足温饱类基本生存需要的低能源强度产品，此时能源消费增速缓慢；随着经济的继续发展，人们不满足于基本生产需要的产品，住行等能源密集型产品的消费比重不断上升，这一快速工业化和城市化阶段对能源的需求较高；当经济继续发展进入成熟期，基础设施建设基本完成，最终消费需求增长则来自服务业等能源密度较低的产品，能源消费的需求再次减小。因此，在能源消费总量不断增长的同时，能源需求的增长率与经济发展水平之间大致呈现出了一个S形的相关关系(施恬，2011)。其次，在能源结构上，历史经验表明，经济的发展对能源结构或能源产品品种的需求会产生变化，对一次能源的需求经历了从薪柴到煤炭再到石油的过程。目前在气候变化和能源储量日渐减少的情况下，各国政府又在不约而同地寻找有望替代石油的新能源，因此，能源品种的扩充与经济发展之间的关系密不可分。

从世界经济发展情况来看，传统能源是当代经济和社会发展的基础动力，也是每个国家生存与发展的关键问题。各国都在努力寻找其供给来源，这也是国际间，特别是大国间博弈的一个重要方面。历史上多次发生了与石油相关的危机或者战争，其背后就是对能源的争夺。例如，20世纪70年代的第一次石油危机，就是阿拉伯产油国利用石油进行的一次经济斗争。直至现在，石油不仅仅是一种重要的商品，还承载了许多政治和军事因素，在全球化趋势愈发明显的今天，国际形势与油价之间，往往存在着很密切的关联。

3.1.2.2 中国能源现状和趋势

在能源结构上，中国的一次能源结构以煤为主。能源储量中煤炭占比为94%，石油占比为5.4%，天然气占比为0.6%，这种"富煤、贫油、少气"的能源资源结构，决定了以煤为核心的能源生产、使用和消费格局在未来相当长的时期内都很难有根本性的改变。在能源生产和消费量方面，2009年中国一次能源生产量为27.4618亿t标准煤，其中原煤所占的比重高达77.3%；2005年中国一次能源消费量为30.6647亿t标准煤，其中煤炭所占的比重70.4%，石油为17.9%，天然气为7.9%，水电、核电、风能、太阳能等其他能源占7.8%(中国统计年鉴，2010)。由于煤炭消费比重较大，造成中国能源消费的二氧化碳排放强度也相对较高。与石油、天然气等燃料相比，单位热量燃煤引起的二氧化碳排放比使用石油、天然气分别高出约36%和61%(中华人民共和国国家发展和改革委员会，2012)。中国的经济发展情况和阶段决定了以煤为主的能源资源和消费结构在未来相当长的一段时间将不会发生根本性的改变，使得中国在降低单位能耗和温室气体排放强度上面临着比其他国家更大的困难，给我们发展低碳经济提出更高的要求和更多的挑战。

我国的能源使用效率也不高。虽然进入21世纪后，我国的单位GDP能耗呈现下降趋势，但是我国广大地区的能源使用效率是比较低的，也就是单位GDP的能源消耗量与先进国家比较还很高。相关研究表明，我国的总体能源利用效率为33%左右，比发达国家低约10个百分点（单宝，2009），单位GDP能源消耗比世界平均水平高2.2倍左右，比美国、欧盟、日本和印度分别高2.4倍、4.6倍、8倍和0.3倍（郑永红，2009）。电力、钢铁、有色、石化、建材、化工、轻工、纺织八个行业主要产品单位能耗平均比国际先进水平高40%，钢、水泥、纸和纸板的单位产品综合能耗比国际先进水平分别高21%、45%和120%（徐宜军，孙洪磊，2010）。不仅在生产部门存在着能源利用效率不高和能源浪费，在消费部门我国的能源浪费现象也十分严重，例如在日常生活中，在工作场所将空调温度调得过低，电脑、电灯等电器在无用的时候也开启等。

在能源的供需方面，中国未来的能源需求量极大，供需缺口明显（潘家华，2010）。我国石油对外依存已经极大地超过国际警戒线，即使是煤炭的储量，也只能供上几十年，所以能源安全成为国家四大安全战略中的第二大战略。

就全球看，现行的经济发展模式和社会生活方式对于石化资源的依赖严重，石化资源成为许多国家发展的命脉。但不可否认的是，作为不可再生能源的石化资源正在日渐减少，也面临着终有一天枯竭的命运，如果单纯地依赖它而不谋求新的出路，那么经济发展和社会生活都将面临“瘫痪”。

在全球都面临着能源问题的时候，低碳经济作为一种有效应对能源困局的经济发展模式，得到世界各国的青睐，世界各国纷纷有所行动。对中国来说，正面临着经济转型的压力，现行经济发展方式和产业结构对于传统能源的依赖严重，加上中国自身能源结构的不合理以及对外能源依存度大，中国迫切需要寻找一种新兴的经济发展模式以应对这个困局。中国国情的现实性和能源结构的特殊性决定了发展低碳经济（本质上是能源经济），这对于中国的能源可持续性和经济可持续发展具有十分重要的作用。应对能源困局，低碳经济主要从提高能源使用效率、开发具有竞争力的可再生能源以及其他低碳能源等方面发力。因此，在低碳经济的概念提出后，世界各国特别是发达国家都先后制定了相应的能源战略。

首先是能源利用效率。能源利用效率与碳排放之间存在紧密的联系：效率提高一个百分点，排放会相应降低一个百分点。节约能源和提高能源效率将有助于合理引导终端消费，通过降低能源需求量而达到控制碳排放的目的。目前中国一次能源结构中煤炭的比重仍然占据三分之二以上，开发和利用高效的清洁煤技术，提高能源利用效率，实现节能减排，对未来中国控制碳排放至关重要（樊纲，2010）。

其次是可再生能源等低碳能源的开发利用。化石燃料是“碳”燃料，排放温室气体。煤炭是最“高碳”的化石燃料。以煤炭为参照，提供同样热值能源服务的前提下，石油的使用可以减少18%的CO_2排放，天然气的使用可以减少37%的CO_2排放。但是，如果使用可再生能源（如太阳能、风能、水能等）和生物质能这些“无碳”能源，则不会有CO_2的排放。现今能源消费量继续攀升，同时化石能源减少，可再生能源也就同时成为应对气候变化和实现能源安全的利器。正因如此，世界许多国家都在其能源战略中着重强调可再生能源的发展。

最早提出“低碳经济”概念的英国于2009年正式发布了《低碳转型计划》的国家战略文件，正式确立了英国能源战略的转向，为英国在能源安全领域的新指导。《低碳转型计划》中，英国形成了可再生能源、核能和碳捕获与封存（CCS）的能源组合，它不仅要求可再生能源应按照《可再生能源战略》进行部署，即进一步扩大可再生能源的电力、热力和运输，旨在到2020年替代10%的石化能源需求，20%～30%的天然气进口，以及发电量的30%；到2030年减少7.5亿t二氧化碳的排放，实现1000亿英镑的投资。此外，英国政府大力推动碳捕获与封存的研发，2009年4月英国政府正式宣布，任何新建发电能力达300MW的发电站都必须安装“碳捕获就绪”设备，以便于将来可进行CCS的技术改造，成为世界上第一个以法令形式推广CCS技术的国家（吕江，2010）。

欧盟早在2006年3月就对外正式公布了“获得可持续发展，有竞争力和安全能源的欧洲战略”的能源政策绿皮书，该战略呼吁欧盟各国政府和国民对能源引起重视。另外，欧盟还提供了《欧盟能源战略报告》，提出欧盟整体上达到安全低碳的能源结构的最低要求。

2005年7月，美国国会通过的《能源法》内容主要涉及能源效率、可再生能源、石油与天然气等11个方面。该法为推动新型可再生能源的发展，对可再生能源的应用比例进行了强制性规定，如到2012年，可再生能源和替代性交通燃料要达到2005年的2倍，约为75亿加仑；实行可再生能源配额制，强制要求电力部门按照一定比例购买可再生能源，对未达标者还要进行惩罚（王福波，冯全普，2010）。之后，美国众议院于2009年通过了旨在降低美国温室气体排放，减少美国对外国石油依赖的《美国清洁能源安全法案》，要求减少化石能源的使用，规定美国2020年时的温室气体排放量要在2005年的基础上减少17%，到2050年减少83%（樊纲，2010）。

2006年5月，日本公布《新国家能源战略》，制定了未来能源新目标：2030年能源效率比2006年提高30%；石油在一次能源供应中的比重从50%降到40%；核电比重届时达30%～40%；交通运输对石油依存度从近100%降低到80%；海外石油自主开发从8%增长到40%。而且，尽管日本已经是世界能源效率最高的发达国家之一，它仍然将能源节约放在重要地位，先后发布了汽车、家电、建筑等多个行业和产品节能标准。日本经济团体联合会还就各产业能源利用效率、二氧化碳减排目标等提出了对策和建议(薛进军，赵忠秀，2011)。

3.2　低碳经济的内涵

低碳经济的提法最早出现在 2003 年英国的能源白皮书中，其后在全世界范围内广泛传播开来。学者们研究了低碳经济的相关理论，以此作为低碳经济发展的指导。冯之浚(2010)等人对低碳经济的理论基础进行了探寻和归纳，即生态足迹理论、“脱钩”理论、库兹涅茨曲线、“城市矿山”理论(冯之浚，周荣，2010)。其中，生态足迹(ecological footprint，简称 EF)，最早是由加拿大生态经济学家 Rees 于 1992 年提出，而后他的博士生 Wackernagel 于 1996 年加以完善。生态足迹被认为是一种衡量人类对自然资源利用程度以及自然界为人类提供的服务的方法，该方法通过估算维持人类的自然资源消费量以及同化人类产生的废弃物所需要的生态生产性面积的大小，并将其与所给定的人口区域的生态承载力进行比较，以衡量区域的可持续发展状况(李宏，2006)，后逐渐引申为碳足迹，用于衡量人类活动产生的温室气体排量。脱钩理论与模型常常被用于揭示经济增长对环境的压力，将其进一步发展，利用脱钩弹性(decoupling elasticity)的概念，将脱钩指标再细分为连接(coupled)、脱钩或负(negatively)脱钩三种状态，再依据不同弹性值，进一步细分为弱(weak)脱钩、强(strong)脱钩、弱负脱钩、强负脱钩、扩张负(expansion negative)脱钩、扩张连接、衰退(recession)脱钩与衰退连接八大类(Tapio Petri ，2005)。有学者运用脱钩理论指出，从长期来看，一个国家走向低碳经济的过程就是温室气体排放和经济增长逐渐脱钩的过程(庄贵阳，2007)。环境库兹涅茨曲线假说是用来衡量环境保护与经济发展之间是否存在一种权衡取舍关系的重要工具。库兹涅茨在 20 世纪 50 年代提出的假说认为，在经济发展过程中，存在收入差距先扩大再缩小的趋势，这种收入不平均和人均收入之间的倒 U 形关系，被称为库兹涅茨曲线(Kuznet S，1955)。1991 年，Grossman 和 Krueger 率先对环境库兹涅兹曲线进行了实证研究，随后不同的学者在该领域开展了不同的实证研究，其中不乏温室气体排放与经济增长关系的相关实证研究。

对于低碳经济的概念，学术界尚未有一致的界定。有学者认为它是一种经济发展模式，认为低碳经济是以低能耗、低排放、低污染为基础的经济模式(周生贤，2008)；在经济社会发展过程中，以排放最少的温室气体获得整个社会最大的产出，以低能耗、低排放为特征的一种经济发展模式(温宗国，2008)；是一个相对于现有的

“高碳经济”模式的一个概念(蔡林海，2009)；是依靠技术创新和政策措施，实施一场能源革命，建立一种排放较少温室气体的经济发展模式(庄贵阳，2005)。也有学者指出它是一种经济发展形式，认为低碳经济是低碳发展、低碳产业、低碳技术、低碳生活等一类经济形态的总称(冯之浚，周荣，2009)。另有学者从更宽泛的角度来看低碳经济，认为低碳经济从内涵上说包括低碳生产、低碳流通、低碳分配和低碳消费4个环节(李胜，陈晓春，2009)。是在人类社会发展过程中，人类自身对经济增长与福利改进、经济发展与环境保护关系的一种理性权衡；是对人与自然、人与社会、人与人和谐关系的一种理性认知；是继人类社会经历过原始文明、农业文明、工业文明之后的生态文明；是人类社会继工业革命、信息革命之后的新能源革命(刘细良，2009)。因此，有学者将其看做是一种综合性的问题，不仅仅是一种经济发展理念，一种经济发展模式，还是一个政治化的问题，是经济、社会、环境系统交织在一起的综合性问题(袁男优，2010)。

上述的几种定义从不同角度对“低碳经济”作出了不同的阐述和解释，可以看出虽然低碳经济的概念认定目前尚未达成一致，但是对于“低碳经济”核心内容的理解是基本一致的。本书认为，低碳经济是指在经济社会生态发展的过程中，通过发展理念的转变、生态化技术体系的创新、产业结构的优化等战略性措施，一方面积极发展可再生能源和清洁能源及其产业群，另一方面提高能源的利用效率、减少温室气体和污染气体的排放，同时增加温室气体的吸收、回收和利用，以获得经济、社会和生态三大效益相统一的经济发展模式。它的本质是能源经济，其目标不仅仅是为了减少温室气体排放，应对气候变化，更是为了同时实现国家能源安全和经济结构转变，增强国家的经济竞争力。

低碳经济是否可行和必要，它的发展动力是什么？2006年，前世界银行首席经济学家尼古拉斯·斯特恩在其《斯特恩报告》中指出，全球以每年GDP的1%的投入，可以避免将来每年GDP的5%～20%的损失，此后，《气候变化的斯特恩回顾》中指出持续的气候变化带来的经济风险是严峻的，实施严厉的气候政策，其收益将大大超过成本(Simon Dietz，2007；Andries F Hof，2008)。气候集团在其发布的《盈余：低碳经济的成长》报告中表明，低碳经济具有更高的投资回报率，遏制碳排放不仅自身具有收益性，同时还有很多附带效应，如改善环境质量等(Carolina Burle Schmidt Dubeux，2008)。针对各国情况，D·约翰逊等学者认为，利用现有技术到21世纪中叶，实现英国住房碳减排在1990年基础上减少80%是可能的(Johnston，2007)；T·特雷福斯等学者认为，通过采取相关措施，德国在2050年实现在1990年基础上减少GHG排放80%及经济强劲增长是可能的(Treffers D J，2005；解利剑，周素红，闫小培，2011)。

从国内看，对于低碳经济在国家发展战略方面的重要性有不同声音。大部分学者认为低碳经济对于我国经济转型有重要意义，低碳经济的发展有助于我国经济结构的调整，是可持续发展的必由之路（张坤民，2010）；低碳经济应该上升到重要战略地位，作为新的发展方式，以抢占国际经济科技竞争的制高点，同时认为低碳经济是减少温室气体排放，应对全球变暖的最佳经济模式（付允等，2008）；它是作为负责任的大国实现和平崛起和可持续发展的必然选择，顺乎世界潮流，合乎我国国情（宋德勇，卢忠宝，2009）。

但也有学者认为发展低碳经济是被"气候问题"牵着鼻子走，或者认为我国的不可再生能源尚可支持较长时间的经济发展，所以应该着重继续发展经济而非将太多的财力、人力、物力和精力投入新能源；还有学者指出，新能源战略是美国在经济危机后精心谋求新的世界经济地位的手段。这种"低碳阴谋"论认为西方发达国家大力鼓吹"低碳"经济是"不怀好意"的，是借"低碳"之名，行压榨发展中国家"之实"，表现在哥本哈根气候会议中的种种博弈，低碳壁垒的出现等方面。例如，有学者认为，低碳壁垒就是西方国家以保护环境、提倡低碳之名，实为贸易保护主义下替代关税壁垒的新型方式应运而生。不过值得一提的是，即便这些学者持"低碳阴谋"的观点，他们中的很多人也并不否认对于中国而言，低碳经济是一种新的经济发展模式，这对于改造和提升传统产业，实现能源安全以转变经济发展方式非常重要。此外，还有不少人对低碳经济有一些误解。潘家华曾指出，观察当前对低碳经济的探讨和认识，需要澄清五种误解：一是认为低碳经济是贫困的经济，咱们不能搞；二是认为一旦搞低碳经济，那么高耗能、高排放的重工业就不能发展了；三是认为一旦搞低碳经济，我们就不能开汽车、住大房子、享受空调了；四是认为搞低碳经济要用先进技术、低碳能源，成本太高，我们做不了；五是认为低碳经济是好东西，但太遥远，我们现在还没有达到发展低碳经济的水平，以后到了那个水平再说。这些误解实际上都是由于对低碳经济理解的片面化而产生的（潘家华，2010）。

虽然我国发展低碳经济面临着包括能源结构、目前所处的发展阶段、总体技术水平落后、贸易结构等在内的诸多困难和挑战。但是不可否认的是，我国有发展低碳经济的内在需求和强大驱动。低碳经济的发展动力分为外在动力和内在动力两个方面，不同的经济形态的变化都离不开众多因素的"合力"驱动，作为一种新的经济发展模式，低碳经济的发展也不例外。可以说，内在动力和外在动力中不同力量交织在一起，共同发挥作用，推动着低碳经济的发展，其中外在动力是对"低碳"发展提出要求，而内在动力是对"经济"发展给予驱动。

从外在动力来看，"低碳"显然已经成为了一种趋势，无论是气候变化所带来的自然界的压力、国际社会的压力还是全球各国竞相发展低碳经济的浪潮，都迫使中国不得不主动而积极地融入世界发展的大趋势，着力发展低碳经济，参与世界新一轮的经济竞争。这诸多外在的压力，实际上是“低碳”的压力，会成为迫使我国发展低碳经济的外在动力。但相比较而言，内在动力更为根本：中国经济发展速度惊人，其GDP已经位列世界第二，国际影响力不断增强。但对于中国而言，由于其人口基数大，即使GDP总量已经世界第二，人均国民收入仍然处于中等偏下水平，因此，当务之急仍然是发展经济，推动工业化和城市化进程，提高人均收入和生活质量。这种高速的经济发展伴随着的是大量的能源消耗，大多数化石能源的消耗又会产生大量的二氧化碳和二氧化硫，使中国的能源和环境的压力继续增加。能源严重短缺和生态环境问题已经成为中国经济发展的主要瓶颈，解决这一难题的根本在于发展方式的转变，即生产方式和生活方式的转变，而低碳经济则是这种转变的主要模式之一。换句话说，这是中国发展低碳经济的最重要的动力。外在动力和内在动力交织在一起，决定了中国发展低碳经济的必然趋势。

3.3 低碳经济的特征

低碳经济有许多特征，本书着重阐述其中的三个。

3.3.1 阶段性和动态性并存

有学者利用脱钩理论指出，从长期来看，一个国家走向低碳经济的过程就是温室气体排放和经济增长逐渐脱钩的过程(庄贵阳，2007)。发达国家的发展实践表明，实现温室气体排放与经济增长的强脱钩是完全可能的，但是，从发展中国家的情况来看，虽然在某些时段出现过弱脱钩特征，但非常不稳定。对于中国这个发展中国家来说，实现绝对的低碳经济发展是一个长期复杂的系统过程，因此，立足现实，采取切实可行的措施和技术，发展低碳经济，做到相对的脱钩才具有一定的可行性。

中国作为发展中国家，应该正视低碳经济阶段性的这一特点，不能急功近利地盲目发展，但也不能以我国发展低碳经济有很多困难，会影响到经济增长为由，刻意忽视或者无视低碳经济的发展，从而错失良机。我们应该做的是立足于我国现实国情，在弱化短期内发展低碳经济对经济增长的消极影响的基础上，坚持节能减排，坚持创新和推广低碳技术，渐进式地促进经济的长期发展。

但同时，低碳经济具有动态性的特征。一方面，低碳经济是现有大环境下比较合理的经济发展模式，是现有的能源使用情况和温室气体排放的有效应对之策，随着经济和社会的发展、进步，人们对低碳经济发展的具体领域、具体政策的要求会有所变化。另一方面，随着科技的进步和国际间合作博弈的不断深入，将不断推动低碳经济的内容更新与发展。因此，低碳经济的发展不可能是一步到位的，而是相对于现有情况的、逐步的发展，具有动态性。

3.3.2　主体性与先导性

低碳经济的发展催生了新的经济体，也催生了新能源产业、节能环保产业、新能源汽车产业、新材料产业等战略性新兴产业群，它们的经济体量十分巨大，对于全球经济发展具有主体性与先导性特征，谁抢占了先机，谁就能赢得经济科技发展的新引擎。如随着低碳经济的发展，低碳生活和低碳消费的观念也日渐深入人心，追求低碳生活渐成气候，人们逐渐注意到要在消费过程中尽量减少资源和能源的消耗量，愿意消费新能源，拓展新的低碳消费领域；低碳生活和低碳消费又反过来推动低碳产品和低碳技术的开发，催生了新的经济体、新的产业领域，例如新能源、智能电网、电动汽车、插电式混合动力车、可再生能源专用的蓄电池以及绿色建筑等。

3.3.3　协同发展性

低碳经济讲究的是“低排放，低消耗，低污染”，这也是人们对于低碳经济的第一印象，但是这个并不是低碳经济的全部。如果只认为低碳经济是“低排放，低消耗，低污染”的经济模式，那么，农业文明甚至原始文明时代不就是典型的低碳经济吗？所以，低碳经济的一大特征是协调发展性，指的是“低碳”和“经济”的协同发展，只有这样，才能在低碳经济的发展中，满足人们对于经济发展的需求，达到人们生活品质和幸福感的不断提升。所以，低碳经济的发展，必须是一个不断提升生产力，不断提升人民的幸福指数的过程，在这个过程中的“低排放，低消耗，低污染”才是我们所希望的。

第4章　低碳经济：世界经济发展的新趋势

在前面的章节中，分别阐述了与本书研究相关的低碳经济的基本概念，本章和第11章重点讨论低碳经济在世界经济发展中的必然趋势，并揭示其作为生态文明建设的新的经济发展模式，对于突破资源环境瓶颈，提高公众健康，促进社会和谐的重要作用。从中可以看出：发展低碳经济是发展生态生产力，提高生态文明水平的重要举措和有效途径。

进入21世纪，世界经济出现了新的变化，资源短缺，环境恶化，气候问题成为各个国家之间进行博弈的重要领域，许多国家，特别是发达国家的经济发展乏力，而金融危机更使这些国家的经济雪上加霜。为了应对这样的变化，许多国家都在进行新一轮的经济结构调整，以增强经济的抗风险能力。美国的奥巴马总统上台伊始就非常重视新能源等领域，制定了利用信息技术来提升传统产业并着力于发展面向21世纪的战略性新兴产业的国家发展战略；日本、欧盟等发达国家也进行了部署，提出了“再工业化”“低碳经济”等发展理念。那些发展中的大国同样重视发展低碳经济，抢占经济和科技发展的制高点。

4.1　世界经济发展格局的新变化

目前，世界经济发展出现了新的格局，其特征如下：首先，在经过20世纪70～90年代的高速增长后，进入21世纪后世界经济增长的速度放缓，尤其是2008年的美国次贷危机对世界经济产生了严重的冲击，致使全球消费需求下降，使世界各国，尤其是发达国家的经济受到重创，甚至出现了倒退现象；其次，经济的增长需要大量的资源作为支撑，尤其是石油、煤炭等战略性资源，然而由于世界经济在过去的发展中消耗了大量的资源，特别是石油、煤炭等不可再生能源，使得世界能源面临枯竭的危机；最后，在发达国家工业化进程中的污染问题十分严重，产生了温室气体效应，气温升高导致各种灾害频发，水体和土壤受到污染，不少动植物濒临灭绝，世界范围内的生态环境日益恶化。

4.1.1　世界经济增长速度放缓

从19世纪40年代以蒸汽机为标志的第一次工业革命以来，世界就渐渐地进入了工业化时代，经济增长速度已不再是农业时代的缓慢增长态势，特别是美国、日本和以英国、法国、德国为主体的西欧国家率先步入了发达国家行列。但是在第二次世界大战后，世界经济的增长速度呈现了持续下降趋势(图4-1)。

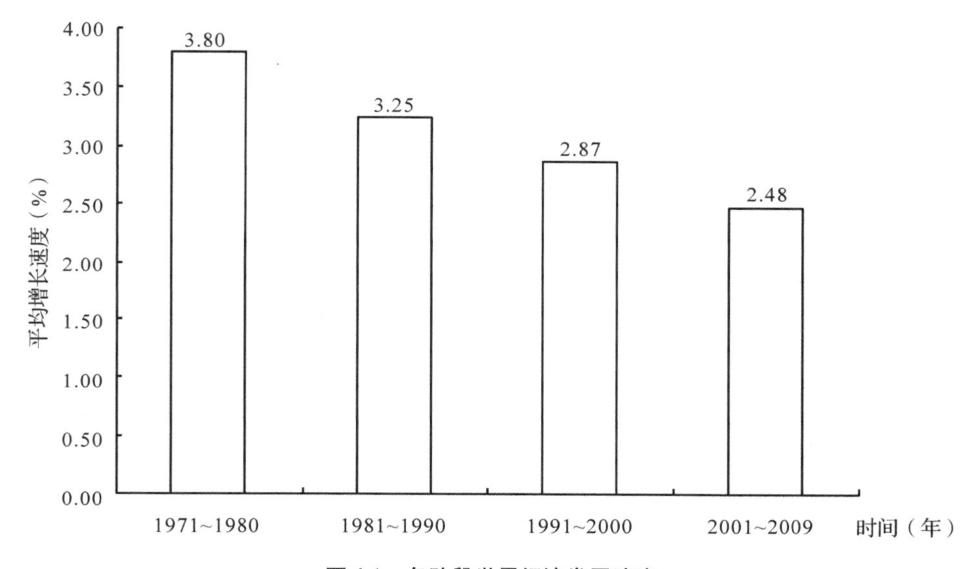

图4-1　各阶段世界经济发展速度

20世纪70年代(1971～1980)世界经济的平均增长速度为3.8%，到了80年代下降为3.25%，90年代跌落至2.87%；进入21世纪，世界经济继续下滑，平均增长速度仅为2.48%。世界经济发展速度持续下滑的主要原因有两个方面：一方面，经济增长本身是有极限的，既有资源的制约，也有市场的容量问题，一个经济体乃至于整个世界的经济一般是难以永远维持在较高的增长水平上。事实上，在经过了几个世纪高速发展之后，世界上的存量资源已经被大量的消耗，同时市场需求也已经接近饱和，在这样的情况下，经济增长的下降趋势就是不可避免的。另一方面，至今为止的世界经济增长依然是依赖于发达国家的拉动，虽然近几十年来中国、印度、俄罗斯和巴西等发展中国家的经济总量急剧上升，在世界经济总量中所占的比重也不断增加，但相对于发达国家而言，这个比重还是比较低的。在经济全球化的大潮中，这些发展中国家的经济正在以比较快的速度融入世界经济的整体中。因此，当发达国家的经济在近年来经济危机频发，危机的时间间隔又越来越短，这必然对发展中国家的经济带来严重影响，从而导致了世界经济增长放缓。

因此总体而言，当前世界经济格局变化主要呈现两大特征：

一方面，发达国家的经济发展速度趋于缓慢，甚至出现了倒退，首当其冲的是日本。日本在第二次世界大战后，实行的是政府主导的经济发展模式，高度集中的宏观调控政策有利于集中社会资源，引进国外先进技术，学习、借鉴国外的先进工艺、科技和管理经验，并加强仿制、模仿和创新工作，进而实现了经济的飞跃。1961～1973年，日本年平均经济增长速度达到9.19%，国民生产总值也由443.07亿美元攀升到1973年的4186.40亿美元，日本因此也由世界第六大经济体跃升成为仅次于美国的世界第二大经济大国。虽然之后就经历了1973年的石油危机以及1975年和1982年的两次全球经济危机，日本经济发展速度有所减缓，但在1975～1991年间日本依然能够维持在年均经济增长速度4.40%的水平。到了20世纪80年代后期，“泡沫经济”的破灭对日本打击很大。自此之后，日本经济进入了长期的停滞状态，在1998年以及2008年两次金融危机之后，甚至发生了倒退现象。进入21世纪之后，美国经济也开始呈现出下滑趋势。从2004年的3.56%，一直下降到2008年次贷危机发生之后，美国经济出现负增长。2008年度和2009年度美国的经济增长速度分别为－0.001%和－0.263%，这是自1980年之后首次出现经济负增长现象。同时美国次贷危机的影响快速蔓延到全球，引发了多米诺骨牌效应，进而引发了全球性金融危机，主要的发达国家几乎都难以在这次金融危机中幸免。2009年10月，欧盟成员之一的希腊爆发主权债务危机，当年财政赤字占国内生产总值的比例超过12%，远高于欧盟允许的3%的上限。随后，全球三大评级公司相继下调希腊主权信用评级，欧洲主权债务危机率先在希腊爆发。此后，主权债务危机迅速蔓延到欧盟的其他成员国，如葡萄牙、西班牙、爱尔兰，甚至是德国和法国也出现债务危机的苗头。欧洲主权债务危机给世界经济的发展蒙上了一层阴影。

另一方面，部分发展中国家经济发展迅速，但发展方式较为粗放，难以维持持续增长。进入21世纪以后，在发达国家的经济增长速度放缓的情况下，中国、印度和俄罗斯等世界主要发展中国家的经济增长速度依然处于相对较高的水平，且大体都呈现出上升趋势。其中2000～2008年期间，中国依然以年均10%的速度增长着，而印度一直维持在5%左右，到了2003年之后，印度的经济发展速度就增长至8%以上。对于另外一个主要发展中国家——俄罗斯而言，进入21世纪之后经济增长速度大体维持在5%～10%之间的相对较高的水平。这几个发展中国家的经济之所以能够在新世纪之后一直保持着高增长，是因为它们都具有相同的一个特征：依赖高消耗、高投入的粗放型经济发展方式。从表4-1可以清楚地看出，每创造1万美元的GDP，世界平均大致需要消耗能源3t标准油。而日本、美国、德国等发达国家所需的能耗仅为1～2t标准油，其中日本能耗值最低，仅为1t标准油左右，美国相对会高一点，但也仅为2t标准油左右。与此相比，发展中国家每生产1万美元GDP所需消耗的能源量就高许多，其中俄罗斯最高，2002年俄罗斯的能耗值达到了21.64t标准油，是世界平均水平的7倍多，是日本的近21倍。虽然近几年来该数值有所下降，但2007年俄罗斯每生产1万美元GDP所需的能耗值依然处于相对较高的水平上，为16.5t标准油。而另外两大发展中国家——中国和印度的能耗值虽然不足俄罗斯的三分之一，但与世界平均水平相比也高出2~3倍，是发达国家能耗水平的3~4倍。这充分表明了发展中国家的经济增长对于能源消耗的依赖性较强，经济发展方式过于粗放，在自然资源日益稀缺和环境保护意识日益增强的当今，这样粗放增长的经济将难以可持续发展。

表4-1　全球主要国家的能源强度(t标准油/万美元)

国家＼年份	2002	2003	2004	2005	2006	2007
中国	8.45	8.75	9.24	9.08	8.89	7.96
印度	9.53	9.02	8.81	8.35	8.00	7.69
俄罗斯	21.64	20.87	19.53	18.76	18.00	16.5
日本	1.11	1.08	1.09	1.06	1.03	0.99
美国	2.29	2.23	2.19	2.14	2.06	2.04
法国	1.95	1.96	1.95	1.91	1.85	1.75
德国	1.79	1.81	1.80	1.77	1.73	1.60
英国	1.51	1.49	1.45	1.43	1.37	1.20
世界	3.06	3.08	3.10	3.07	3.03	2.94

数据来源：国际统计年鉴2011。

世界主要发展中国家的经济发展情况，如图4-2。

虽然中国、俄罗斯和印度的经济发展方式都较为粗放，但是由于各个国家的国情不同，经济发展的道路也有所不同，阻碍其经济可持续发展的具体原因也会有所不同。

众所周知，自改革开放30多年来，中国一直保持着年均10%的经济增长速度，这在世界经济发展史上可谓是一个奇迹。中国成为“世界制造工厂”，这主要得益于低劳动成本，利用大量的廉价劳动力发展了劳动密集型产业，在世界的产业分布格局中，中国从事的都是较为低端的、附加值低的制造加工业，技术含量低，却对劳动力资源和自然资源的消耗比较大，对生态环境的影响较为严重。在自然资源日益稀缺和生态环境保护意识逐渐加强的当今，对于刚步入工业化中期的中国来讲，如果继续持续这种粗放型的发展模式，将难以保持高增长的趋势，并在新一轮的经济竞争中将难以占领制高点而落后于其他国家。此外，还应该看到，中国的经济增长过多地依赖出口和国家基础设施投资，国内需求对于经济增长的带动效应小(高储蓄率、低消费)。

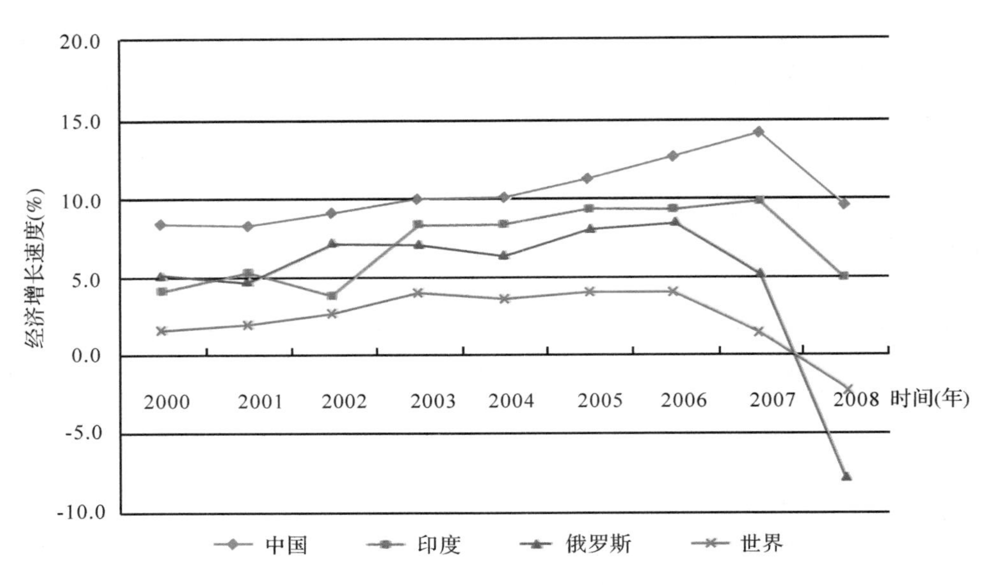

图 4-2 主要发展中国家的经济发展情况

这种发展模式在国外市场需求萎缩的情况下，经济的发展就会因为需求不足而遭受巨大的冲击。以2008年为例，2001～2007年间中国经济增长速度呈现上升趋势，并在2007年达到顶峰值的14.2%，但由于2008年发生了全球金融危机，国际市场需求下降，中国的经济增长速度就下滑至9.6%，下降幅度高达32.39%。

俄罗斯的情况则有所不同，它拥有丰富的石油、天然气和煤矿等资源，从而依靠能源的出口维持了近10年的经济增长。2008年，仅原料出口的税收和关税就达到1500亿欧元，占到当年俄罗斯财政收入的一半（丹一，2011），这也是为什么俄罗斯的单位GDP能耗值高的原因所在。这种资源型经济发展方式显然不仅消耗了大量的不可再生的自然资源，还要完全受制于国际市场行情的波动。因此，在2008年金融危机发生之后，国际油价一路下滑，俄罗斯的经济也随之一落千丈，从2007的5.2%一直跌至2008年的－7.9%，跌幅高达250.46%，给俄罗斯的经济带来了重大的打击。

印度的情况又不同于中国和俄罗斯，体现在产业结构上，中国和俄罗斯都是以工业为主的，而印度的产业主要以服务业为主，其工业产值仅占国民经济不到30%的比重。2009年，印度服务业占国民经济的比重达到了历史的最高点，为55.27%。历史经验告诉我们，一个国家的产业发展轨迹往往都是从农业慢慢转移至工业，进而进入工业化中前期，此时，农业所占比重会大幅度下降，工业比重会急剧上升，服务业的比重会慢慢加大，经过这个阶段之后，农业比重会继续下降，工业比重也会慢慢下降，服务业的比重将会大幅度上升，并成为主导产业，进而进入工业化后期。然而，从印度的产业发展轨迹上看，在其经济腾飞的阶段，服务业就成为主导产业，同时农业却依然占据不小的比重，2008 年印度农业占国民经济的比重为 17. 59%，远远高于世界的平均水平 2. 87%。由此可知，印度的产业发展是跳过工业化中前期，直接迈入工业化后期。据世界银行统计，近年来印度经济虽然一直保持着 9% 的高增长，但是仅有 4% 的 GDP 是用于基础设施建设，由于缺乏工业化初期的基础设施完善阶段，印度的社会基础设施建设速度远远落后于经济发展速度，这也在一定程度上制约了经济的可持续发展。正是由于节能减排的硬件设施建设相对滞后，因此，印度在服务业如此发达的情况下，其能耗却依然是比较高的。

4. 1. 2　世界能源面临枯竭危机

据《BP 世界能源统计年鉴 2011》发表的最新数据，2010 年全球一次性能源消费量为 12002. 4 百万 t 标准油，与 2000 年的消费量 9382. 4 百万 t 标准油相比，涨幅达到 27. 92%，年均增加 2. 49%，其中石油、天然气和煤炭等化石燃料的消费量分别为 4028. 1 百万 t 标准油、2858. 1 百万 t 标准油和 3555. 8 百万 t 标准油，而核能、水电和其他可再生能源的消费量则分别为 626. 2 百万 t 标准油、775. 6 百万 t 标准油和 158. 6 百万 t 标准油。从中可知，石油、天然气和煤炭等不可再生能源占全球能源消费量的比重依然高达 87. 00%，其中石油依然是全球主要的消费能源，比重高达 33. 56%，煤炭和天然气分列第二、第三位，分别占全球一次性能源消费量的 29. 63% 和 23. 81%。而核能、水电、风能、生物能等可再生能源在全球能源消费结构中的比重依然不高，仅为 13%（图 4-3）。

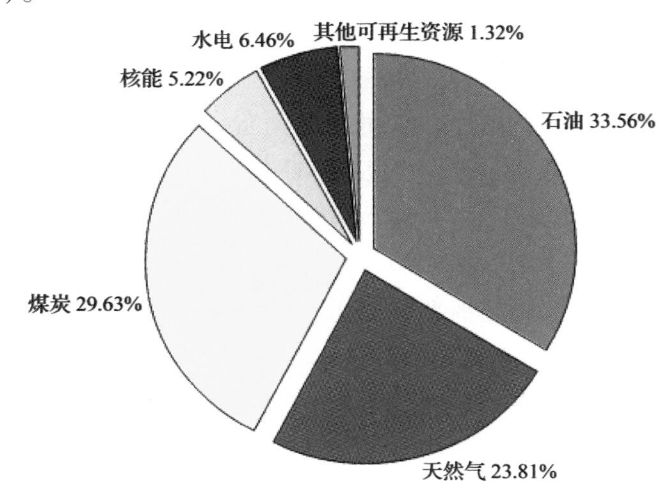

图 4-3　2010 年度世界能源消费结构

由此可知，当前世界能源消费依然以不可再生的化石燃料能源为主，可再生能源消费量还处于起步阶段，全球能源消费结构转型任重道远。

从目前的探明储量来看，截至2010年6月石油、天然气和煤炭的储产比为46.2、58.6和118.0，从中可知，作为全球消费量最大的能源——石油的储量只能够维持将近46.2年的开发，石油资源面临枯竭。学者的研究也证明了这一点，美国加利福尼亚大学戴维斯分校研究民用和环保工程的教授黛比·尼迈尔于2010年18日在《环境科学与技术》期刊上发表的最新研究报告指出，以目前的新技术研究和推广速度来看，人类无法赶在全球石油耗尽前改用替代燃料，可再生能源和新型环保燃料要到2140年才能在全世界广泛应用，但碳氢化合物燃料可能在2050年就会枯竭。石油资源的前景不容乐观。

而从各个国家在世界能源消费中所占比重看，美国、中国、俄罗斯、印度和日本分列世界前五大能源消费国。表4-2显示了世界五大能源消费国能源消费比重的变动

表4-2 世界五大能源消费国能源消费占比变动情况（%）

	2000	2001	2002	2003	2004	2005	2006	2007	2008	2009	2010
中国	11.07	11.33	11.82	13.14	14.61	15.66	16.76	17.52	18.03	19.25	20.26
美国	24.66	23.87	23.78	23.03	22.41	21.77	21.04	20.82	20.11	19.40	19.04
俄罗斯	6.61	6.67	6.56	6.50	6.28	6.09	6.09	6.02	5.99	5.76	5.76
印度	3.15	3.14	3.20	3.17	3.30	3.37	3.44	3.64	3.85	4.22	4.37
日本	5.48	5.42	5.29	5.11	4.98	4.88	4.76	4.59	4.47	4.16	4.17
合计	50.97	50.43	50.64	50.95	51.57	51.77	52.09	52.58	52.46	52.80	53.61

数据来源：《BP世界能源统计年鉴2011》。

情况：自进入21世纪以来，这5个国家的能源消费占全球能源消费总量的比重一直维持在一半以上，且所占比重越来越大，从2000年的50.97%，一路攀升至2010年的53.61%，其中俄罗斯、印度和日本的能源消费比重不大，都维持在相对稳定的水平，而中国和美国则呈现较大变化。在2000～2010年期间，美国在大部分时期内都是世界能源消费最多的国家，但其能源消费量所占世界能源总消费量的比重在不断地下降，从2000年的24.66%一直下降到2010年19.04%，十年间减少了5.62个百分点。而中国却相反，在2010年前中国的能源消费比重一直在美国之后，位于全球第二，但是所占比重一直呈现上升趋势，并在2010年首次超过美国，成为全球能源消费第一大国。在这十年间，中国能源消费比重从2000年的11.07%，增加至2010年的20.26%，足足增加了9.19个百分点，这也再一次表明了进入21世纪之后，中国依靠大量消耗能

源以取得经济增长的粗放型发展方式依然没有得到根本的改变，产业结构转型升级任务依然任重道远。而从五大能源消费国能源消费量的变动情况上看（图4-4），2000～2010年，中国、俄罗斯和印度的能源消费量都呈现持续上升趋势，从中可知发展中国家的经济发展中所消耗能源的数量之大，发展中国家在节能方面的努力还有待进一步加强。三个发展中国家中涨幅最小的是俄罗斯，从2000年的620.4百万t标准油小幅上升至2010年的690.9百万t标准油，涨幅为11.36%；印度则排在第二，从2000年的295.8百万t标准油增加到2010年的524.2百万t标准油，涨幅高达77.21%，但与中国相比，印度的涨幅并不算大；中国2000年的一次性能源消费量仅为1038.2百万t标准油，到了2010年中国一次性能源的消费量达到了2432.2百万t标准油，涨幅高达134.27%，能源消费量年均增加8.89%，与中国经济发展速度相当。由此可知，中国经济的增长对于能源消费的依赖性很大，平均GDP每增长一个百分点，能源消耗也要增长一个百分点。而对于发达国家，美国和日本在这十年间的能源消费量大体呈现波动但下降的趋势，与2000年的能源消费量相比，2010年美国和日本能源消费量的跌幅分为-1.21%和-2.57%，表明美国和日本的节能工作还是取得了一定成效的。这是值得中国、印度和俄罗斯等发展中国家学习和借鉴的。

中国的能源消费结构也是以石油、煤炭和天然气等不可再生能源为主，但与世界主要能源结构以石油为主有所不同的是，中国的主要消费能源是碳排放强度更高的煤炭资源。自改革开放30多年以来，中国每年消耗的煤炭平均占总消耗能源的70%，而石油次之，仅为20%左右，这主要是因为我国的煤炭资源比较丰富（图4-5）。我国能源消费过于依赖于煤炭资源，导致煤炭资源被过度开采，截至2010年6月，我国煤炭资源的储产比仅为35，远低于美国的241，更无法与俄罗斯的495相比。

4.1.3 全球的生态环境日益恶化

全球的科学家们普遍达成了一个共识：全球气候变化的主要原因是温室气体的排放，尤其是二氧化碳气体的排放。

1960～2007年世界部分国家或地区二氧化碳排放量和人均二氧化碳排放量，分别如图4-6、图4-7。

目前，高碳生活、生产方式给环境保护带来巨大的压力。生态环境恶化的最明显体现就是温室效应增强。据有关部门的统计数据显示，2007年大气中的二氧化碳浓度已超过430μL/L，而在工业革命之前该数值仅为280μL/L。大气中二氧化碳浓度的不断升高，其最直接结果是导致大气气候发生剧烈变化，温室效应继续加强，全球气候

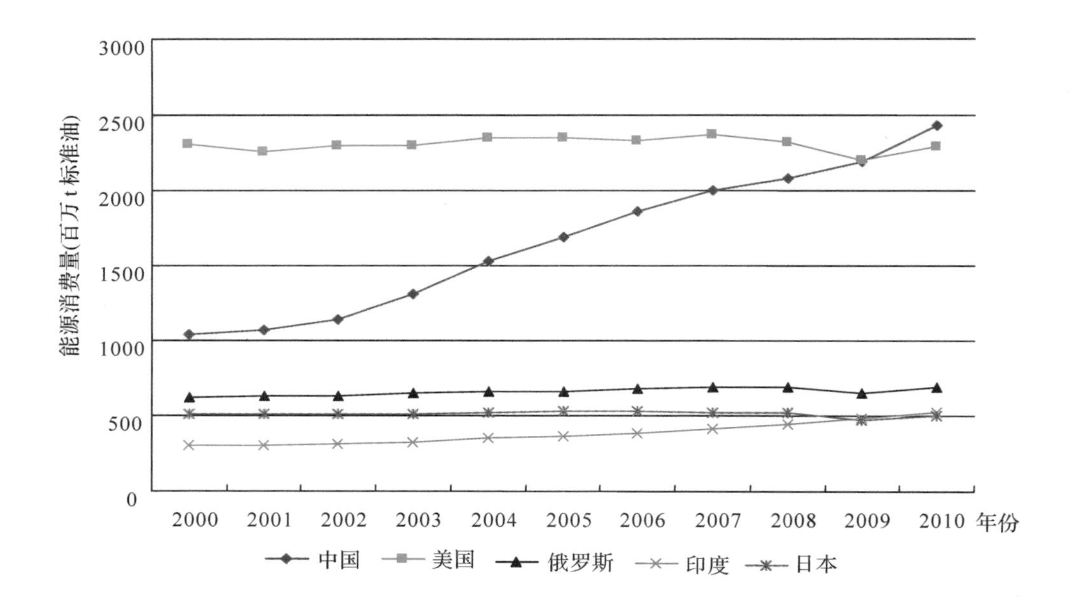

图4-4 世界五大能源消费国2000～2010年间消费量变动情况

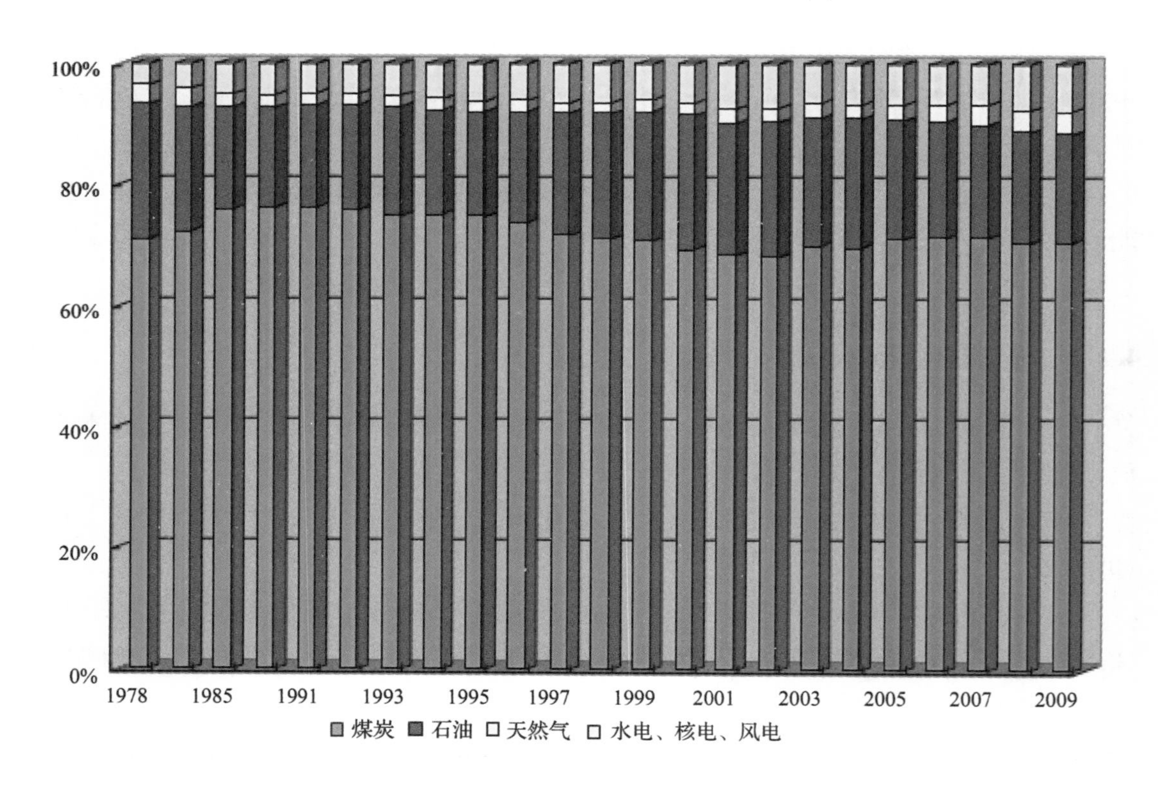

图4-5 中国能源消费结构

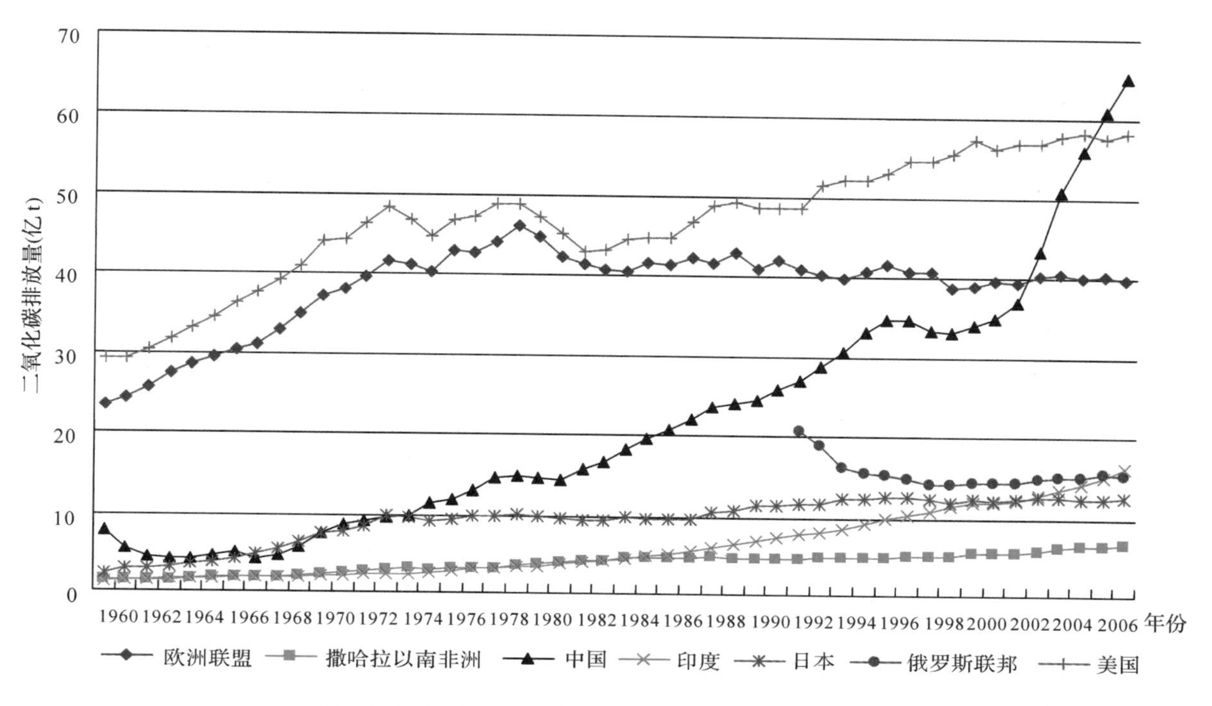

图4-6　1960～2007年间部分国家或地区二氧化碳排放量

（数据来源：世界银行网站）

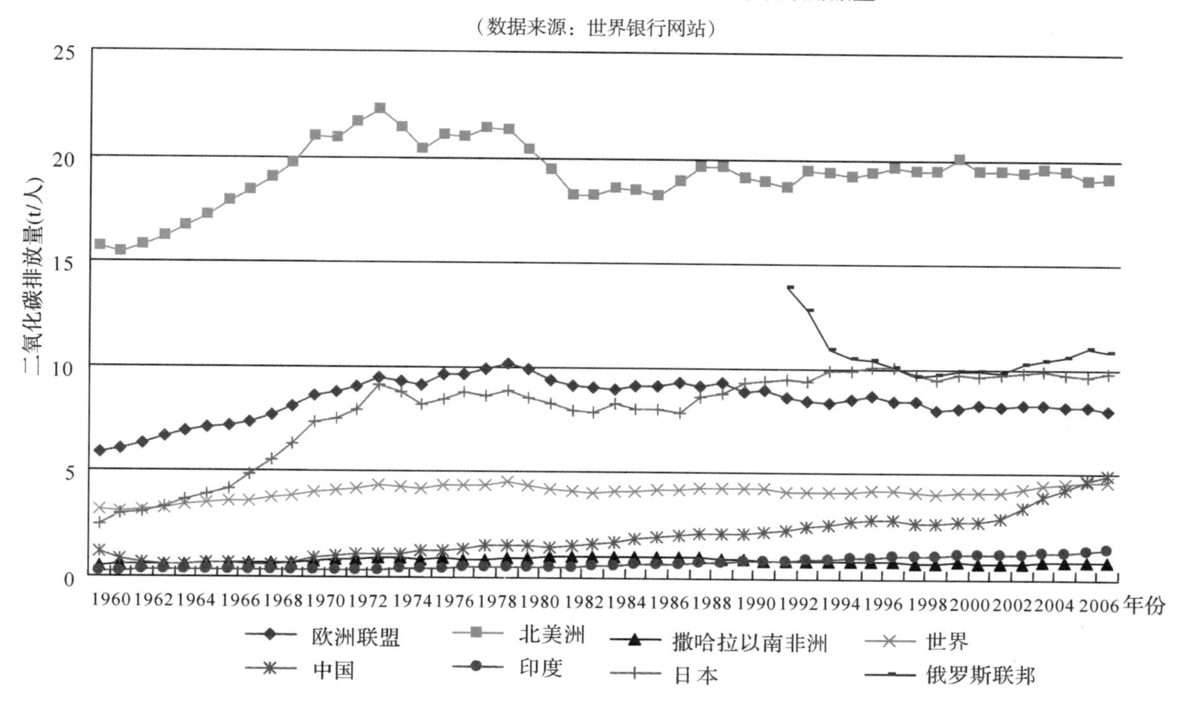

图4-7　1960～2007年间部分国家或地区人均二氧化碳排放量

数据来源：世界银行网站

变暖步伐不断加快。据政府间气候变化专门委员会(IPCC)2007年的评估报告指出，20世纪全球地表的平均温度上升了0.74℃，如不尽快采取实质性的行动，未来100年间全球平均气温将上升3～6℃，海平面上升15～35m，导致接近一半的生物物种灭绝(IPCC，2007)。我国的国家气象局和科学院的调查也发现，20世纪我国的平均气温上升了1.1℃，远高于世界平均水平。更为严峻的是气候上升的趋势没有减缓的迹象，反而有进一步加剧的可能。

从图4-6可知，1960～2007年，除俄罗斯之外的世界主要国家和地区的二氧化碳排放量大体都呈现持续上升趋势，主要原因是因为在全球工业化的进程中，无论是发达国家还是发展中国家都是依靠消耗大量的资源来实现经济的增长的。从整体上看，两大经济体美国和欧盟的二氧化碳排放量一直处于世界前两位，远远高于其他国家和地区，但两者还是有所区别的。1960～2007年，美国的二氧化碳排放量大体呈现波动上升趋势，且在大部分时间都是全球二氧化碳排放量最多的国家，虽然在20世纪70年代受到两次经济危机冲击，二氧化碳排放量在此阶段有所下降，但随后就一直不断攀升，并在2005年达到最高值的58.36亿t，而2006年小幅度下降到57.53亿t以后，2007年又上升至58.32亿t，与1960年的排放量29.19亿t相比，涨幅高达99.79%，年均增长1.48%；而欧盟则以1979年为分界点，之前的二氧化碳排放量呈现持续上升趋势，从1960年的23.40亿t，一直攀升至1979年的历史最高点46.07亿t，此后，随着环境保护意识重视程度不断增强，欧盟的二氧化碳排放量就呈现波动下降趋势，进入21世纪之后，欧盟的二氧化碳排放量就大致维持在40亿t左右的水平上。而被国际社会一直关注的二氧化碳排放大国——中国，由于人口总量大，再加上工业化进程发展迅速，在20世纪60年代的起始阶段，短暂的小幅度下降之后，随着人口剧增和工业化进程的日益深入，中国的二氧化碳排放量就一路攀升，1970年超过了日本的排放水平，成为世界第三大二氧化碳排放国，紧接着又分别于2003年和2006年超过欧盟和美国，成为世界二氧化碳排放量最大的国家。虽然由于人口总量大，中国人均二氧化碳的排放量不高(后面会详细分析)，但是要值得注意的是，在1960～2007年的47年里，中国二氧化碳排放量年均增长率达到了4.63%，而人口的年均增长率却仅为1.46%，这表明中国二氧化碳排放量大的主要原因并非仅为人口的增长，更多的是经济发展方式的粗放所导致，这就要求我们应当尽快进行产业结构升级，推进节能减排工作，以减缓二氧化碳排放量继续升高的趋势。

从图4-7可知，1960～2007年全球人均二氧化碳排放量呈现平稳上升趋势，由1960年的3.11t/人上升至4.63t/人，在将近50年间，全球人均二氧化碳排放量增加了1.52t，涨幅达到48.64%。而从各个国家或地区的人均二氧化碳排放量上看，发达国家的人均二氧化碳排放量远远高于世界平均水平：主要由美国和加拿大两个发达国家组成的北美地区的人均二氧化碳排放量一直远远高于其他国家和地区，从1960年的15.67t/人一直上升至1973年最高值22.29t/人，之后虽有所下降，但也始终维持在20t/人的水平；人均二氧化碳排放量排在第二位是欧盟，也是呈现出先上升后下降的趋势，1960年的人均二氧化碳排放量为5.84t，1979年达到了历史的最高点，首次突破10t，之后就呈现下降趋势，一直维持在人均排放8t的水平左右；日本在第二次世界大战以后通过技术引进等方式大力发展制造业等高产值产业，同时也排放了大量的二氧化碳，排放量相应呈现出持续上升趋势，从1960年还处于世界平均水平之下，为2.47t/人，到了1964年，日本人均二氧化碳排放量就超过了世界平均水平，之后就呈现出高速增长的趋势，1960~1996年，日本人均二氧化碳排放量的年均增长速度达到了3.98%，虽然受到20世纪90年代末经济发展滞涨的影响，日本经济一直处于停滞不前的状态，但从90年代中期至今，日本的人均二氧化碳的排放量依然处于10t/人的水平上。

图4-7还显示了1960~2007年间部分发展中国家或地区人均二氧化碳排放量的变动情况，从几个主要发展中国家或地区来看，除俄罗斯之外的大部分国家或地区的人均二氧化碳排放量都位于世界平均水平之下：由于前苏联时期的产业发展重点放在重工业方面，因此，即使在1992年苏联解体之后，作为其主体国家，俄罗斯的主导产业还是无法摆脱高排放、高污染的重工业，虽然通过制造工艺革新、技术改进以及产业结构升级等方式，人均二氧化碳排放量有所下降，但是俄罗斯的人均二氧化碳排放量大体维持在10t/人以上，是目前全球人均二氧化碳排放量仅次于北美洲的国家；而对于另外两大发展中国家——中国和印度，都保持着高速的经济发展速度，人均二氧化碳排放量也呈现不同程度的上升趋势。其中，中国在2006年之后的人均二氧化碳排放量首次高于世界平均水平，这主要是因为自改革开放以后中国经济进入了高速发展轨道，但这种经济的高速发展是依靠高污染、高排放、高能耗的化工、机械制造等工业所支撑，是以牺牲环境代价得来的。印度则不同，虽然他们的经济发展速度也相当迅速，但是主要是依靠软件开发、外包等高新技术产业，碳的排放量相对较少，因此印度的人均二氧化碳排放量一直远远低于世界平均水平。而在最为贫穷的南非地区，尚处于农耕社会，工业化程度非常低，二氧化碳排放量本身相对也非常低，更何况是人均二氧化碳排放量。从中可知，发达国家应在共同但有区别的责任原则下，主动承担起减排的义务，包括中国和印度在内的发展中国家不应承担二氧化碳减排的主要任务，而应在发达国家技术和资金的帮助下，有条件地、逐步地自愿开展节排工作。

4.2 发展低碳是应对世界经济格局变化的必然选择

国际经验反复证明，产业革命是经济发展方式的催化剂，每一轮产业革命都会催生出新的发展方式。另一方面，产业革命也是经济危机的救世主。第二次世界大战中兴起的军事科技产业，拯救了处于经济大危机中的发达国家，带动了战后世界经济的20多年的高速增长。20世纪80年代兴起的微电子技术新产业，破解了20世纪70年代由石油引发的世界经济大危机，带动了近20年全球经济的大繁荣。可见，每一轮新的产业革命之后，都会出现新一轮经济增长的高潮（刘上洋，2011）。而目前，世界各国普遍认为以新能源为主要内容的低碳经济将会成为新一轮的产业革命，将会带动世界经济再一次繁荣，同时低碳经济还将有利于解决世界能源危机，有利于解决环境污染问题。

4.2.1 低碳经济是解决世界能源危机的重要举措

低碳经济的核心内容是能源变革，其最初原型是根据能源发展的要求而塑造出来的，目的在于解决能源问题（P. Ekins，2001）。它是在气候变化的背景下，人类应对能源危机的重要举措。可再生能源和清洁能源的开发、利用是发展低碳经济的核心内容，这也是解决能源危机的根本途径。当前，由于石油、天然气和煤炭等不可再生能源的存量有限，且在使用中会对环境造成有害的影响，但另一方面，经济发展又离不开能源的支撑，正是这样的矛盾促使各个国家开始着手开发太阳能、风能、生物能等可再生能源和清洁能源。据统计，2009年全球向低碳能源的资金投入总额逾5000亿美元，其中最多的来自中国、美国、韩国和欧盟国家（朱轩彤，2011）。在这种形势下，可再生能源和清洁能源发展迅速。2002～2007年，太阳能消费量的年均增长速度高达40.6%，远远高于其他能源的增长率，风能和生物燃料的消费量分别以年均24.1%和19.8%的速度增长，增速位列第二、三位，而传统能源煤炭、天然气和石油的年均增长率则分别为5.9%、3.1%和1.8%。可见，相对于太阳能、风能和生物能等可再生能源的发展速度，煤炭、天然气和石油等化石燃料的年均增长速度较为缓慢。清洁能源中的水力发电也由于必须有部分的化石燃料作为基础，因此增长速度受到化石燃料的制约，仅为3.1%，还有比较大的发展潜力。而核能发电需要核裂变和核聚变等高科技的支撑，在当今世界仅有几个国家拥有这个技术，因此发展的较为缓慢，在各种能源中年均增长率最低，仅为0.4%，具体如图4-8。

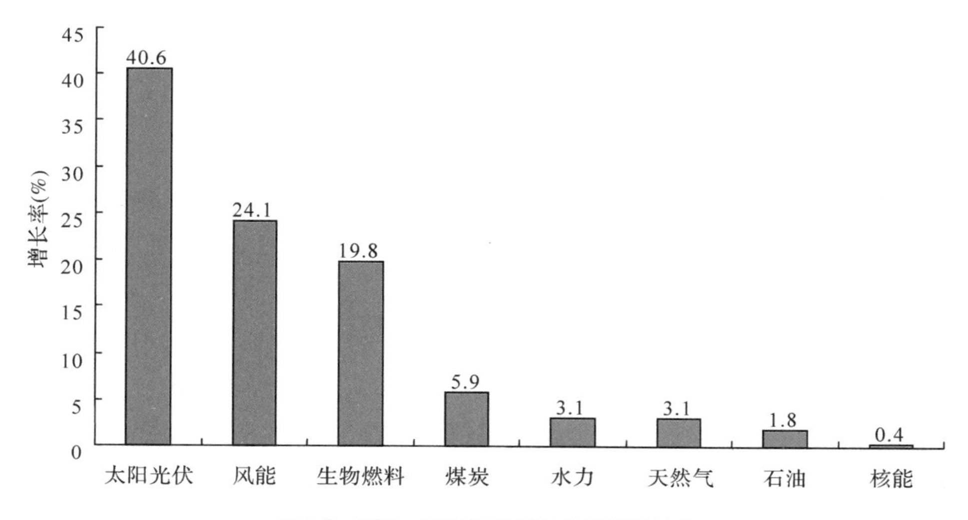

图 4-8　2002～2007 年世界年均能源增长率

数据来源：《世界能源统计观察》(2008 年)

世界各个国家都非常重视新能源的开发和利用，都将其视为一个解决能源危机的根本途径：

在能源需求不断增加和能源价格不断上涨的当今，欧盟特别关注新能源的发展，并制定了相关的支持政策。2007 年欧盟首脑会议上，27 个成员国的领导人一致通过了新能源政策的共同行动计划，该计划规定了到 2020 年欧盟要实现可再生能源占总能源耗费比例的 20% 的目标。由此，各成员国根据本国的实际出发，相继出台了一系列促进能源发展的政策。如欧洲的核电大国——法国，长期以来始终坚持以核电为基础，以其他可再生能源为辅，推进节能减排工作。2008 年 11 月，法国环境部公布了一揽子旨在发展可再生能源的计划，涵盖生物能源、风能、地热能、太阳能以及水力发电等多个领域，计划到 2020 年将可再生能源在其能源消费总量中的比重至少提高到 23%；英国则把研究海洋风能、潮汐能、波浪能等作为开发新能源的突破口，设立了 5000 万英镑的专项资金，重点开发海洋能源；1998 年 9 月在欧洲"百万太阳能屋顶计划"的战略框架下，德国政府宣布从 1999 年 1 月起实施"十万太阳能屋顶计划"。其目标是到 2003 年年底安装 10 万套光伏屋顶系统，总容量在 300～500MW，每个屋顶约 3～5kW。

美国在新能源开发上取得不小成就，据《BP 世界能源统计年鉴 2011》显示，截至 2010 年 6 月底，美国的可再生能源发电量和核能发电量都位居世界第一，分别占到世界发电量的 24. 7% 和 30. 7%。这主要是因为美国在新能源的开发和利用上起步较早，早在1997年6月就宣布将实施“百万太阳能屋顶计划”，目标是到2010年年底要在全国的住宅、学校、商业建筑和政府机关办公楼屋顶上安装100万套太阳能装置，光伏组件累计用量将达到3025MW，每年可减少二氧化碳排放量351万t。之后，美国也一直加大可再生能源研发和利用力度，2005年美国能源部能源研发总投资7.66亿美元，其中可再生能源研发投资占了42%。2009年6月美国众议院通过了奥巴马提出的《美国清洁能源安全法案》，该法案提出未来10年将投入1500亿美元，资助替代能源的研究，包括乙醇燃料、混合燃料动力汽车研发等。

日本是一个能源资源极度匮乏的国家，能源自给率仅4%左右，日本所需石油的99.7%、煤炭的97.7%、天然气的96.6%都依赖进口。在经历了1973年和1978年两次石油危机冲击后，日本政府和企业都认识到开发替代石油等新能源的重要性，从20世纪70年代中期开始推动新能源的开发和推广利用。1974年日本制定了《阳光计划》，把发展太阳能和燃料电池技术确定为国家战略。1980年建立了管理新能源事业的专门机构——“新能源开发机构”(NEDO)，制定了《代替能源法》。1993年，日本将这两个计划合并后推出“能源和环境领域综合技术开发推进计划”，即“新阳光计划”，目的是促进新能源技术的开发利用和商业化。“新阳光计划”每年拨款570多亿日元用于研究新能源技术、能源输送与储存技术以及推广和普及已经开发出的新能源。日本的新能源战略取得了一定的成效，截至2010年，全国共有核电站54座，总装机容量达到4712.2万kW，是仅次于美国和法国的第三大核能发电大国；日本还是世界上太阳能开发利用的第二大国，也是太阳能技术强国，自2002年以来，日本的太阳能发电、太阳能电池产量多年位居世界首位，占据了世界总产量的半壁江山；风能发电也是日本能源系统中不可忽视的一个领域，截至2003年年底，日本共有576座风车，发电量为67.8万kW，2004年发电量接近100万kW。

中国也积极进行新能源的开发和利用。2005年颁布了《可再生能源法》，该法明确规定了到2020年要使生产的清洁能源占到能源产量的10%，大大高于目前的1%。今后的15年，诸如风能、太阳能和生物燃料等可再生能源将得到更大的发展，估计将发展成为规模达1000亿美元的大市场。2007年又出台了《可再生能源中长期发展规划》，规划确定了以水电、生物质能、风电、太阳能、地热能、海洋能等其他可再生能源以及沼气等农村可再生能源为重点发展领域，力争到2010年使可再生能源消费量达到能源消费总量的10%左右，到2020年达到15%左右，并形成以自有知识产权为主的国内可再生能源装备能力。2007年11月，中科院、国家发改委联合发布并启动了《可再生能源与新能源国际科技合作计划》，该计划旨在推动可再生能源与新能源国际科技合作的深入开展，解决中国能源利用中存在的关键和迫切的技术问题，增强中国可再生能源与新能源产业的技术创新能力，形成拥有自主知识产权的能源技术发展能力，带动国际社会共同参与到可再生能源与新能源的发展中来，共享可再生能源创新成果。2008 年中国风电装机容量达到 1217 万 kW，成为亚洲第一、世界第四大国；太阳能热水器的年生产能力达到了 4000 万 m^2，使用量超过 1.25 亿 m^2；光伏电池产量达 200 多万 kW，成为世界第一。中国在生物质能源开发利用上的发展也相当迅速，据统计，截至 2008 年年底中国户用沼气池已达 2800 多万口，沼气年利用量达到 120 亿 m^3。核能发电的潜力也相当巨大，2008 年全年中国核电发电量超过 683.94 亿 kW，约占全国总发电量的 2%（宋成华，2010）。风能发电发展迅速，截至 2009 年年底，全球累计装机容量已经达到了 1.59 亿 kW，2009 年全年新增装机容量超过 3000 万 kW，涨幅 31.9%。从累计装机容量看，美国已累计装机 3516 万 kW，稳居榜首；中国为 2610 万 kW，位列全球第二。水力发电一直以来是中国的优势能源，截至 2008 年年底，中国水电装机容量达到 1.72 亿 kW，稳居世界第一位。同时，水电能源开发利用率也从改革开放前的技术可开发量不足 10% 提高到 27%，水电能源已成为中国能源安全的重要支撑。

4.2.2　低碳经济是应对生态环境恶化的有效途径

低碳经济是一种以低能耗、低污染、低排放、高能效为主要特征的经济形态，它是以最小的环境代价来获取最大效益产出的新型、可持续的经济发展方式。低碳经济作为减少温室气体排放和应对全球气候变化的有效途径，正日益受到越来越多国家和地区的关注和重视，尤其在发达国家中有更多的实践（廖红英，孙志威，2011）。低碳经济应对生态环境恶化、改善生态环境质量的作用，主要是体现在减少温室气体排放和降低温室气体排放所带来的生态环境恶化效应两方面。

一方面，发展低碳经济，最为直接的是要控制温室气体排放，减少温室效应给全球生态环境带来压力。因此各个国家都明确提出了温室气体减排目标。早在 20 世纪 90 年代初，德国率先制定了减少二氧化碳排放的国家计划。当时联邦议院决定，在 1999 年的基础上，到 2005 年，德国将来自工业、家庭和交通的二氧化碳排放总量降低 25 个百分点。在这一计划的约束下，2007 年德国的温室气体排放量比 1990 年降低了 21.3%。而 2008 年 6 月德国联邦议院通过《气候能源一揽子计划》，目标是到 2020 年温室气体排放量要比 1990 年减少 40%。英国在 2003 年首次提出低碳经济理念的政府报告《我们未来的能源——创新低碳经济》中提出，到 2050 年要从根本上把英国变成一个低碳经济的国家。紧接着在 2008 年公布的《气候变化法案》中，英国提出在 2020 年和 2050 年的温室气体排放量要分别在 1990 年的排放水平上减少 34% 和 80%。

同时为了能够实现该减排目标，英国还于2009年通过“碳预算”的方式将温室气体减排目标纳入法律范畴，同时还发布了《英国低碳转化计划》《英国低碳工业战略》《可再生能源战略》和《低碳交通计划》等四个配套计划，以此对企业的废气排放进行约束，引导企业走绿色无碳(少碳)发展道路。此外，英国还运用气候变化税、气候变化协议、气体排放贸易机制、碳信托基金等一系列经济政策工具来推动企业节能减排的进程(胡雪萍，周润，2011)。美国在2009年奥巴马上台之后，就制定了《美国清洁能源安全法案》，在此法案中明确提出2020年温室气体排放量比2005年减少17%，2050年进一步减少83%。2007年6月，日本内阁会议审定通过《21世纪环境立国战略》，提出“建设国际循环型社会”的战略方针。2008年，日本政府提出了“福田蓝图”，其减排目标是到2050年温室气体排放量比目前减少60%～80%，将日本打造成为世界首个“低碳社会”(胡雪萍，周润，2011)。按照《京都议定书》的规定，作为一个发展中国家，中国是不需要承担温室气体减排义务的。然而，为了应对全球气候变化的严峻挑战，2009年11月温家宝总理主持国务院常务会议，决定到2020年中国单位国内生产总值的二氧化碳排放要比2005年下降40%～45%。而时任俄罗斯总统梅德韦杰夫也在2009年的八国集团峰会上作出了承诺：到2020年将俄罗斯温室气体的排放量比1990年减少10%～15%，并在哥本哈根世界气候大会上将其修正，认为其有信心达到40%的减排目标。在2009年的哥本哈根世界气候大会上，在世界舆论的压力下，印度也提出了到2020年使得废气排放比2005年减少24%，到2030年减少37%的目标；而作为金砖四国的另一个国家——巴西，在2009年11月也承诺到2020年将温室气体排放量在预期基础上减少36.1%～38.9%。

在如何减少温室气体排放对全球气候变化的影响的问题上，减少排放当然是重要的，但另一方面，如何增加碳吸收也是同样重要的。众所周知，森林是陆地生态系统的主体，在固碳释氧、改善生态环境中起到了至关重要的作用。为此，世界各国都相应制定林业行动计划和相应的政策机制来应对全球气候变化。

英国在2008年制定的《森林和气候变化指南——咨询草案》中明确提出，保护现有森林，减少毁林，恢复森林植被，使用木质能源，用木材替代其他建筑材料以及制定适应气候变化的计划6个关键行动计划。

美国的《林业碳管理计划》专门设立了碳信用和碳汇两种模式，为个人和组织提供利用植树来补偿温室气体排放的机制。加拿大也于2008年提出新的森林发展战略，提出通过加强森林火灾、虫灾的防治，减少森林砍伐等造成的碳排放，同时加强森林管理和促进使用林产品增加储碳量。并计划投入2500万美元，用5年时间帮助社区适应气候变化，为全国11个以社区为基础的合伙企业提供资助，推进社区应对气候变化的信息共享和能力建设。

日本于2006年提出了《新森林计划》，提出“防止地球变暖的森林碳汇10年对策”及今后的4项工作，即森林可持续经营、保安林管理、木材和生物质能源利用、国民参与造林。同时还于2008年发布了《2008年森林白皮书》，提出了通过间伐可持续利用森林，扩大建筑使用木材等行动计划。

印度政府应对气候变化的计划则有2007年提出的喜马拉雅生态保护计划、绿色印度计划，并在2008年6月批准通过了第一个关于气候变化的国家行动计划——《气候变化行动计划》。该计划的主要内容是在2008～2017年，印度要着重以采取森林可持续经营、保护与开发并重的方式利用非木材林产品，重视退化林区的开发和恢复等方式以应对气候变化。此外，印度还提出了可持续生活环境计划、水资源计划和农业可持续发展计划等行动计划以遏制生态环境的进一步恶化。

中国也相当重视发展林业以改善生态环境，在2007年发布并实施了《中国应对气候变化国家方案》，首次将林业纳入我国减缓和适应气候变化的重点领域。并于2009年6月发布实施了《中国应对气候变化行动计划》，在此计划中确定了五项基本原则、三大阶段性目标和实施22项主要行动，具体包括大力推进全民义务植树、实施全国森林可持续经营、扩大封山育林面积等15项林业减缓气候变化行动和提高人工林生态系统的适应性、加大重点物种保护力度、加强荒漠化地区的植被保护等7项林业适应气候变化的行动。

4.2.3　低碳经济是新一轮经济发展的主要引擎

世界经济在20世纪90年代长时间的快速增长中积累了各种结构性矛盾，但近几年在各国宏观经济政策的调控下，世界经济并没有进行深度调整。与美国相比，欧元区、日本的经济结构改革步伐更为缓慢，经济体制僵化、结构改革推进艰难成为欧元区经济发展的最主要制约因素。从长期看，经济结构调整和生产率提高将为全球经济增长、居民消费和福利水平提高提供持久的动力和空间。但是，仅靠货币政策调整和救市措施无法对已经低迷的生产力产生刺激作用。只有积极进行结构调整，找到实现新一轮经济发展的增长点，才是摆在各国政府面前的重要任务。20世纪90年代，以美国为代表的发达国家经济，借助于以信息技术为核心的新技术革命而重新获得了发展的动力。当前，随着世界经济格局的变化，发展中经济体在世界经济发展中的作用将更加突出。因此，世界经济摆脱“危机”和“失衡”，实现新一轮可持续增长将有赖于新兴经济体的引领和新技术革命的到来。

低碳经济是以低能耗、低排放、低污染为基础的经济模式，是人类社会继原始文明、农业文明、工业文明之后的又一大进步。其实质是提高能源利用率和创新清洁能源结构，核心是技术创新和发展观的转变。发展低碳经济是一场涉及生产模式、生活方式、价值观念和国家权益的全球革命。低碳经济像其他的重大历史变革一样，将成为新一轮经济增长的推动力。历史的经验教训表明，历次大的国际金融、经济危机，要真正走出困境，货币政策固然是重要的，但从长远来看，主要要靠新产业、新技术、新的增长点。从目前情况看，低碳经济可能是这个新产业、新技术、新的增长点。因为低碳经济是以技术创新为核心的产业革命，将催生新的经济增长点，成为2008 年金融危机后世界经济新一轮增长的强大动力(钟史明，2011)。低碳经济对于经济的拉动作用表现在就业、投资和市场等方面。

一是低碳经济能够新增就业岗位。研究表明，可通过发展新兴能源行业、改造传统能源结构、实现财政激励(主要指征收温室气体排放税)以规范和完善相关的法律法规等方式创造新就业岗位(D・麦凯维等，2010)。James R. Stone 认为低碳经济能够促使传统行业通过工艺改进而新增就业岗位；Robert Pollin 则以美国政府投资低碳经济为例，指出政府的低碳投资对就业的拉动具有直接效应、间接效应和引致性效应。据联合国环境规划署(UNEP)估计，2006 年世界各个国家通过投资太阳能、风能、生物能等可再生能源行业新创造 2300 万个岗位，其中生物能行业最多，为 117.4 万人，太阳能行业所创造的就业也有 79.4 万人以上，风能、水利和地热行业也分别创造新就业30 万、17 万、2.5 万人，具体见表 4-3。根据联合国环境规划署(UNEP)的估计，如果现在的增长速度可以持续，到 2030 年，将有 210 万人在风能领域工作，630 万人在太阳能领域工作，1200 万人在生物能源相关的农业和工业领域工作。由此可知，低碳经济对于就业的促进作用相当明显(吴燕平等，2010)。

表 4-3 2006 年可再生能源部门创造的就业岗位(人)

	生物能行业	太阳能行业	风能行业	水利行业	地热行业
巴西	500000	—	—	—	—
美国	312200	17600	36800	19000	21000
中国	266000	655000	22200	—	—
德国	95000	48300	82100	—	4200
西班牙	10349	35641	35000	—	—
丹麦	—	—	21000	—	—
印度	—	—	10000	—	—
世界	1174000	794000 以上	300000	170000	25000

数据来源：联合国环境规划署(UNEP)。

低碳经济对就业的促进作用，对深陷失业困境的欧盟来讲是一道曙光。欧盟委员会公布的《2009 年度欧洲就业报告》中指出，在金融危机的冲击之下，欧盟的失业问题相当严峻，以欧元区 16 国为例，2009 年 9 月份失业率为 9.7%，2010 年将上升至 10.7%，而 2011 年将达到 10.9%。大力发展低碳经济，不失为是医治欧盟难题的药方，创造"绿色"就业岗位，缓解失业带来的困扰及社会问题，使低碳经济成为新的经济增长点。在德国，由于发展低碳经济就产生了 100 多万个就业岗位，预计到 2020 年还可以实现翻番。研究同时还表明，到 2020 年，欧盟仅再生能源行业的就业人数就可以达到 280 万，是 2005 年的一倍。尽管随着再生能源的兴起，传统能源行业的就业将面临萎缩，但两项比较，再生能源行业仍可创造近 40 万个就业机会。

据中国社会科学院 2009 年发布的《气候变化绿皮书》指出，中国目前处于以资本和能源密集化为特征的工业化中后期，城市化水平与社会消费需求还在持续提升，低碳经济发展模式将给我国带来新的就业机会。中国的可再生能源产业蕴含着巨大的就业潜力，仅以小水电和其他可再生能源为例，2000 年我国小水电企业有 2 万多家，固定资产近 3000 亿元，从业职工 52 万人，为安排农村剩余劳动力作出了巨大贡献。太阳能企业、风能企业、生物质能企业共计 2100 多家，如果每家企业按 20 人计，全国从业人员也在 4 万人以上。显然，随着科学技术的进步和产业的发展，可再生能源可为社会创造更多的就业机会。据不完全统计，中国的可再生能源产业可能提供近百万个就业机会。

二是投资方面的拉动。自从低碳经济概念提出以后，越来越多的国家在低碳技术和低碳产业上进行投资。据 2009 年环境规划署的最新报告表明，与利用煤炭和石油发电的 1100 亿美元投资相比，2008 年全球绿色能源（太阳能、风能、生物能源等）发电的投资首次超过传统能源，达到了 1400 亿元（郭彩萍，2009）。美国总统奥巴马上任后签署的总额为 7870 亿美元的经济刺激计划成为"绿色新政"的开端。欧盟 2009 年 3 月 9 日宣布，将在 2013 年之前投资 1050 亿欧元支持欧盟地区的"绿色经济"，促进就业和经济增长，保持欧盟在"绿色技术"领域的世界领先地位。2009 年英国能源和气候变化部发布的《英国低碳转换技术》中指出，到 2020 年年底，英国政府将投资 300 亿英镑用于可再生能源发电和取暖。作为世界上最大的发展中国家，中国也已成为"绿色产业革命"的主要践行者。中国政府 2009 年公布的 4 万亿元人民币的经济刺激计划中，有 3400 亿元用于绿色项目。在 2008 年 1 月达沃斯世界经济论坛上，日本首相福田宣布今后 5 年日本将投入 300 亿美元来推进"环境能源革新技术开发计划"，目的就是为了率先开发出减少碳排放的革新技术。据 2009 年麦肯锡公司的预计，2011～2015 年，全球对低碳技术的投资额将达到每年 3170 亿欧元，而这个数字在 2016～2030 年将会增加至8110亿欧元，低碳技术投资将成为经济增长的一个重要推动力。

三是需求方面。需求对于经济的拉动作用主要体现在低碳产品市场的蓬勃发展，低碳行业发展前景大与碳排放交易市场日益成熟三个方面：首先是低碳产品市场蓬勃发展。据罗兰贝格调查公司的一项调查表明，目前全世界环境产品和服务的市场达到1370亿美元，到2020年，这一市场将会增加到2740亿美元，增长潜力巨大。其次是低碳行业发展前景大。根据汇丰（HSBC）的一项研究也显示，2008年，全球气候变化行业中的上市企业（包括可再生能源发电、核能、能源管理、水处理和垃圾处理企业）的营业总额达到了5340亿美元，超过了5300亿美元的航天与国防业的营业总额。据该项研究披露，尽管全球出现了经济衰退，但低碳行业2008年的收入仍大幅增长了75%，并预计2020年的年收入将超过2万亿美元。最后是碳交易市场日益成熟。目前全球碳交易的配额市场和项目市场逐步形成，并出现了爆炸性增长。2004年仅为3.77亿欧元，2005年即上升至94亿欧元，2007年全球碳交易市场价值即达400亿欧元，比2006年的220亿欧元上升了81.8%。2008年即使在美国次贷危机引发全球性衰退和金融危机的情况下，全球碳交易市场依然保持爆炸式增长态势，全年交易额达910亿欧元。据测算，全球碳交易在2008~2012年，市场规模每年可达500亿欧元，2012年全球碳交易市场容量为1400亿欧元（约合1900亿美元），有望超过石油市场成为世界第一大市场。

第2篇

低碳经济与生态文明的共同追求：发展与幸福

第5章　发展与幸福

5.1　发展的困惑

5.1.1　发展与增长

经济增长一向是人们关注的热点，它是指在一定的时间内，一个经济体系生产内部成员生活所需要商品与劳务潜在生产力之扩大，这种生产力的成长受到该经济体自然资源禀赋、资本的数量和质量、人力资本的累积、技术水准的提升以及制度环境改善等因素制约。经济持续增长一般被认为是经济景气的表现，因为它可以增加一个国家的财富并且增加就业机会。

现代经济增长迄今为止已有200多年，从世界范围来看，18世纪晚期之前，大多数国家和它们的国民是贫困的，只有少数富裕的个人和家庭。国家的整体经济财富不多，因此，经由分配后所产生的大部分人贫困也就不足为奇了。18世纪晚期，英国开始了工业革命；19世纪中叶，欧洲和北美洲的其他国家也开始类似的变革。这些国家开始追求现代经济增长，即一个国家并非少数特定人群的收入有所提高，而是全体国民的人均收入都要有所提高(吉利斯，1999)。

现代经济增长给世界各国带来了财富的增加。从众多国家的实践来看，对经济增长的追求通常表现在对国民生产总值(GDP)的重视，追求其数量，讲究其速度。从GDP的增长结果来看，近几十年来，无论发达国家还是发展中国家的GDP都有所增长，虽然中间有所波动，但是从整体上看都是呈现向上增长的态势。例如，发达国家中的美国从1960年开始，近50年都基本处于平稳发展中，除了2008~2009年因金融危机而导致了小幅度下降。日本从20世纪70年代开始GDP也不断增长。作为发展中国家，中国的GDP从1998年开始急剧增长，使其从一个经济落后的国家赶超成为第二大世界经济体。另外，德国、印度、俄罗斯、法国、英国等国家从20世纪七八十年代开始，都在追求GDP的增长，也都取得了好成绩(图5-1)。

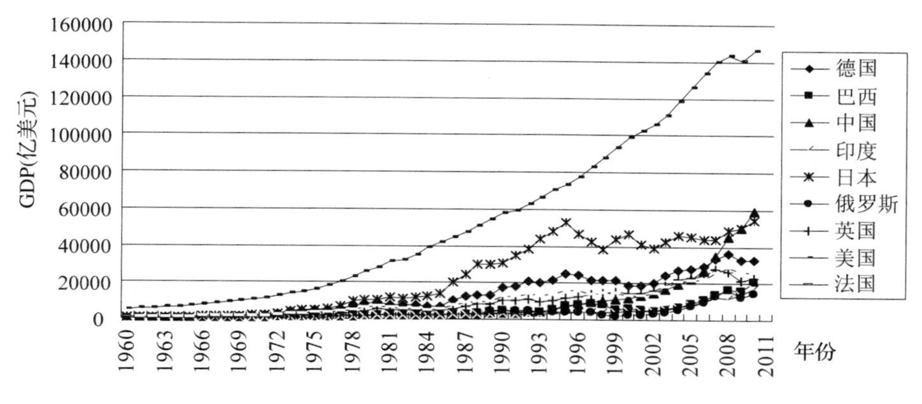

图5-1 主要国家GDP增长图

数据来源：世界银行(www.worldbank.org.cn)

作为衡量经济增长的权威刻度，GDP反映了某一个国家或者一个地区在一定时期内所生产的最终产品和劳务的市场价值，与其他指标相比，它具有无可比拟的优势。然而，单纯强调经济增长，只重视GDP指标也带来了许多问题。这是因为，GDP虽然到目前为止仍然是衡量经济增长的无法替代的指标，然而，它自身也具有局限性。首先，从GDP指标的统计和核算过程来看，它并未反映一国或一地区在生产产品和劳务的过程中所发生的社会成本。例如，如果某地赌博以及其他一些有违传统伦理道德和违法交易泛滥，虽然其GDP水平很高，却未必反映了该地区人们的生活水平。其次，从GDP的核算来看，这一统计过程并没有考虑到在产品生产过程中所发生的环境成本。如果一个国家具有比另一个国家更高的GDP水平，可是这种较高的GDP水平是以对环境的污染和资源的极大消耗为代价，这种增长导致的结果也不一定能使人民得到好处。这种现象在一些发展中国家尤其常见。再次，GDP也不能反映经济增长的持久性。资源是有限的，由于在经济发展过程中所发生的成本没有进入核算体系，因此，如果今天GDP的增长是以对资源的极大消耗和低效利用为代价，那么今天发展的代价可能就是明天经济增长的瓶颈，经济增长的持续性和潜力将得不到保障。最后，从发达国家的发展经验来看，尽管GDP的高速增长为一部分人积累了大量的财富，然而单纯对GDP的考察和比较，却不能反映不同国家和地区的居民在收入分配状况以及生活质量上所存在的差异。以两个GDP产值相等的国家为例，其中一个国家的居民身体状况良好，受教育程度较高，人均寿命很长，并享有较多闲暇；反之，另一个国家的居民受教育程度低，整日又忙于工作和生活事务，人均寿命短。那么直观的比较就可以看出后一个国家居民的生活质量要明显低于前一个国家居民的生活质量。而这种生活质量的差异无法从GDP所显示的数据中体现出来。类似的，在两个具有同等GDP水平的国家，如果一个国家的收入和财富分配状况体现出极大的不平等和两极分化趋势，而另一个国家却表现出一种均等化的分配状况，显然生活在后一个国家的居民，其社会总福利要显著高于前一个国家。总之，GDP虽然对所生产的产品和劳务的市场价值进行衡量，但是却没有考虑在这一过程中所发生的生产成本以及这些产品和劳务在国民中的分配状况，更没有考虑到对国民整体生态生活环境的平衡会造成什么样的影响。GDP不能反映公共服务的数量与质量，不能反映经济发展质量、存量财富的增长，也不能反映社会进步、生活水平乃至资源环境的变化。从发展的最终目标来看，很显然，单纯从GDP来衡量并不能真实地反映一个国家人民的真实生活情况。

当然，由于经济增长仍然是一个经济体社会发展的重要基础，因此，GDP挂帅的观念仍然普遍存在，甚至有时候将经济增长等同于发展。当说到经济发展的时候，首先考虑的就是如何增加GDP。显然，这种想法在促进经济增长的同时，也必然带来了一些问题，产生了一些困惑。

5.1.2 中国发展过程中的问题

改革开放30多年来，中国的经济发展举世瞩目。1978年，中国的GDP仅为3645.2亿元，2009年达到340506.9亿元，是1978年的93.41倍（中国统计年鉴，2010）。在世界GDP竞速赛上，中国从来都是超车高手——2005年超过英国，2008年超过德国，2010年第二季度赶超日本，成为仅次于美国的经济大国。经济的增长虽然使得我们处在一个物质丰富的世界中，这种丰富在一两百年前是无法想象的。中国经济的高速增长使得中国社会的富裕程度大大提高，国民生活水平得到极大改善，然而经济财富的巨大增长并非只有收益没有代价，伴随而来的问题也不容忽视。从现实情况来看，一味地追求经济财富的增加已经带来了一些负外部性，这是伴随着经济增长而出现的新问题。

首先，我国的基尼系数不断攀升。根据《中国统计年鉴（1978～2004）》的数据显示，1978年，我国的基尼系数为0.29，1985年为0.3，1990年为0.42，已超过警戒线，之后我国的基尼系数继续攀升，到1995年为0.43，到2000年已经达到0.45，2005年接近0.47。2007年亚洲开发银行公布《亚洲的分配不均》报告显示，中国的基尼系数达到0.4725，现在也仍然维持在0.45左右。这些数据说明我国GDP高速发展，从整体上看，我们已经摆脱了贫困，但另一方面，人民的收入差距不但没有缩小，而是伴随着改革的进程而逐渐扩大，如图5-2。第一阶段是1975～1985年的平稳阶段，十年期间基尼系数值大致处于0.3水平。源于这一段时间正处于发展阶段，贫富差距

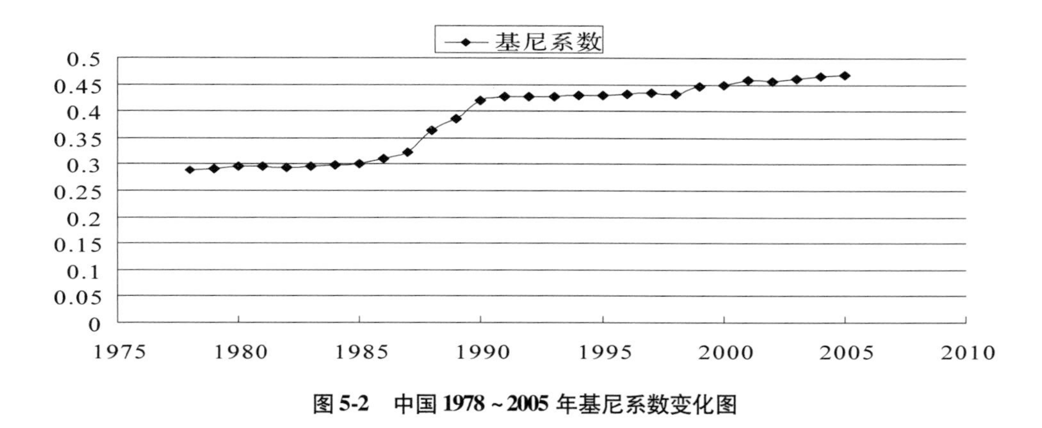

图5-2　中国1978～2005年基尼系数变化图

相对较小，基本处于同一水准上。第二阶段是1985～1990年的快速增长阶段，我国基尼系数从0.3增长到0.42，五年间增长了40%，说明随着经济持续快速增长等因素，我国居民收入差距不断加大。第三阶段是1995～2000年的波动扩大阶段。这一阶段的收入差距呈增长趋势，但相对较为平稳，基尼系数由1995年的0.43扩大到2000年的0.45，五年间增长4.6%。第四阶段是2000～2007年的高水平状态的稳定阶段。这一阶段的基尼系数始终高于国际警戒线，并有增长趋势，这说明衡量社会公平的天平逐渐失衡。

其次，经济增长对生态环境带来了负面影响。胡锦涛同志在党的十七大报告中指出：过去的五年工作面临的主要问题是经济增长的资源环境代价太大。突出表现在：环境污染、资源消耗、生态破坏。中国科学院数据研究中心研究成果表示：2005年经济增长的资源环境代价为27511亿元，占GDP的13.9%，资源环境生态损失大于经济增长量。这种以生态环境破坏为代价的经济高速增长，注定是不可持续的。而造成这一现象的主要原因是：要素投入仍然是经济增长的主要推动因素，产业结构调整进展缓慢，重工业特别是高耗能、高污染行业增长仍然偏快，不少应该淘汰的落后生产能力还没有完全退出市场，一些地方和企业没有严格执行节能环保法规和标准，有关政策措施取得明显成效需要一个过程等。

再次，经济发展中的产业结构问题。我国经济产业结构仍然存在着一、二、三产业比例不合理，城乡之间、地区之间发展不平衡，投资消费关系不协调等问题；农业基础薄弱状况没有改变，粮食稳定增产和农民持续增收难度加大；固定资产投资总规模依然偏大，银行资金流动性过剩问题突出；引发投资增长过快、信贷投放过多的因素仍然存在；外贸顺差较大，国际收支不平衡矛盾加剧。

最后，经济发展过程中出现的各种社会问题。与30多年来快速增长的经济相比，社会发展是严重滞后，出现了许多迫切需要解决的社会问题。如，社会保障体系建设严重滞后、公共产品和公共服务供给不足、劳动者特别是底层劳动者待遇过低等，医疗服务、教育资源不足的问题与社会公平问题同时并存。又如，建设用地的征收征用、房屋拆迁、企业改制等，也出现了一些损害群众利益的问题，环境污染与保护等也是一个涉及老百姓生存与发展的大问题。此外，国民广泛关注的食品药品安全、社会治安、安全生产等一些民生问题，仍然没有得到很好的解决。由于贫富差距过大以及市场化改革所引起的社会生产方式与社会生活的巨大变化，由此所造成的社会成员心理不适、信仰危机、悲观厌世等社会心理问题急剧增加，都影响了社会成员的幸福感，也给我国经济社会的可持续发展带来了不利的影响。

5.1.3 发展的困惑

传统的经济学理论认为，经济的发展和财富积累必然带来人们生活水平的提高，而人民生活的改善就等同于其幸福感的增强。中国已经发展成为了GDP仅次于美国的经济大国，实现了经济的高速增长，然而调查显示出的国民幸福感却没有随之增强。经济增长中出现的这一系列问题使正在高速发展的中国产生了困惑：难道不是经济越增长，社会越美好、国民越幸福吗？

长期以来，世界各国都沉迷在致力于发展以GDP为核心的经济，认为经济增长可以解决所有的问题，认为经济增长就是人类发展的最重要途径。却没有意识到单纯追求经济增长会给我们带来的可怕后果，如果一直延续这种线性的经济增长，所造成的环境恶化会对人类造成极大的负面影响，乃至挑战人类的生存。正如美国最著名的环境学家比尔·麦吉本所说："以往相当实用而且直接明确的牛顿经济学，已经无法再帮助更富有的地球，我们需要爱因斯坦经济学，这是一门更为复杂的相对论科学，能够提出更深层的问题。"要阻止地球环境恶化的进程，我们必须反思并付诸行动，转变经济发展模式，在维护现有财富和资源的前提下进行发展。这就需要我们重视增长与发展这两个概念的区别和联系，重构我们的发展目标。实际上，早在1965年，发展经济学家汉斯·辛格开始对"发展"与"增长"进行区别，他在《社会发展：最主要的增长部门》一文中明确指出："发展是增长加变化，而变化不单在经济上，而且还在社会和文化上，不仅在数量上，而且还在质量上。"1969年，英国发展经济学家达德利·西尔斯在《发展的含义》中指出："把发展与经济发展以及经济发展与经济增长相混淆是我们十分轻率的表现。"那么，对于中国来说，发展的目标究竟应该是什么样的？生态文明、和谐社会以及幸福经济等观念的提出正是对这个问题的一系列思考。

5.2 “幸福”的提出

5.2.1 幸福的含义

幸福是一个古老的话题，对它的理解和探讨，已经有2000多年的历史。英国哲学家休谟说过：“一切人类努力的伟大目标在于获得幸福。”对于“什么是幸福”这个问题，国内外众多学者和思想家都尝试着给其一个定义，但至今仍未达成统一的意见，哲学、心理学、经济学、社会学等不同研究领域的学者给予了不同的内涵。

哲学中对于幸福的探讨由来已久，早在古希腊时一些哲学家就从道德行为等角度对幸福进行了阐述。亚里士多德从行为的正确性和合宜性出发来说明幸福。梭伦认为，虽然财富是获得幸福的必要条件，但拥有了财富并不一定就代表拥有了幸福，道德操守更为重要。柏拉图认为，幸福是人生的一种感性生活，拥有德行的人的生活就是幸福的。之后，西方的哲学家们从道德、快乐等多种角度延续了对幸福的阐述和研究。黑格尔认为幸福是道德伦理的范畴，也没有对其进行准确的定义；康德则认为“幸福即乃是尘世间一个所有的存在者一生中所遇到事情都称心合意的那种状况”。但不管如何，哲学家们都认为对于幸福的追求是天经地义的，是人们生活的正当的而且是珍贵的追求目标，而且他们都秉承一种观点，即追求幸福离不开道德操守。

心理学认为，主观幸福感表示的是人们的一种良好的存在状态，或者是对这种存在状态的正向情感，而不论这样的存在状态是自我体验的，还是外在界定的。其中，个体依据自己的观点和一些客观的方法对自身的福利进行个体评价。提出生活满意度反映了个体对现实与愿望的差异感觉（吴丽，2009），快乐感则是在积极情感和消极情感之间的一种情感平衡的结果（段建华，1996）。

社会学家对幸福的研究是以人群对社会状况的“认可”，即满意程度为出发点，一些社会心理学家将“快乐”和“满意”相区别，认为前者表征“情绪”，后者表征“认知”。因此，在社会学研究中，幸福更多地被理解为人们对社会状况和生活环境的“满意程度”，如生活满意度、社会满意度、政策满意度、收入满意度等（陈惠雄，2005）。

早期的西方经济学中不乏对幸福的研究。斯密在其著作《国富论》中从道德的维度对幸福进行过分析，认为收入对幸福的影响存在着临界点，超过临界点后，收入对幸福的影响是十分微弱的。在他的另一著作《道德情操论》中更是对幸福和道德之间的关系进行了表述。在斯密看来，人生的幸福来源于积极的生活而不是懒惰和奢侈，财富对幸福的影响应该是适度而不是过度。马克思也对幸福进行过论述，认为平等、自由、和谐都应该是构成最终幸福的有机部分和条件。边际革命发生后，西方主流经济学的研究方向转向实证研究，以逻辑、数理化为特征的实证研究方法要求研究对象最好能客观化且易于度量，由于幸福本身的内涵丰富，范围太广，难以度量，因此，在很长的一段时间内没有成为西方主流经济学研究的对象。在西方经济学研究中，幸福往往被满足（satisfaction）、效用（utility）、福利（welfare）等词汇所替代进行研究。如杰文斯研究人类在约束条件下的最大化选择行为，对于幸福的研究转化为“效用”和“偏好”，其重点在于对微观行为主体利益或偏好的满足。

随着经济发展中困惑的不断出现和幸福悖论的提出，近年来学者们纷纷开始重新审视幸福这个命题。关于幸福的研究逐渐增多，研究的内容涉及经济、社会、环境等多方面，包括幸福感所受影响因素的研究，幸福感与收入、环境、健康、社会关系、教育水平等多种因素之间的关系，特定群体幸福感研究、不同国家之间的幸福感比较以及幸福感的测度方法研究，等等。

根据现代汉语词典的解释，幸福就是指“使人们心情舒畅的境遇和生活”，因此，幸福这个定义的主观性就非常强，是不能以一种客观的存在去定义的。幸福作为一种主观感受，虽然每个人对于它的追求各有不同，对其理解也有所差异，但是从幸福的本质上来讲还是具有共性的。那就是，幸福在本质上反映了个体的主观感受，这种主观感受是与个体的行为、经历和人生体验相关，令其满足、愉快的人生经历使其感受到幸福，令其痛苦、悲伤的人生经历使其感觉不幸福。

5.2.2 幸福悖论

在传统经济学中，个人的幸福等同于其效用，效用越高意味着其幸福水平也越高。为了简化分析，经济学分析往往将收入作为决定个体效用的唯一变量，而这种效用的满足来源于其消费行为，因此，更高的收入和消费水平往往意味着更高的幸福水平。然而，越来越多的证据表明，收入越高并不意味着更高的幸福水平，为了促使经济增长所作的种种努力并不一定就能提升人们的幸福水平。由此看来，单纯从财富和收入的角度出发进行分析，并不能为我们提供全面了解不同个体之间福利分布状况的视角。从中国社会的现实来看，经济转型为我们创造了巨大的财富和收入，但是，在这一过程中，国民的幸福指数却并没有相应提高。

这一中国式的“收入—幸福悖论”与世界其他国家具有一定的共性。美国加州大学人口经济学家理查德·伊斯特林在1974年提出了所谓的伊斯特林悖论（Easterlin Paradox），也就是我们所说的幸福悖论：收入增加并不一定导致幸福感的增加。根据伊斯特林的理论模式，人与人之间在特定时间点上存在因收入差距而产生的幸福差异，但是在整个生命周期，个人的幸福水平并没有随收入增加而相应增加(杨雪峰，2008)。这个理论的提出引发了学术界的关注。学者们对“幸福悖论”作出了不同的理论解释，包括“忽视变量”理论、快乐适应和社会比较论、“快乐跑步机”说、“幸福定位点”理论、程序公平论，关系物品理论等。“幸福悖论”也引发了广泛讨论和争论，针对收入与幸福之间的关系进行了研究，提出了几种不同的观点。第一种观点是幸福与收入负相关。金钱以外的因素如幸福的家庭、健康和对时间的重新分配能够增加个人快乐。如黄有光认为，金钱既不能买到幸福，也买不到生活质量。第二种观点是幸福与收入弱相关甚至无关。一些实证研究认为，人均实际收入差距只能解释人际快乐程度差异的2%左右。如科斯塔和麦克克里总结了人格与幸福感的关系，认为幸福感主要依赖于人格特质，不同的人格特质会导致不同的正性情感、负性情感及生活满意感。第三种观点是幸福与收入的关系变化曲线呈倒U形。部分学者如赛利格曼认为，在基本需要满足之前，收入增加会增加幸福，但是收入达到一定水平后，幸福反而减少。这种观点被多国经验数据的比较分析所证明：人均总产值与幸福感开始是正相关的，但超过8000美元时，幸福感就小多了。第四种观点是幸福与收入的关系错综复杂，认为经济增长与国民幸福的关系最终取决于诸因素的合力。当正向作用大于负向作用时，经济增长与国民幸福的关系就是一种正比例关系。当负向作用大于正向作用时，经济增长与国民幸福的关系就是一种反比例关系。同时，由于各种因素的作用会随时间而变化，所以，经济增长与国民幸福的关系在不同的时间段会表现出不同的趋势特征(杨雪峰，2008)。

5.2.3 经济增长与幸福的博弈

伊斯特林的“幸福悖论”主要是指收入与幸福之间的悖论，这里把它拓展为以经济发展为代表的GDP与幸福之间的悖论，更主要是指人们对GDP的过度追求无助于幸福感增加的社会现象(Easterlin，1974)。

在一个经济体内，经济财富增加的最直接体现是GDP增长，GDP用数字量化了国民财富，也让人们在某种程度上认为是国民生活质量的体现。因此，GDP成为追逐的焦点，成为聚焦攀比的领域。由于“聚焦幻觉”(Kahnemanetal，2006)的存在，人们在发展过程中，会将大多数时间花费在对数字化显性领域的追求努力中，对显性领域赋予较高的决策权重。反之，隐性领域通常发生在公益领域或私人生活的场所，如感情、健康、环境等，这些东西通常难以货币化或商品化，难以衡量和进行直接的比较判断，因此，常常被忽略或者难以纳入评价体系。例如，在中国，以GDP为纲的政策已经存在许久，很多地区甚至将GDP作为发展成绩的唯一判定标准，地区之间在GDP数字上你追我赶，而忽略了哪些发展是促进民生，哪些又只是单纯为了GDP数值的增加。

5.2.4 幸福指数

经济因素当然是影响幸福感最为重要的因素。根据马斯洛的需求理论，生存需求、物质需求是人的最基本需求，只有物质需求得到满足，人们才可能寻求更高层次的需求。因此，伴随着经济增长而来的社会物质财富的增加是人们得到幸福感的基础和决定性因素。然而，幸福感还受到其他因素的影响。例如文化因素，国民所秉持的价值观决定了他们对待财富、人生等的态度；再如环境因素，良好的家庭关系和轻松的工作环境也能够满足人类的归属需要和尊重需要，因为舒适和安全的生存环境不仅有利于人类的身体健康，同时也有利于人类的心理健康。人类若是生存在环境污染严重、自然灾害频发、生存安全都没有保障的环境中，幸福感自然大打折扣。

正如前文分析所示，经济增长并不一定带来相匹配的幸福感，因此，用单一的GDP增长指标来衡量经济社会发展具有很大的片面性。从20世纪七八十年代开始，国民幸福指数的研究在一些国家得到重视。幸福指数就是通常所说的幸福感的量化，或者说把人类需求被满足程度和生活质量来进行数字化衡量，主要根据人们自身的价值标准和主观偏好来对其生活状态所作出的满意程度方面的评价。它是生活事业的满足感、心态情绪的快乐感、人际社会的价值感的有机统一。如果说GDP、GNP是衡量社会财富或者国家财富积累的标准，那么，人民幸福指数就是一个衡量百姓生活满意度的标准，就成为了衡量幸福的标准。

最早提出“幸福指数”并进行研究和统计的是地处南亚的小国不丹。不丹于1970年提出国民幸福指数，提出把幸福量化成指标体系，并付诸实践使之成为国民幸福总值(Gross National Happiness，GNH)的指标。这一指标的确定意味着政府实施政策必须以实现国民幸福为宗旨，追求国民幸福宗旨的最大化便成为了发展的最终目标。这一概念升华了发展的概念，转变了以往以经济建设为纲的传统思想，要使经济增长与精神建设共同发展、相互平衡。在这种理念的主导下，“不丹模式”形成了包含政治善治、经济增长、保护传统文化以及环境保护四个维度的国民幸福总值，并且把保护传统文化和环境的权重上升在政治和经济之上。

在20多年的实践中，“不丹模式”渐渐地引起全世界的瞩目。世界上不少著名的学者把目光投向这个南亚的小国，开始认真研究起关于幸福的量化指标体系。认识到GDP指标的局限性之后，世界一些国家政府以及一些相关科研机构也开始构建一些更全面、更完善的幸福评价指标体系，用于衡量社会和经济的发展绩效。

美国的世界价值研究(World Value Survey)机构已经开始了关于幸福指数的研究，英国则设立了与国民幸福指数相似的“国民发展指数”(Measure of Domestic Progress，MDP)。而自1990年以来，在联合国开发计划署(UNDP)每年出版的《人文发展报告》中，也将衡量经济发展的指标体系由单纯的GDP指标变成包含社会经济、环境、生活和文化等多个维度的“社会指标”，并提出了反映不同国家居民平均寿命、教育水平、人均GDP等不同维度的人类发展指数(Human Development Index，HDI)。在HDI的指标下，一个国家的发展水平在被衡量时就显得更为科学和全面。

英国新经济基金(New Economy Foundation，NEF)在2006年发布的幸福星球指数(Happy Planet Index，HPI)，其发表的《幸福星球报告》首次完整地对全世界178个国家进行测算和排名。HPI指数以人类幸福作为经济发展的终极目标，并通过对HPI指数的估算，对经济发展过程中所付出的环境代价进行考察和评价，衡量标准是根据各地公民的预期寿命、对生活的满意度计算，但亦考虑各地人均消耗资源量。具体的计算公式就是HPI=(生活满意度×平均寿命)÷生态足迹。HPI是一个衡量人类福祉的生态效率指标，由多个变量组合而成，每个变量都反映了人类活动与环境的不同方面。与传统衡量发展的指标不同，HPI使用的是反映人的生存状况的主观性指标。通过这个指标可以看到自然资源的使用效率和对人类主观幸福感的贡献程度。

此外，日本也开始采用另一种形式的国民幸福总值(GNC)，更强调了文化方面的因素。获2002年诺贝尔经济学奖的美国心理学教授卡尔曼和经济学家正联手致力于“国民幸福总值”的研究。而作为国际性机构，联合国开发计划署在《1990年人文发展报告》中，第一次使用人类发展指数以评价世界各国人文发展综合水平。该指数由3个单项指数复合组成：平均寿命指数(也称健康指数)、教育水平指数(也称文化指数)和人均GDP指数(也称生活水平指数)。HDI指数编制的理论依据是：人类发展的核心内涵，应当是能够过上健康长寿的生活，能够到学校接受必要的教育，能够得到较好的生活资源。HDI指数的编制，在一定程度上诠释了国民幸福度现状(夏海霞，2010)。

根据上述这些幸福指数进行国家排名，并将之与GDP排名相比较，我们似乎可以看出一些财富与幸福之间关系的端倪。以英国《幸福星球报告》用HPI指数对全世界178个国家进行测算和排名为例。从排名中能够看出，一些被联合国界定为经济发展中等水平(以GDP为标准)的国家的HPI较高，反映了它们的幸福感水平(或生活满意度)较高。被联合国界定为经济发展低水平的国家HPI也较低，这主要是因为物质的匮乏和生活水平低下导致国民生活质量不高，从而降低了幸福感水平。但被联合国界定为经济发展高水平的国家 HPI 水平同样也比较低。如图 5-3 所示，2010 年人均 GDP 在全世界排名前 10 的国家的 HPI 值并不算高，全球人均 GDP 排名第一的卢森堡 HPI 值仅 28.5，世界排名 122；经济大国美国 HPI 值仅 30.7，排名全世界第 114 名。

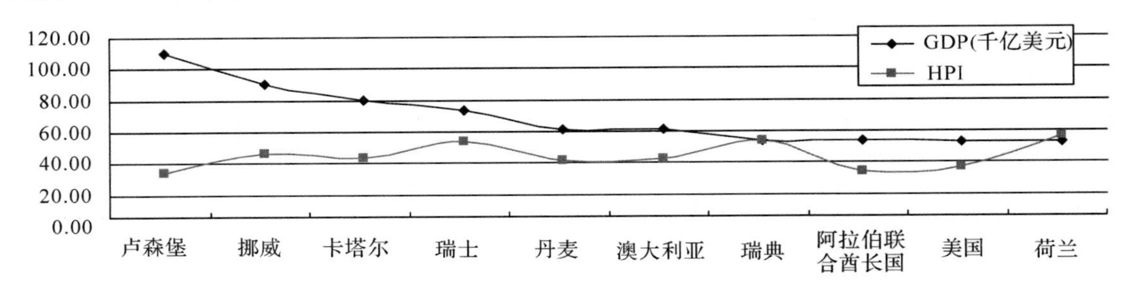

图 5-3 世界人均 GDP 前十名国家 HPI 对比

应该说，幸福指数与 GDP 一样重要，它可以在一定程度上反映社会经济运行的现状，与此同时，幸福指数还反映了人民的生活满意度。幸福指数可以被认为是社会运行状况和民众生活状态的“晴雨表”，也是社会发展和民心向背的“风向标”。尽管现在国内外学者对幸福指数的测量方法和选定指标不尽相同，但各种幸福指数所体现的对经济发展方式的反思，对社会发展方式的探讨是一致的，即在以经济发展为中心的同时，提高经济、人口、环境的发展水平，发挥各自优势，达到全面发展。

5.3 发展的终极目标：幸福

相较于增长，发展可以看做是向幸福更靠近了一步。发展不仅仅限于经济的增长，如单纯追求 GDP 的数值。当然，从不同层面出发看待发展会有不同的要求。狭隘的发展观包括发展就是国民生产总值的增长，或个人收入提高，或工业化，或技术进步，或社会现代化等的观点(阿玛蒂亚·森，2012)。

但是，发展不仅仅包括这些，发展的终极目标应该是幸福。狭隘的发展观更多地注重物质财富的增加，然而正如“幸福悖论”指出的那样，幸福与收入或者说与财富增加并不一定有着非常紧密的联系，幸福不幸福与富裕不富裕似乎没有很大的关系。2009 年去世的美国著名经济学家萨缪尔森曾经提出过一个“幸福公式”：幸福 = 效用 + 欲望。虽然难以定量衡量幸福，但从这个公式正好可以看出幸福在哪里，并可以分析收入最大化为什么不能带来幸福。第一，因为收入的不断增加提高了人们的欲望，当收入到达一定的临界点后，随着欲望攀升，人们的幸福感会下降；第二，即使是机会平等的市场经济也必然带来结果的不平等，攀比的欲望上升，也导致幸福感下降；第三，如果是由于权力的干扰导致机会不平等，会引发民众的积怨（催宇，2010）。从现实来看，对坚持增长路线的三大挑战已经出现。第一个是政治上的挑战，至少在我们创造增长时，增长会制造出更多的不公平和不稳定，而不是繁荣和进步。第二个挑战不仅涉及经济学，也涉及物理和化学，基本的反对理由是，我们没有足够的能源来维持魔法，也无法应付它所制造的污染。第三个挑战更为基本，即增长不再让我们快乐（范小克，2010）。这三个反对理由在几个重要的方面相互交叉，促使我们从更宽泛的范围、更高的层面来看待发展观。

因此，若从幸福的层面来看，这些发展观所包含的内容虽然是重要的、必需的，但却不是充分的。幸福的取得还依赖于其他因素，诸如整个社会的文明观、价值观，与经济发展相匹配的社会制度安排、环境生态良好等。美国加州大学的罗伯特·赖特教授一针见血地指出，所谓"超级资本主义时代"是，由于竞争更加激烈，各个公司开始将商业竞争扩展到政治竞争，通过影响和参与公共政策寻找竞争优势。世界各国长期以来都沉迷于发展以 GDP 为核心的经济，把经济增长看成解决所有问题的途径，却没有意识到我们将要承受的可怕后果：如果人类继续线性地发展经济，环境恶化的速度将超出我们的预料，地球亦将走向毁灭。这是人类经济线性发展中出现的最重要的错误。人类一心一意致力于增加财富，已经使地球生态系统濒临崩溃边缘，我们有没有因此变得更快乐？答案很明显，我们所做的事情，都超过了适当的程度。以往，收入增加会让人更快乐，所以，我们认定未来也是如此。我们持续犯下这种错误，该对这种情况提出异议了。因为经济线性增长的魔法总有一天会失效，效率的无限增长必然要走向它的反面。环境主义已经无法抵消过度的消费文化了。现在的挑战在于，在还不算太晚的时候拯救地球，这需要决心，需要从根源上重构我们的发展目标（范小克，2010）。本书认为，发展的终极目标应该是幸福，这个目标的实现，需要价值观、经济发展观、社会发展观、政治观等众多要素共同作用。仔细考察我们发展过程中所提出的文明观和经济发展模式，可以看出，生态文明和低碳经济正是这种以幸福为终点的发展观的体现。

第6章　生态文明与幸福

6.1　人类社会文明观的发展历程

迄今为止，人类社会大约走过了400万年的历史，纵观人类发展史，按生产力的方式来划分，人类的发展经历了原始文明、农业文明、工业文明这3个阶段。其中原始文明历经近400万年时间，农业文明有近1万年的历史，而工业文明还只是近300年的历史。虽然时间间隔越来越短，但是，随着所创造的财富(特别是物质财富)越来越多，对自然的破坏程度也越来越大。在人类社会文明发展过程中，如果按照人类对自然的态度来划分，原始文明和农业文明中人类文明观可以看做是自然中心观，而进入工业文明后，人类中心观逐渐占据主要的地位。现今，人类社会文明开始进入生态文明的阶段。相应的，人类开始更多地接触、了解和采纳和谐发展观。

6.1.1　自然中心观

6.1.1.1　原始文明的“自然中心主义”

当人类从动物界分化出来之后，经历了300多万年的原始社会阶段。原始文明是人类社会经历的第一个可以称之为文明的文明阶段，又称为渔猎文明。该时期人类主要的生产活动如采集野果、捕鱼、狩猎等，都是直接从自然界中获取生活资料。后来，人类学会了人工取火，发明了弓箭等工具，出现了群居、语言以及脑的发达和手脚的分工，具备了社会的最初形式。在这个时期，人类被自然主宰着生存的命运并慑服于自然力之下。人类臣服于自然，“尊天为父，敬地为母”，这就是最原始的自然观。

在原始文明时代，人类依赖自然而生存，以自然崇拜的形式表示对自然的敬畏，这种自然崇拜让人们视日月星辰为神灵，视风雨雷电为其作为形式。又如图腾，原始时代的人们把某些动物或者植物，甚至是一些非生物当做自己的祖先或者保护神，认为它们会给予人类力量和勇气，能保护人类远离伤害。因此，对于自然，人类是尊敬的乃至畏惧的，人类完全接受自然的控制，表现在生产上，就是人类与自然的和谐共处，自然生态系统自我恢复和平衡的能力很强。在该阶段，由于人为活动力量有限，对自然的破坏程度小，基本不造成生态环境问题。

6.1.1.2　农业文明的“亚人类中心主义”观

随着原始农业和畜牧业的产生，人类进入农业文明时代，这是人类文明的伟大转折，人类从野蛮时代进入文明时代，农业文明取得了重大成就。尤其是农业生产方式的出现，使人类从食物的采集者转变为食物的生产者。这就转变了食物获得的方式，改变了人与自然的关系，使人类不再依赖自然界提供现成食物，而是通过自己动手创造条件获得自己所需要的生产资料与食物资源。发展农业的需要使人们不断扩大对自然界的利用范围，从对土地、石器等劳动工具的使用，再到一些可再生资源的使用，如畜力、水力、风力等，都在很大程度上增加了改造自然的能力。

在农业文明时代，最重要的进程是发明了种植业和畜牧业，从根本上改变了人类完全依赖、顺从自然的状况。由于种植业和畜牧业发展的需要，人们必须在某一地方定居，于是实现了乡村式的居住方式。从而使人们避免自然灾害和野兽的直接侵扰与危害。在农业文明发展的过程中，逐渐出现了社会分工，体力劳动者和脑力劳动者的出现使社会生产效率提高，人类强化了智慧的力量，加快了自然界的进化过程，人支配自然的能力不断加强，人不再是自然界的奴隶。因此，以种植业和畜牧业为基础，农业文明时代创造了灿烂的古代文明，如中华文明、古埃及文明、巴比伦文明、古希腊文明、哈巴拉文明和玛雅文明等。这些文明都是农业文明时期辉煌的见证。

农业文明在辉煌的同时也开始了对自然生态环境的破坏，人们为了自身利益开始对自然环境初级甚至是野蛮的开发利用。反复地毁林弃耕，使得支撑人类生存和发展的地力被耗尽时，千里沃野变成贫瘠荒漠的生态灾难就不可避免地出现，甚至威胁到人类文明的延续。历史上黄河流域、恒河流域、尼罗河流域、中东两河流域自然资源丰富，生态环境优越，造就了光辉灿烂的农业文明代表，而这些流域文明的衰落，大多与流域生态环境恶化有关。但在这个时期，人对自然力的支配仍然是十分有限的，人类对自身利益的追求也仅仅停留在基本的生理需求上。就全球范围来说，人类对自然的索取是有限的，它并没有造成整个生态环境的恶化。综观农业文明时代，人类在相当程度上保持了自然界的生态平衡。这是因为这一时期社会生产力和科学技术发展较为缓慢，人类物质生产活动基本上是利用和强化自然的过程，对自然的开发利用是一种局部的、表层的，缺乏对自然实行根本性的变革和改造。所以，人类对自然的破坏尽管具有一定的规模，并且破坏的总趋势从未中止，但只是造成整个自然界的局部斑秃和伤痕，并没有造成严重的生态危机。

6.1.2 人类中心观

300多年前，以蒸汽机为标志的工业文明，是人类应用科学技术为手段以控制和改造自然的时代，人类开始从农业文明转向工业文明，这是人类文明出现的第二次重大转型。工业文明时代是人类运用科学技术的武器以控制和改造自然并取得空前胜利的时代。在农业文明时代，由于农业生产一般只引起自然界自身的变化，它的产品是在自然状态下也会出现的生物体。因此，人们力求顺从自然、适应自然。而在工业文明时代，由于工业生产会引起自然界不可能出现的变化，它的产品是在自然状态下不可能出现的、人工制成的产品。因此，工业生产对自然条件要求较间接，与自然界的距离较远，人们就认为自己是自然的征服者，人和自然只是利用和被利用的关系。在这个时期，人类不再是自然界支配的奴隶，而成为了大自然的主宰，这个时期人类的生产观念是以经济增长和收益为中心的，在这个时期，人类活动扩张到地球的各个角落，并且深入到地球的内部以及外层空间，对自然界展开了无情的开发、掠夺与挥霍，自然界成了人类征服的对象，人类成为主宰和统治地球的唯一物种，成为主导生物圈变化的最重要力量。同时，使人化自然得到了前所未有的拓展。

但是，由于工业化的强大力量，使人们凌驾于自然的能力达到空前的程度，这些就使人类出现了忘乎所以(不尊重自然规律、对自然界随心所欲)的情况，并且随着科学技术的发展，人们改造自然的手段不断加强，这种情况已经达到无以复加的地步。所以，在这短短的三四百年中，人类对整个生态环境的破坏也远远超过以往所有时代的总和，加上资本主义工业文明初始残酷的“羊吃人”，中期频繁的经济危机和后期惊人的畸形消费，同时一些发展中国家也采取了发达国家的建立在破坏生态环境基础上的发展，重走“先发展，后治理”的工业化的老路。在这个时期，人们以动力的广泛运用为特点，使得人类利用自身掌握的技能，开始了一个所谓征服自然、改造自然的时代。人们将地球作为天赐的征服对象，漫无止境地追求人类欲望的满足，精心设计一个高度有序化发展的人文和物质世界。人类仿佛成为“超人”，不停地从自然界吸取有限的物质、能量和信息，又不断地产生废弃物，从而引起一系列生态危机，全球出现极其严重的自然资源枯竭、人口膨胀、大气污染、水体污染、森林锐减、草场退化、土地侵蚀及荒漠化和沙化、垃圾泛滥、生物灭绝加剧、酸雨污染严重、地球增温、臭氧层被破坏、城市病蔓延等生态环境的恶化，大气严重污染，严重淡水资源短缺等。全球性的环境污染和生态危机发生了，严重地威胁着人类自身的生存。并且这些问题不断从区域性向全球扩展，从宏观损伤到微观毒害发展，从中等规模破坏向大规模破坏发展。自然界对人类实施了无情的报复和严厉的惩罚。

这就是工业文明发展的两重性，伟大而又残酷。工业文明时期是一种典型的以人类为中心的、以单纯的经济增长为目的人类发展史。大自然的警报告诉我们，工业文明已经走到了尽头，人类再也不能继续按照工业文明的路子继续走下去了，因为这是一种高消耗、高污染、低产出的发展方式，这种对自然资源的肆意掠夺和对环境污染的无视是不可持续的。在这种情况下，人类就必须寻找到一条新的发展道路，找到发展的平衡点，转变社会文明观，那就是和谐发展观。

6.1.3 和谐发展观

不可否认，从财富的增加来看，工业文明时代，伴随着技术的巨大进步，经济快速增长，利用工业化强大的力量，在短短几百年时间内向自然界索取的物质财富空前增加，远远超过了此前所有历史的总和，为人类生活水平的提高和人类的全面发展提供了物质基础。

但是，人类中心主义的思想导致生产方式对自然环境产生了严重的破坏，这种以人为中心的世界观和价值观使得人类进行掠夺式开发，对生态环境造成了严重的破坏。人类对自然的摧残带来的是自然的报复和惩罚，“三高”（高消耗、高增长、高污染）式的生产方式，带来了环境恶化、生态功能弱化、气候变化、自然灾害频繁、水资源短缺以及荒漠化的加剧等问题。

人与自然的关系是文明的基础，文明转型的历史使命之一就是消除工业文明中人类对自然界的野蛮行为，将人类的长久生存建立在与自然和谐发展的基础上，实现人类与自然的和谐发展。也就是说，生态文明所持有的和谐发展观就是要抛弃那种只注重经济效益而不顾人类自身生态需求和自然界进化的工业文明发展模式，强调社会、经济、自然协调发展和整体生态化，真正采用可持续发展模式，使人类的生产和生活越来越融入自然界物质大循环中，逼近零污染、零浪费的境界，真正实现人与自然共同发展的和谐状态。

生态文明的“和谐发展观”是学术界对工业文明的生产方式进行反思的结果。从历史上看，这种反思经历了三个阶段，从一开始的浅生态学的反思，到后面的深生态学的反思，于20世纪60年代开始驶入的第三阶段即生态文明观的反思阶段。生态文明观是对传统的朴实的生态文明思想以及上述的浅生态学和深生态学等思想的传承和发展，同时还加入了生态文明建设实践的总结，因此它是理论与实践相结合的理论。从生态文明观的反思历程来看，它是以1962年美国著名女科学家、文学家蕾切尔·卡逊发表的揭示生态环境问题的小说《寂静的春天》为标志，其发展大体也可以分为几个不同的阶段。

1962年以前，“环境保护”的提法很少见到，在当时的社会意识和科学讨论中，人们并没有把环境问题纳入思考的范畴。而1963年，《寂静的春天》一书面世，该书作者通过以大量的科学试验事实为依据，以优美的文字和巧妙的文学构思，揭示了农业上大量使用农药和化肥，会使一个春意盎然、生机勃勃的生物圈变成死一般的寂静，并且通过生态系统的客观规律(如生物链)，直接危害到人类自身(甚至会引起人类基因的突变)，人类将同生物界一样面临毁灭的危机。这本书给社会各界都带来了极大的冲击，引起了激烈的争议。当时美国的政界、工业界(特别是化工界)、农业界，甚至是医学协会处于对政治利益和经济利益的考虑，都出来攻击卡逊(甚至是人身攻击)，卡逊虽然得到广大民众的支持，但是终究势单力薄，心力交瘁的她两年后便与世长辞。但是，她的思想给当时的人们带去了思想的火花，对于她所提出的问题的争议和分歧一直持续到1972年联合国召开第一次全球环境大会。

第一次全球环境大会代表着人类进入了生态文明反思的第二个阶段。在该阶段，一些具有影响力的环境方面的著作如《增长的极限》《只有一个地球》等纷纷问世。其中，《增长的极限》是来自10个国家的科学家、教育家、经济学家、人类学家、实业家以及国家和国际的文职人员，约30个人历经4年之久的综合研究成果，它进一步点出全球生态与环境问题、人口与粮食问题等的严重性和紧迫感。书中指出：“我们不只是继承了父辈的地球，而是借用了儿孙的地球。”“如果在世界人口、工业化、污染、粮食生产和资源消耗方面按现在的趋势继续下去，这个行星上增长的极限有朝一日将在今后100年中发生。最可能的结果将是人口和工业生产力双方有相当突然的和不可控制的衰退。”它使人类同时又认为，只要全世界人民觉醒起来，采取共同的行动，是可以改变这种趋势，以支撑遥远的未来(蕾切尔·卡逊，1997)。《只有一个地球》则是在58个国家的科学界和知识界的152位知名人士组成的通讯委员会的协助下(顾问下)编写而成的，是为1972年斯德哥尔摩联合国第一次人类环境大会准备的非官方报告。这份报告的最大价值在于“当人类活动对环境正在产生深远影响的时期，使世界上第一流的专家和思想家们，就人类与其所处的自然环境之间的关系方面，都能准确地表达他们的知识和主张”。《只有一个地球》提出了一个十分著名的思想：“我们已进入了人类进化的全球性阶段，每个人显然也有两个国家，一个是自己的祖国，另一个是地球这颗行星。”它要求每个国家、民族、个人都要“培育一种对地球这个行星作为整体的合理的忠诚”(芭芭拉·沃德，勒内·杜博斯，1997)。随着这些富有影响力的著作的问世，人们的认识开始得到较多的统一，蕾切尔·卡逊也更受肯定，她的小说《寂静的春天》被视为“绿色圣典”。但是当时这些反思并没有很多地体现在实践中，世界各国仍然没有从经济发展模式上进行相应的调整，仍然是工业文明的模式，发达国家如是，发展中国家也重走发达国家先破坏后治理的老路。总而言之，在这一阶段中，人们一方面加深了认识、探索了原因，对工业文明社会进行了初步的反思，也有一些生态建设和环境治理的实践，处于统一与分歧交错、污染与治理交错、破坏与建设交错的阶段。

从20世纪80年代末起，人们开始逐步认识到，就生态谈生态，就环境谈环境的思维方法是无法彻底解决问题的，解铃还需系铃人，由发展理念和模式不当引起的生态与环境的问题必须通过转变发展理念和模式来解决(廖福霖，2007)。于是，可持续发展的思想和实践开始兴起，生态学、环境科学及其他自然科学与社会科学学科开始相互交叉渗透，产生了一大批新兴学科，包括工业生态学，生态经济学，人口、资源与环境经济学，可持续发展经济学，生态哲学，生态伦理学，生态文学，生态美学，生态法学，教育生态学等，并且得到迅速发展，这就为生态文明的理论和实践打下重要基础。1987年，挪威首相布伦特兰夫人领导的世界环境与发展委员会提交的一份调查研究报告《我们共同的未来》是这个阶段的一个重要标志。这份报告被看做是超越文化、宗教和区域的对话，是不同观点、不同价值观和不同信仰的切磋，是不同经历和见识的融洽。报告提出，在生态与环境问题上，发达国家应该负主要责任，应该努力在环境治理和生态建设方面作出更多贡献。又同时指出，环境问题已经不单单是发达国家的问题，而是全世界的问题。对于发展中国家而言，如果仍然按照发达国家先前的先污染后治理的老路发展经济的话，是不会具有发展的可持续性的。因此，面对生态环境问题和发展问题，《我们共同的未来》提出发展是经济、社会与环境相统一(而不是相割裂)的可持续发展，各国政府在制定政策时，应该“既考虑经济、贸易、能源、农业和其他方面，同时也考虑生态方面。它们应放在相同的日程上，并由相同的国家和国际机构加以考虑”(世界环境与发展委员会，1997)。此外，该阶段的另一重要标志是1992年的联合国环境与发展大会。这个大会是完成了从可持续发展的“思想”到各国的发展“战略”到共同“行动”的转变与升华的重要会议，是世界各国达成共识并争取共同行动的里程碑。会议在巴西的里约热内卢召开，由政府首脑和民间机构共同参加，会议的重点从原先的“环境”转向“发展”，认为只有通过经济与环境的协调发展，才能解决由发展带来的环境问题，这就意味着世界各国开始认可转变经济发展模式来引导环境向良性方向转变的重要性。在大会上，各国政府在《里约宣言》上签了字，承诺共同实施可持续发展战略。此后，在世界各国，可持续发展的实践开始展开。

进入21世纪后，国内外的学者又进一步认识到自然、人、社会是一个有机联系的整体，是一个大生态系统。所以，仅就发展问题，仅就人与自然关系的反思还是不够的，必须对工业文明社会特别是工业文明世界观、方法论和工业文明生产力，对人与自然、人与人、人与社会的关系进行全面反思，建立一种新的社会文明形态，才能使自然—人—社会这个复合体走向和谐协调、持续发展、全面繁荣(廖福霖，2007)。国内学者们开始纷纷以马克思主义的辩证唯物主义和历史唯物主义为指导，整合中国与西方传统中关于生态文明思想的精华，综合各个新兴学科的科学内核，总结大量实践经验并上升为理论，产生生态文明的理论体系。各种思想和著作层出不穷的同时，大量的生态文明建设的实践活动也在世界各国展开，在中国，生态省、生态城市、生态区域、生态工业园等不断出现，政府开始提倡发展生态工业、生态农业和生态第三产业，发展循环经济、绿色经济，倡导绿色消费等。这些理论与实践为生态文明理论的丰满奠定了坚实的基础，关于人与自然、人与人、人与社会复合体和谐相处、协调发展、全面繁荣、兴盛不衰的总的观点、理论体系和实践体系得到不断发展。

6.2 不同社会文明观与幸福

马斯洛需求层次理论把需求分成生理需求、安全需求、归属与爱的需求、尊重需求和自我实现需求五类，依次由较低层次到较高层次排列(马斯洛，1943)。其中生理需求，是人类维持自身生存的最基本要求，包括呼吸、水、食物、睡眠、生理平衡、分泌、性等。如果这些需求(除性以外)任何一项得不到满足，人类个人的生理机能就无法正常运转。所以马斯洛认为，生理需求是人类行为最首要的推动力。而安全需求，仅次于生理需求，这种需求被满足之后，就不再成为激励因素了。人人都希望得到相互的关系和照顾，因此在基本的需求被满足之后，情感和归属的需求就显得很重要。感情上的需求比生理上的需求来得细致，它和一个人的生理特性、经历、教育、宗教信仰都有关系。次高级的需求是尊重的需求，这包括人们对自我理想的实现的需要，人人都希望自己有稳定的社会地位，要求个人的能力和成就得到社会的承认。最高级的需求就是自我实现的需求。马斯洛提出，为满足自我实现需求所采取的途径是因人而异的。自我实现的需求是在努力实现自己的潜力，使自己越来越成为自己所期望的人物。

所以，人类的幸福需求是复杂而多样的，不仅仅是体现在经济上的需求，更要求在精神上的需求。

不同社会文明观下，人们对于幸福的理解和获得是不同的。原始文明时期，人类的生产力低下，对自然的依附程度高。当时人们最为重视的莫过于生存。因此，原始文明时期的幸福感来源单一，只要能够解决生存所急需的物质条件，人们就会感到幸福。随着人类生产工具的逐步进步，人类开始了农业生产生活方式，进入了农业文明时期。农业文明使得人类的物质生活水平相较于原始文明大大提高。同时，精神文明水平也大大提高。可以说，在农业文明时期，随着物质水平的逐步提高，人们的幸福感层次开始增加，从单纯地考虑物质条件转向于物质和精神层面并举。社会的发展使得人们在注重吃穿用度的同时开始对社会、文化等诸多方面予以关注。无论生理需求、安全需求、归属与爱的需求、尊重需求还是自我实现需求都成为人们幸福感的来源和衡量。之后，人类步入工业文明社会以来，物质条件达到了前所未有的程度。工业文明时代人类的主观能动性大大增强，科学技术不断进步，人类掌握和运用科学技术的能力空前提高，生产工具不断更新。可以说，工业文明大大提升了社会的生产力，创造出巨额的社会财富，让人们增加了物质享受上的幸福感。同时，工业文明也造成了社会、政治、文化等多方面的变化和转型，这种转变给人们带来的幸福感增加还是减少尚无法妄下定论。但是工业文明所涌现出来的一些新问题，却实实在在地给人们的幸福感打了折扣。最为典型的就是，工业文明时代人类中心主义的思想开始萌芽且泛滥，人类将其自身的利益置于至高无上的地位，将自身利益作为价值原点和道德尺度，认为人类的一切活动都应该是以人类的利益为出发点和归宿，满足自己的生存与发展的需要。更有甚者，将人类自身看做是世界的主宰。于是，随着全球人口迅速增加，城市化、工业化进程加快，资源的过度使用、生态环境破坏和污染等问题也日益加剧，在20世纪的英国、美国、日本等发达国家发生的“八大公害事件”就是真实的例子。资源的过度利用和生态环境的破坏与污染给人们的幸福生活带来了巨大的阴影。当人们在钢筋水泥的城市里无法看到蓝天白云，感受不到春天的鸟语花香时，当人们由于资源的匮乏而对未来产生不安全感，对环境污染造成的身体健康隐患感到恐惧但无力时，人们对于幸福的感觉也就随之减少。现今，人类开始进入生态文明的时代，它是对工业文明的吸收和扬弃，在保持生产力进步，继续创造物质财富的同时，生态文明所发展的生态生产力是一种低投入、高产出、低消耗、少污染以及适量消费的生产方式和生活方式。生态文明强调人类是自然的一员，强调在遵循自然规律的基础上考虑人的发展，维护“社会—经济—自然”的整体利益。生态文明强调人类应该将亿万年进化而形成的自然生态真正作为人类的生存之本加以善待，以期实现人与自然的和谐和共同发展。同时，人类的发展，应该考虑自然的成本，真正做到人类的发展有利于自然生态的积累，自然的发展有利于人类的发展。这有助于缓解我们现在的生态危机，建设资源节约型和环境友好型社会，提高人们的幸福感。

6.3 生态文明建设的本质是追求幸福

生态文明建设是关系人民福祉、关乎民族未来的长远大计，建设美丽中国，实现中华民族永续发展和伟大复兴的中国梦，是中国人民世代幸福的根本保障。当前的重要任务是：面对资源约束趋紧、环境污染严重、生态系统退化的严峻形势，必须树立尊重自然、顺应自然、保护自然的生态文明理念，把生态文明建设放在突出地位，融入经济建设、政治建设、文化建设和社会建设的各方面和全过程，着力推进绿色发展、循环发展和低碳发展，促进生产空间集约高效，生活空间宜居适度，生态空间山清水秀，建设百姓富、生态美、公众健康、社会和谐的幸福生活。同时为子孙后代的幸福留下更好的发展空间和条件。

从实证方面看，现实中存在的诸多问题，已经让人们认识到改善人类与自然的环境对于人类幸福感的影响是很大的，认识到生态文明建设对于提升幸福感的重要意义。生态文明观是关于人、自然、社会三者相互之间的复合有机协调的科学观点，如何正确处理好三者关系，是生态文明建设的重要内容。生态文明观是关于生态文明的一系列思想、观点的总和，是指导生态文明建设的根本性的理论体系，也可以说是一种世界观。

对于生态文明观的理解，国内外学术界虽然已达成了许多共识，特别是关于人与自然的关系，人们多认为，人类既不是自然的奴隶，也不是自然的主宰，而是自然的伙伴，人类必须善待自然，同自然共同协调发展。这一方面的见解，学术界基本上是统一的。但也存在着一些重大差异，关于社会发展与生态环境资源保护的关系以及人与社会进步之间关系的观点，还存在较大不同的认识。比如，如何处理好社会发展与生态环境保护的关系，有人认为应该以社会经济发展为重，待其发展到一定程度了再考虑生态环境保护，这是一个极端；也有人一味强调环境保护的重要性而忽视了发展，这又走向了另一个极端。

生态文明建设有利于提高人们的生活质量，提升人们的幸福感。生态文明建设的目的在于使自然生态系统和社会生态系统达到最优化和良性运行，实现生态、经济、社会的可持续发展。生态文明观指导下的生态生产力发展是把生态系统视为生产力之父，保护生态环境的实质就是保护生产力。因此，生态文明建设实际上是有利于生产力的发展、人类进步和自然和谐。随着我国经济、社会的发展，人们对物质文化生活不但有量的要求，更有质的追求，生活质量成为我国人民生活水平的重要尺度。生态文明建设可以为人们创造一个良好的生活环境，提高人们的生活质量，并能调整人们的心理，陶冶人们的情操，满足人们的审美要求，促进人们的身心健康，促进社会和谐健康发展等方面，这些幸福感都是单纯经济财富无法替代的。另外，生态文明建设还可以为子孙后代的生存和发展创造良好的生态环境基础。所以，建设生态文明观是当代社会最重要的、也是利及千秋万代的崇高事业。

人类对幸福的追求与生态文明建设的目的是相吻合的。生态文明建设的首要目标是实现生态、经济、社会的和谐统一的发展，中心目标是促进生态生产力的发展，根本目标是提高人民生活质量，长远目标则是为子孙后代的生存和发展留下良好的生态环境基础。这在很大程度上与人类幸福的追求是一致的，因此，我们可以把建设生态文明作为人类追求幸福的手段之一。具体说来，生态文明建设追求经济目标、社会目标和生态目标的过程就是人类提升幸福感的过程。

6.3.1 生态文明建设的经济目标

生态文明建设的基本原则是经济社会生态效益的相统一，它在理论和实践方面是可行的。为了阐述的方便，本书分别讨论生态文明建设的经济目标、社会目标和生态目标。

生态文明建设的经济目标在于建立生态文明各种经济形态有机结合、相辅相成、协同发展的经济系统。它是经济发展理念、机制、技术、管理和市场相配套的综合创新，是转变经济发展方式的重要方面。它能够从内生力量推进生态效益、经济效益与社会效益相统一和最优化，从而满足人类的物质需求、精神需求、生态需求以及自然生态系统的自身需求，促进自然—人—社会复合生态系统全面、协调、持续发展的经济体系。经济目标的实现是生态文明社会的主要经济基础，这有赖于生态生产力的发展(廖福霖，2007)。

生态文明建设要以促进生态生产力的发展为中心目标。生产力的发展是社会文明进步的坚实的经济基础，也是社会文明进步的内在动力，而社会文明进步是生产力发展的必然要求。反之，社会文明也能够为社会生产力提供其发展必需的服务，如提供思想和智力等的支持、提供精神的动力保障、提供科技的支撑、提供机制的保障，特别是提供发展的空间和持续的时间。生态生产力代表着先进生产力发展的方向，是未来社会生产力发展的必然趋势。生态文明可以为生产力的发展提供更加广阔的空间，为生产力的发展提供更加坚实的保障，只有生态生产力发展了，经济才会持续发展，从而保证生态文明的健康发展。

所以，在生态文明观视野下，发展生产力就需要优化经济结构、实现产业升级、转变发展方式，从以往的高投入、低产出、高污染向低投入、高产出、低污染的生态型经济发展方式转变，从劳动密集型产业向知识密集型产业转变，彻底改变以往的资源枯竭、生态危机、环境恶化、人类工业病蔓延的现状，向资源节约、生态优良、环境友好、人类安康的转变，实现从工业文明经济向生态文明经济的转变。

6.3.2 生态文明建设的社会目标

提高人民生活质量是生态文明建设的根本目标。社会发展到今天，生活质量成为生活水平的最重要标志，成为人民是否有幸福感的主要标准。生活质量衡量标准包括物质方面、精神方面、生态方面。生态文明观正是综合了这三方面的要求，弘扬了工业文明观中关于物质生活是生活水平的基础的观念，同时又摒弃了工业文明观中单纯追求物质享受从而造成大量浪费、大量污染、影响身体健康的物欲主义，平衡人民对物质、生态环境和精神生活的要求，使三者互相协调，共同发展。生态文明建设可以为人们创造一个良好的生活环境，提高人们的生活质量，在陶冶人们的情操，满足人们的审美要求，在促进人们的身心健康，促进社会和谐健康发展等方面，具有重要的作用。

在生态文明时代，社会经济的发展比以往有了更广泛的含义和更高的要求。社会的发展不但包括原来含义上的社会各种事业的发展，而且包括了社会生态系统的全面发展，如社会环境和自然环境的改善和优化。社会发展是经济发展的基础，没有社会的发展，经济发展就成为一句空话。如没有科技、教育、文化的发展，没有社会关于经济体制、政治体制的变革，没有人们思想观念的转变，经济就难以发展，即使一时发展了，也难以持续。经济的发展同样不再是以前那种狭义的概念，不等同于传统意义上的经济总量增长，而是适度的增长，是经济结构的优化，是同自然生态系统和社会生态系统协调的发展。

由此可见，生态文明中的自然、经济、社会复合系统不是生态、经济、社会三者简单的相加，而是三者按照其内在必然的联系，依照结构优化的原则组成的一个整体，是一个效率高、功能多样并且能够全面协调的优化系统。这个系统能够实现人类社会与自然之间的和谐发展，并且其各个子系统的发展都服从于这个系统的整体利益。这就要求各个子系统必须遵循公平性原则、协调性原则、持续性原则和共同性原则，遵循整体、协调、循环、再生的方针。

此外，生态文明建设也把提高全民生态安全意识作为其重要的社会目标之一，只有从意识形态上使生态文明理念深入人心，才能真正推进生态文明建设。这就要求人们把保护生态环境作为事关国家存亡、民族兴衰的大事，把生态文明建设提高到思想意识的高度。

6.3.3　生态文明建设的生态目标

生态文明建设是以实现生态、经济、社会的可持续发展为首要目标的。其中可持续发展的生态系统的建立是生态文明建设的基础性目标。因为从生态文明观的角度看，生态系统的可持续发展是社会经济发展的基础，对国家和社会来讲，它不仅是影响当代人的生存发展，也是对子孙后代负责任的表现，为子孙后代的生存和发展留下良好的生态环境基础，是生态文明建设的长远目标。

首先，生态文明建设对生态环境具有“源头活水来”的作用。资源枯竭、生态危机、环境污染、公众工业病蔓延等问题由来已久，改变这种局势，不能只治标，还必须治本，才能正本清源，这就是发展生态生产力。转变生产和生活方式，实现绿色发展、循环发展和低碳发展，是生态文明建设的核心要求。

其次，通过生态文明建设，可以保障民族和区域的生态安全，环境和资源得到了保护，在一定程度上减少自然灾害，使人类得到安全保障。

再次，生态文明建设对人口问题具有缓解作用。造成生态环境恶化，资源短缺的重要原因是人口膨胀，人口素质低下，人们的生态文明意识薄弱。据世界银行数据统计，世界人口在1650年为5亿，1900年为17亿，1970年为36亿，1987年突破了50亿大关，预计2050年将达110亿。数据显示，世界人口每增加10亿的年限在不断的缩短(图6-1)。过大的人口数量不仅不利于人的整体生活质量的提高和每一个人的全面发展，而且还会加重生态环境的压力，降低环境质量，阻碍社会的健康发展。

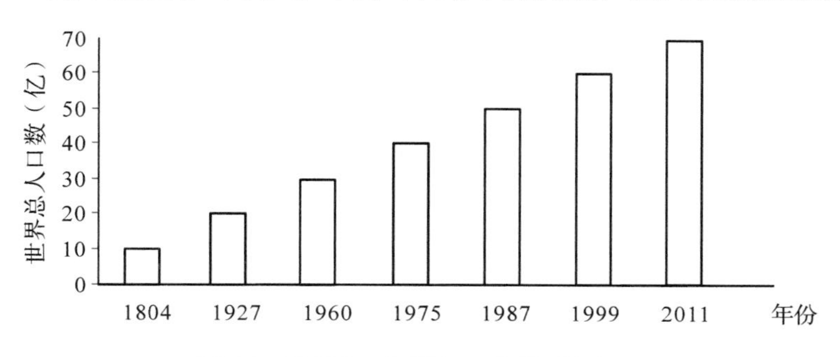

图6-1　世界人口每增加10亿的时间间隔

实现人口的可持续发展，综合性的提高人们生活的幸福指数，这是生态文明观建设的题中之意。研究结果表明，地球生态系统有个“临界点”或极限，它所能够承受的人口数量的极限是120亿，如果人口数量得不到控制，质量得不到提高，地球将不堪重负。而且人口的增多，直接和间接带来了许多生态问题。直观地看，人口的增多必然需要消耗更多的自然资源，导致资源的严重短缺，对环境的破坏程度也随之加重。就长期而言，资源的短缺也会制约经济的增长，影响人们物质生活水平的提高，影响人类的幸福。另一方面，过多的 人口，加上人口的分布不均，必然导致贫困人口增加和疾病流行等问题，这也成为人类不幸福的来源之一。因此，树立生态文明观，正确处理人口增长过程中出现的一些问题，合理安排计划生育和加强社会保障制度的建立。通过不断改善人类生存的环境、加大社会保障力度，减小人民的生存压力，这样才能不断提高人们的幸福感。

综上所述，从本质意义上说，生态文明观是人类对人与自然、人与人之间关系的一种认识和了解。生态文明观在人类长期的社会实践中产生和发展，是社会发展到一定阶段的产物。生态文明观认为人口、资源、环境与经济不仅仅始终存在着矛盾的一面，也同时存在着和谐的一面，正是这种矛盾的对立统一性推动着人对自然、社会的认识，对自身在这个地球上地位的了解。生态文明强调人类应该适应自然规律，调整自身的作为，以达到人与自然、资源和经济和谐发展的目的。

生态文明建设是构建社会主义和谐社会的重要基础，是提高人民生活质量和健康水平的有效途径，其最终目的和本质要求就是使人类最终达到幸福。人类幸福的基础是建立在不同层次的需求得到满足的基础之上的。随着经济的发展，人类的基本生理需求得到满足之后，对于精神生活和生态环境的需求也随之产生并不断提高，人居环境优美，生态良性循环成为幸福生活的重要组成部分。生态文明弘扬了工业文明关于物质生活水平的基础观念，同时又摒弃了工业文明单纯追求物质享受从而造成的大量浪费、大量污染、危害人民群众身体健康的消费模式，把人民对物质的要求放在一个适当的位置，把人民对生态环境的要求，对文化精神生活的要求提高到一个应有的位置，使物质需求、精神需求、生态需求三者互相协调，它们构成了生活质量的整体。生态文明的建设并不像有的人所理解的那样是为了保护环境而停止经济的发展，相反，生态文明强调的是在保护环境的基础上仍然能够保持经济的可继续发展，使经济发展的同时实现环境的不断改善。因此通过生态文明建设，通过实现上述三个目标，可以实现人民生活质量和幸福感的提升。

第7章　低碳经济与幸福

7.1　经济发展模式与幸福

所谓经济发展模式，在经济学上是指在一定时期内国民经济发展战略及其生产力要素增长机制、运行原则的特殊类型（丑洁明等，2011）。在人类发展的历史上，不同的发展阶段都对应着不同的经济发展模式，而经济发展模式对于经济社会和生态等方面的影响也改变着人类的生活。

18世纪，欧洲的工业革命促进了科技的不断进步，而在技术的推动下，工业生产规模快速扩大，技术和工业的双重作用带来了经济的腾飞，人类步入了高速发展的工业社会，大大提高了人们创造财富的能力；另一方面，这种能力也表现为是对自然界的征服和改造的能力，人类文明进入了工业文明，开始了新的篇章。

随着发达国家工业化和城市化进程的深化，工业文明所带来的负面效应也逐渐开始显现。首当其冲的是环境污染。工业文明所采用的经济发展模式是线性的工业发展模式，这种发展模式，只考虑人及其社会的发展，而不考虑生态环境的状况与变化，表现为一种极端人类中心主义的发展观。这是一种切断人与自然关系的机械的发展观，它从根本上忽视了社会的永续发展、忽视了人类与自然和谐相处的重要性。在资本主义的工业化取得了巨大成就的同时，对自然资源的掠夺式的开采，生产过程中的过量消耗和浪费，产生了大量的工业污染物排放造成了生态环境的大破坏，给人类带来了严重的生态威胁，逐渐显示出了工业化过程中的弊端。例如，从20世纪70年代开始，在西方主要的工业发达国家，“公害事件”层出不穷，包括意大利的维维索化学污染事件、法国阿摩柯卡的斯油轮泄露事件、英国威尔士饮用水污染事件等。此外，资源被大量消耗，石油、煤炭等化石能源渐趋枯竭，日渐匮乏的淡水资源，可利用耕地面积的不断减少，生物多样性被破坏等众多不良后果持续出现。

不仅仅是发达国家，发展中国家也是如此。第二次世界大战后，世界经济格局重组，许多战后独立的国家强烈要求改变经济劣势的地位。他们认为，经济的增长可以解决诸如贫困、收入分配不均和社会安定安全等一系列问题，可以改变国家落后的面貌。同时还认为，要实现经济增长，最基本的途径就是效仿西方发达国家进行资本积累和工业化。而此时的西方发达国家，早已经完成了资本的原始积累，进入了加速工业化阶段，除了对本国的资源进行掠夺性开采和使用外，逐渐地把资源的供应来源转向国外，向发展中国家索取廉价的原料，并把重化工业等污染性工业转移出去。另一方面，面对世界经济竞争的压力，发展中国家又有引进外资的强烈需求，这就使发达国家的有可能把本国的经济发展建立在对其他国家的资源供给和环境破坏的基础之上，使这些发展中国家重蹈发达国家走过的老路，也同发达国家一样，从一开始都把发展等同于经济增长。发展被认为只是经济的发展，特别是经济的增长，并以国民生产总值(GDP)的增加作为衡量一个国家或地区的经济发展的唯一标准。

中国同样面临这些问题。经过改革开放30多年的不懈努力，中国的经济发展成果令世人瞩目。但这些成就所依赖的经济发展模式及其带来的后果却是需要审视和反思的。中国经济在过去主要采用的是粗放型的增长方式，其特征是环境污染严重、资源浪费、资源的利用效率低下等，毫无疑问，这是一种很难得到可持续发展的经济发展模式。数据资料说明了这个论点，在20世纪90年代中期，根据世界银行的测算，中国每年仅仅空气污染和水污染所带来的经济损失就占GDP的8%以上，它差不多抵消了每年的经济增长。而根据国内有关研究机构的测算，环境损失所占GDP的比重甚至超过了当年GDP的增长，而更为严重的是，这部分的损失是无法用经济的数字来衡量的，也不仅仅是当代人的损失。资源的过度消耗，环境的严重污染，当代人和子孙后代都将付出沉重的代价。

可见，我国经济虽然保持了30多年的持续快速增长，但这种增长所依赖的是以高消耗、高污染、高浪费为特征的经济发展模式，是不可持续的。如果不改变原有的经济发展模式，快速增长的经济将难以继续，人民又将饱受生存环境恶化的严重后果。事实上，当前生态环境的破坏已经引起人们的担忧，甚至是恐慌。严重的水污染、土壤污染、食品安全等问题，已经危及人们的健康和生命，也使人们对于今后的经济、生活等方面产生了不确定心理，由于缺乏对现在和将来的双重安全感而降低了幸福感。在严酷的现实面前，人们不得不正视巨大的生态环境代价及其对人类健康和幸福带来的负面效应，并开始对传统的线性发展模式进行反思，寻求能从根本上解决问题的新的经济增长模式，新的经济发展模式如循环经济、绿色经济等便应运而生，低碳经济也是其中之一。

7.2　低碳经济是一种经济发展模式

这在本书第3章已经阐述，这里不再重复。

7.3　低碳经济是有助于实现幸福的经济发展模式

7.3.1　农业的低碳发展

一个健康、可持续的经济体需要三大产业全面发展。农业作为基础地位的产业，更有着不可替代的地位。当前的农业生产方式是建立在依靠石油、煤炭等化石能源基础上，相对于传统农业来说，这种石油农业的生产方式和发展模式是“高碳”的，诸多资源浪费和环境破坏的现象带来了一系列生产、环境和食品安全等问题。例如，农业机械的大量使用消耗了大量能源，农药和化肥的广泛甚至是过量的使用是我国农业面源污染的主要原因之一，而且正在威胁农业的基础，即土壤本身的健康。这些化石能源的使用所排放出大量的温室气体，如CO_2、N_2O、CH_4等，还会导致气候变暖和生态环境恶化，使得自然灾害和各种变异不断加剧，受到严重危害的农业，必将危及人类生存环境和人自身的健康安全。

因此，低碳农业的发展就显得尤为重要。低碳农业是指在确保和提高农业经济效益的前提下，依靠减少碳排放和增加碳汇等技术，实现农业低能耗、低污染、低排放，达到农业生产可持续发展与生态环境保护双赢的一种农业发展模式。低碳农业的发展有助于减少温室气体排放以应对全球气候变化，治理农村环境污染，促进农业节约增效，转变农业和农村的经济增长方式以发展现代农业，还有助于改善农村生产生活环境以提高农民的生活质量。从更大的层面来看，低碳农业所倡导的资源节约和环境友好的生产方式将维护农业生态安全，从而保障农产品质量安全。

可以说，当前的农业发展模式虽然给农业低碳化生产带来了挑战，但从另外一个方面看，也是一种机遇。农业相对工业来说，既是碳源，也是碳汇。农业生产的种养、加工、运输等各环节及农民生活的用能、用水方面等都存在低碳改进的巨大空间，无论是减少碳排放还是增加碳汇，都蕴藏着门类众多的新兴低碳产业，如能得到充分挖掘和开发，便可变劣势为优势资源，造就一个规模巨大的低碳产业和交易市场。今后，如果能通过低碳技术的应用和制度的制定并有效地实施，低碳农业的发展前景将是非常良好的。

低碳农业的发展涉及许多方面。首先在耕作方面，应该积极推进垄作免耕、灌溉节水，推进精准农业的发展，包括加大测土配方施肥技术的示范和推广应用以及进行缓控释肥技术的研发，开展缓控释肥①。此外，还应该培育新兴农作物，例如新型氮素高效利用农作物。其次是提高农业投入要素的利用效率和产出物的再利用率。目前，农业生产中的化肥、农药等投入要素的过量使用和无谓流失造成了大量的浪费并产生温室气体，如果能开发新型高固碳的农业投入品，并将其市场化，可造就一个规模巨大、国内外市场无限的新兴产业。另外，农业生产的副产品如稻壳、秸秆、粪尿、废弃菌等，如果任凭丢弃，就是废物，且还将释放大量温室气体，而如果加以开发利用就是质地优良的碳资源，这些碳资源经过开发加工后可作为一种新产品重新投入使用，形成碳资源的循环利用，并能形成一个碳循环利用产业链。这些物资也可以进行清洁能源的开发以部分替代化石能源，如秸秆发电、秸秆气化、沼气等。再次，应该发展现代畜牧业，例如提高饲料转化率，降低动物个体甲烷排放量；对集约化养殖场畜禽粪便和污水进行无害化处理与肥料化利用等措施，这将促使规模化畜禽养殖场粪便综合利用率超过90%，实现传统的养殖方式向清洁养殖的转变；建设固体粪便有机肥厂，等等。最后是农业碳汇。联合国粮农组织经济学家莱斯利·利珀称，通过碳交易措施，发展中国家低碳农业的规模每年可能会增加300亿美元，而目前中国已成为发展中国家开展CDM项目的主要国家，全球最大的CDM市场减排量的最大供给者，如能结合深化林权制度改革，巩固退耕还林、天然林保护等生态建设的成果，通过增加森林、恢复农村湿地等途径和措施来增加碳汇，并实现与发达国家进行碳交易，将可培育出一个包括碳汇生产、评估、交易等的新兴产业（王海文，2010）。

7.3.2 工业的低碳发展

18世纪60年代，以英国的蒸汽机的运用为标志，人类社会从农业文明向工业文明转变，这是人类文明的第二次大转型。随着世界工业化的发展和扩大以及科学技术进步在生产中的广泛引用，人类极大地促进了社会生产力的发展。工业发展对于经济的推动作用毋庸置疑，历史进入工业化时期后，工业发展给世界经济带来了前所未有的“大跃进”。在近300年来的工业化阶段，所产生的经济总量甚至超越了人类发展历

---

① 缓控释肥技术，20世纪50年代诞生于美国，是目前肥料界研究领域中新的热点，其原理是根据作物不同生长阶段对肥料需求量不同的特点，通过控制肥料的释放速度和释放量，同步补给作物生长期的肥料需求。

史的前400万年经济总量之和。

工业的发展对于一个经济体的经济发展至关重要，对于中国而言，现代化目标的实现过程实际上可以看做是工业化和城市化的进程。在人们由于工业发展得到的史无前例的经济增长的同时，长久以来工业发展所使用的高碳模式同样也带来了许多负面效应，包括温室气体的大量排放。这是因为工业的发展离不开能源的使用，根据2005~2010年《中国统计年鉴》有关数据计算，工业能源消费量一直占全国能源消费量的70%以上，是最大的能源消费部门，而且从近些年的情势来看，还有上升的趋势（胡俊南，何宜庆，2011）。

低碳经济的发展离不开工业发展的低碳化。工业的碳排放历来是一个经济体碳排放的主要源头。在我国，1994年工业碳排放量占全国总量的90%以上。2005年我国仅煤电工业生产所产生的碳排放就占碳排放总量的44%（朱淀等，2011）。有学者根据IPCC的排放系数法测算出工业企业的碳排放量，认为碳排放量也处于上升趋势（胡俊南，何宜庆，2011）。从中国的发展来看，仍然需要加快推进工业化进程来实现中国经济的继续发展，牺牲发展速度来减少排放是不可取的做法，然而放任工业继续走消耗巨大能源，排放量大的老路也是不可行的。中国已提出2020年单位国内生产总值二氧化碳排放量比2005年下降40%~45%的约束性指标，工业部门在新的碳减排形势下面临更大挑战。因此，当代的工业急需转变发展模式，向新型的低碳工业迈进。低碳工业是低碳经济的重要组成部分，是工业污染、资源消耗高的有效解决途径。低碳工业将低能耗、低污染、低排放作为其衡量指标，其实质是能源高效利用和清洁能源开发，核心是低碳技术，包括绿色技术、能源技术和减排技术创新等。

当前，如美国、日本、英国以及欧盟国家等发达国家都根据自身特点推进各国工业发展的低碳化进程，中国也必须立足于本国的国情，不能一味沿袭别人的模式。中国的工业化进程与西方发达国家不同，西方发达国家走的是“先污染，后治理”的传统工业化道路，而且他们是已经完成了工业化进程之后才开始着手解决严重的环境问题。而我国在工业化还未完成甚至有些行业才刚刚开始就已经面临着严重的环境问题，因此对于我国的企业来讲，低碳化经济的发展是伴随着工业化进程的。由于现阶段与西方的发达国家处于不同的发展阶段，存在的主要矛盾、经济实力和科技水平等都有着很大的差异。在这种情况下要求中国与其他的发达国家有着一样的碳排放量的控制和资源利用的限制，对中国而言，无疑是一场巨大的挑战。我国的工业总体上还处于工业化高速发展的中期阶段，需要继续发展的产业还很多，不像一些西方的发达国家已经完成了工业化发展时期，处于工业化发展的晚期，许多产业都已经很成熟了。基于我国的现阶段，全面限制碳排放量是不现实，也是不可行的。中国目前还应立足于工业发展，只是在发展模式上，应该从原先的高碳模式转变为低碳模式，努力做到在发展的同时能兼顾资源节约和环境友好，这是一个缓慢而漫长的过程。

首先，要以主导产业带动低碳工业的整体发展。我国工业化是政府主导型的工业化，政府在工业发展和工业发展模式转变中起到至关重要的作用。因此，要推进工业发展的低碳化，政府的作用不可小视。在这个过程中，我们可以发挥政府作用的优势，建立主导产业部门，优化有限的资金和资源，优先发展低碳化的主导部门，以主导部门辐射带动整体产业发展。

在新中国成立之初，我国的主导工业主要是食品、水泥等产业，以后逐渐发展了轻工业，如纺织工业等，然后才是重工业和制造业。现阶段的中国是内需大国，主导工业部门是与人们要求提升生活品质密切相关的汽车工业、建筑业等，低碳就要先从这些产业着手。近期出现的低碳型建材、低碳环保型汽车已经渐渐进入人们的视野。而主导工业的低碳化，会对其他的工业产生重大的辐射作用，会带动整体工业的低碳化，进而逐步实现低碳型工业化，这是建立在这些主导产业不断低碳化的基础上的（傅晓华，欧祝平，2010）。

其次，要充分研究低碳经济发展中的生态化技术体系，做到生态化生产，智能化管理，既能够减少排放，又能够增加经济效益，实现经济社会生态效益的相统一与最优化。同时要解决"低碳科学技术研发、成果转换与创新环境、制度、机制建构的问题"（杨玥，文淑惠，2011）。

最后，在低碳工业技术发展的过程中，要同时建立相应的低碳工业经济发展的信息合作平台，"形成低碳项目、技术和企业重要信息经常性披露的制度"（杨玥，文淑惠，2011）。

7.3.3 发展低碳经济有助于提升国民幸福感

当前，国民的幸福感并未随着经济发展而有所提高，相反还有倒退的迹象。食品安全、资源浪费、环境破坏、生活节奏加快、生活方式改变等都使得人们在不同程度上缺乏安全感和愉悦感，从而严重影响到人们对于幸福的感受。而低碳经济的发展将促进人们幸福感的提升。

7.3.3.1 提升公众的食品安全信心

近年来食品安全问题已经成为人们关注的焦点。无论人们对于幸福的衡量标准有什么不同，没有人会否认安全感是幸福的基石。如果缺乏安全，幸福感就无从谈起。而安全感来自于日常生活的各个基本环节，排在第一位的就是食品安全，民以食为天，食不安全，何来幸福？2003 年以来，阜阳奶粉事件、苏丹红事件、上海多宝鱼事件、三鹿奶粉事件、广州瘦肉精事件等重大食品安全事件频发不断。据统计，在2011年媒体所曝光的质量事件中，有80%以上是发生在食品行业，包括粮油、乳业、熟食、雪糕等日常食品。导致了人们对食品安全的信心缺少，由此产生了信任危机。2008年，商务部组织全国城市农贸中心联合会和中国连锁经营协会就食品安全状况进行了一次消费者的调查，调查数据显示，绝大多数的消费者(95.8%的城市消费者和94.5%的农村消费者)对食品安全问题非常关注，但是对食品安全的满意度欠佳。例如，分别有20.2%的城市消费者和18.3%的农村消费者认为当前食品安全形势“问题太多，令人失望”，45.3%的城市消费者和农村消费者对目前政府的食品安全监管工作“不满意”，特别是对儿童食品而言，仅有少数的城市消费者和农村消费者对儿童食品表示“放心”，也就是说，大部分的城市消费者和农村消费者对儿童食品表示“不放心”。可见，随着生活水平的提高，人们愈发注重食品的质量问题，由此引发了对安全食品的大量需求，如放心菜、无公害农产品、有机食品、绿色食品等。放心菜是对农药残留进行限制；无公害农产品的管理中，制定了有关生产的环境、生产过程和产品质量等方面的标准和规范，对空气、水质、土壤等农业生态环境的要求较高，并在生产过程中对农药特别是剧毒农药的使用进行限制；绿色食品注重的是无农药残留、无污染、无公害、无激素，其较高的食品安全程度来自于特定的生产方式、更高标准的规范，并要通过专门的机构认证和许可；有机食品则是一种追求完全不用人工合成的肥料、农药、生产调节剂和饲料添加剂的食品，是一种单纯依赖生态系统循环的具有高标准安全系数的农产品。可以看出，这些安全食品都遵循着可持续发展原则，从保护和改善农业生态环境入手，在生产过程中限制或禁止使用化学合成物(如化肥、农药等)及其他有毒有害的生产资料，在种植、养殖、加工过程中执行规定的技术标准和操作规程。

导致食品安全问题的原因是多方面的，现代工业生产方式正严重地影响着农业的生产过程和环境，一方面是大量的工业生产的物资正在不断武装着农业，化肥、农药的大量(甚至超量)使用，另一方面是农业生产的环境也受到工业的严重污染。这些都是产生食品安全问题的重要原因。但是从现有情况来看，高碳的农业生产模式所带来的农业污染是引发农业生态环境恶化和农产品质量安全的关键原因，为了解决食品安全问题，重塑人们对于食品的安全感，就必须转变农业生产模式。

只有实施“从农田到餐桌”的全过程质量控制，才可以更有效地保护生态环境和保障食品安全。农业生产的低碳化恰恰就有着这方面的特征。低碳农业倡导的是以农产品标准化生产为手段，推行清洁生产，要求农业投入资源的节约，通过节水、节肥、节药、节能等多种途径，减少农业面源污染。低碳农业还实施“从土地到餐桌”的全程质量控制，限制或禁止使用化学合成物及其他有毒有害的生产投入品，要求使用可更新资源、提倡对各种农业生产过程中的废弃物和农产品加工后的副产品的再利用，这既节约了资源，又解决了对生态环境的污染。可见，低碳农业的发展过程就是保护农村农业的生态环境安全的过程，而农业的生态环境安全恰恰是确保农产品质量安全的前提条件。因此，低碳农业的发展可以保障人体健康和农业生态环境不受污染，在保证农产品数量安全和质量安全的前提下，向全体社会成员提供优质安全、营养丰富的绿色农产品(严立冬等，2010；胡新良，2011)。

7.3.3.2 保障未来发展的资源可持续性

人们常说中国地大物博，但事实上，随着经济的快速发展，中国已经成为世界上最大的资源消费国家。一方面是中国的工业化、城市化过程对资源造成了很大的需求；另一方面，国内资源的供给有限，难以满足经济社会快速发展的需要，资源的供需矛盾突出。国内资源的供给问题不仅表现在数量上的不足，而且还表现在质量上的不能满足需求。从数量上看。化石能源最终会被人类开采耗尽，这个趋势无法改变，更为严重的是，我国矿产资源存量相对贫乏，保障能力有限，这已经成为我国经济发展的制约因素。再从质量上看。中国传统的经济增长模式显然属于高碳经济模式，即高耗能、高排放和低产出，即能源消耗量、碳排放量和经济产出量之间反差较大。碳排放的影响因素一般包括产业结构、消费结构、能源结构以及能源利用率等(朱新春，吴兆雪，2010)。其中，能源利用率是影响碳排放的关键因素。根据世界银行的数据，中国的国内生产总值能耗高于世界平均水平，更高于发达国家。从今后较长的一段时间来看，化石能源仍然是我国经济乃至世界经济的重要推动力，根据美国能源信息署发布的《2008年国际能源展望》报告，尽管石油和煤炭等化石能源是导致全球变暖的原因之一，但世界对化石能源的依赖仍将长期存在。可再生能源将持续发展，但在2030年以前竞争力仍不及化石能源。因此，对于我国而言，在目前的国际能源局势下，如果不提高能源利用率，将会影响经济增长的态势。

能源是经济发展的命脉。无论是数量还是质量问题，都将严重影响中国经济与社会的可持续发展，也给人们带来了对未来资源情况和未来发展的不安全感。低碳经济源于气候变化，其发展的实质和核心是提高能效和优化能源结构，这就需要进行能源的开源节流，即能源的节约和新能源的开发。首先是能源的节约。煤多油少气不足的资源条件决定了我国以煤为主的能源结构，加上目前正处于工业化进程中，以重化工业为主的产业结构对能源的需求量大，在现代世界能源供应日渐紧张的形势下，提高能效已是迫在眉睫。由于煤炭属于典型的“高碳”能源，因此发展低碳经济，首先需要大力开发洁净煤炭，采用高效的转化利用等节能减排的技术，以降低能源消费的碳排放量，提高能源的使用效率，达到节约能源的目的。其次是可再生能源和新能源的开发。随着风能、太阳能、新型核能、氢能、水能和生物质能等可再生能源和新能源在能源供应体系和消费体系中比重的提高，可以促进能源供应结构的升级和转型，减少经济发展对传统化石能源的依赖，将缓解我国资源不足的困境。

7.3.3.3 改善生态环境

工业文明的副产品之一是环境污染问题，中国改革开放以来所取得的经济成就同样是以资源过度开发和环境破坏为代价的。虽然多年来国家重视并采取了一些措施，然而生态环境问题，无论是大气、土壤和水都存在着严重的污染问题。目前我国七大水系总体上为中度污染，除珠江、长江总体水质良好外，松花江为轻度污染，黄河、淮河为中度污染，辽河、海河为重度污染。从大气质量上看，总体虽有好转，但部分地区污染依然严重。2006 年监测的 559 个城市中，空气质量达到一级标准的城市有 24 个，占 4.3%；二级标准的有 325 个，占 58.1%；三级标准的有 159 个，占 28.5%；劣于三级标准的有 51 个，占 9.1%(蔡永海，张召，2010)。另一方面，我国的生物多样性也受到严重威胁，对自然资源的过度开发利用和对生态环境的严重污染，使野生物种的栖息地面积不断缩小并遭到破坏，加上一些地区的滥捕、滥猎、滥采，导致野生动植物种类不断减少。目前，全国共有濒危或接近濒危的高等植物 4000 ~ 5000 种，占我国高等植物总数的 15% ~ 20%，已确认有 258 种野生动物濒临灭绝。在《国际濒危野生动植物物种国际贸易公约》列出的 640 种世界性濒危物种中，我国有 156 种，占总数的近 1/4(于恒奎，2011)。生态环境的破坏带来了巨大的经济损失，也给社会的安全安定带来了严重的负面影响。原国家环保总局副局长潘岳指出，我国目前有 1/4 的人口饮用不合格的水，1/3 的城市人口呼吸着严重污染的空气，70% 癌症患者的死亡与污染有关，20% 的儿童铅中毒，大城市里每 10 对夫妇就有一对因污染影响生育。同时，由于环境污染引发的群体性事件以年均 29% 的速度递增。2005 年，全国发生环境纠纷 5 万起，对抗程度明显高于其他群体性事件。一些地区由于植被破坏、水土流失、生态失调，致使土地荒漠化越来越严重，使当地农民成为“生态灾民”(蔡永海，张召，2010)。2006 年 9 月 7 日，国家环保局和国家统计局联合发布的《中国绿色国民经济核算研究报告 2004》指出，2004 年全国因环境污染造成的经济损失为 5118 亿元，占当年 GDP 的 3%。全国有 3 亿多农村人口饮用不到洁净水，4 亿多城市人口呼吸不到干净的空气。在中国 11 个最大城市中，空气中的烟尘和细颗粒物每年使 5 万人夭折，40 万人感染上慢性支气管炎。2006 年，我国 38% 的城市未达二级空气质量标准。世界空气污染最严重的 10 座城市中，我国占了 6 个。从 2002 年 6 月到 2006 年 6 月，我国经历了严重的电力短缺。为了弥补电力短缺，我国在高速度地增加电力产能，这对环境的负面影响是极大的（赵惊涛，2010）。

生态环境恶化所带来的惊人的经济代价和社会代价，使人们产生了严重的不安全感，降低了公众的幸福感。人们开始怀疑和害怕环境污染对健康所造成的影响，开始探索一种能有效地缓解经济发展与环境问题之间的矛盾的新的经济发展模式。本书认为，低碳经济正符合这一期盼。低碳经济强调社会经济生产过程中的节能减排，提倡低碳生产和低碳消费，倡导少排放以维持良好的环境。可以说，节能减排和清洁能源的开发利用，一方面是人类应对资源紧缺的重要手段，另一方面也是应对环境危机的必然选择。应该说，环境保护是多方面的，主要面临的问题有三个方面：第一是环境污染，第二是生态退化，第三是气候变化。气候变化是最新的环境问题，而低碳经济的发展则是解决气候问题的有效手段。更进一步地说，温室气体的排放和传统的污染物排放是同根、同源、同步的（中国低碳经济论坛，2010）。环境与气候保护是一体化战略，通过工业的节能减排，通过低碳农业的发展，在温室气体排放、应对气候问题的同时，也可以有效地减少其他污染物的排放，实现温室气体与污染物的协同控制，以缓解环境污染和生态退化等问题。

第3篇

生态文明：低碳经济发展的指导

第8章　生态文明——低碳经济发展的理念指导

生态文明的提出和低碳经济的提出有着相似的背景，都是对工业文明反思的结果，是在经济发展过程中和工业化进程中出现的各种生态危机的背景下提出的，它们的最终发展目标也是相近的，都是追求可持续发展，但是这并不意味着二者是等同的、并列的甚至是平行的。从内涵来看，生态文明的内容更为丰富和宽泛，相对于低碳经济而言，生态文明的包容性更强。事实上，低碳经济是生态文明发展中的一种具体的经济发展模式，生态文明为低碳经济的发展提供了理念指导和方法论的指导，而低碳经济的建设和发展将会强有力地推动生态文明的进程。

8.1　生态安全观对低碳经济发展的指导

生态安全是指维系人类生存和社会经济文化发展的生态环境不受侵扰和破坏的一种状态。生态安全是全球性的问题(廖福霖，2011)，这是因为生态环境具有国际公共品的性质，作为地球村的一员，每个国家在维护全球的生态安全问题上都应该是责无旁贷的。作为发展中国家，中国的行动证明了自己是一个具有生态安全观的负责任的大国，生态文明的提出和建设说明了我国政府对维护生态环境的态度和决心。

生态安全观是生态文明观中最基本又是最重要的观点，树立生态安全观，从江河山川、水土保持、物种繁衍等多方面着手，切实保证国家的生态安全对建设生态文明具有重要意义。首先，生态安全是国家安全的重要组成部分，和国防安全、国家政治安全具有同等重要的地位。国家生态安全与国土平安二者之间有着十分紧密的内在关系。历史事实表明，由于生态环境遭到破坏导致国家灭亡、人民流离失所的例子是不胜枚举的。如，曾经是“丝绸之路”的著名古国楼兰就是因为林木消失、水源干枯而被风沙所吞没。在世界范围内，美索不达米亚文明、玛雅文明也都是人为因素导致生态环境破坏，最终导致文明消亡。全球气候变暖同样可能带来这种危险。正如国际移民组织(IOM)2009年6月的一份报告预测中所指出的，到2050年，全球可能有2亿人因气候变暖而迁徙，成为气候难民。又如岛国马尔代夫平均海拔只有1.5m，如果全球变暖的趋势继续，马尔代夫将在 21 世纪内消失。可见，如果国家和区域生态环境恶化，将给国家、民族和人民带来巨大的创伤和损失，生态安全是从一个国家的内部来保证国家长远发展和百姓安居乐业的重中之重。其次，国土生态安全同人民群众的健康状况密切相关。如果生态环境遭到破坏，势必会经由自然生态系统影响到人民的食品安全和身体健康。例如，过多的农药化肥使用造成粮食和果蔬上的“农药残留”，化石能源的过多消耗造成温室气体排放过多，出现了酸雨等灾害，对人类的健康都造成了一定的负面影响。最后，国家生态安全是国防安全的重要基础。生态环境遭到破坏，会给国防增加一定的难度，生态不安全首先就会影响到人类的健康，进而影响到我国国防的人力资源，更严重的，会产生许多生态难民，影响社会的安定乃至世界的稳定。

生态安全观为低碳经济的发展提供了基础的理念指导。低碳经济作为新兴经济发展模式，有别于工业文明中的“高碳”发展道路。传统的经济发展模式是以高污染、高排放为特征的，这种经济所产生的严重负外部性，对于生态环境造成巨大的影响。以能源消费为例。传统能源在给人类带来巨大的物质财富和经济发展的同时，却也给人类带来了难以承受的环境压力，包括酸雨、灰霾和温室效应等。目前，我国有三大酸雨重灾区，将近三分之一的国土已经被酸雨污染。另外，北京、上海、广州、深圳等城市的天空常常是灰蒙蒙的，这种低能见度是因为灰霾的存在。灰霾会影响人类的呼吸系统，特别是肺部。钟南山院士曾指出，灰霾天气致肺癌率猛于尼古丁，这是因为灰霾中的微小颗粒物不仅会进入血液，影响肺部组织，诱发慢性呼吸系统疾病，甚至还会引起癌变，由此可见传统的经济发展方式所带来的负面效应是多么的触目惊心，说明了转变经济发展方式的迫切性，通过低碳经济的发展，以低排放、低污染的生产和生活方式，来降低经济发展对生态系统中碳循环的影响，维持地球生物圈的碳元素平衡，不断改善人类赖以生存的自然环境，最终还人类蓝天、碧水、青山，还人类宜居的绿色家园。

8.2　生态生产力观对低碳经济发展的指导

生产力的界定。在之前的社会文明形态，包括农业文明和工业文明中，生产力往往被称之为是征服自然和改造自然的能力。这种传统的生产力观实际上是秉承了“人类中心主义”的思想，不仅没有把生态系统纳入生产力的范畴进行思考，甚至将自然视为是人类活动的对立面，是可以由人类任意主宰的。以这样的生产力观指导下的人类活动必然是单向的，一方面是单向的向自然索取，另一方面是单向的向自然排放废弃物，二者都会对自然造成破坏。结果是人类的行为受到了自然的报复。恩格斯很早就指出："我们不要过分陶醉于我们人类对自然界的胜利。对于每一次这样的胜利，自然界都对我们进行报复。""我们统治自然界，绝不像征服者统治异民族那样，绝不同于站在自然界以外的某一个人。相反，我们连同肉、血和脑都是属于自然界并存在于其中的。"

进入生态文明时代，我们需要对传统的生产力观进行深刻的反思，生态生产力概念的提出就是反思的结果。生态生产力是指人类充分发挥主观能动性，遵循自然—人—社会复合生态系统运行的客观规律，推动自然—人—社会复合生态系统和谐协调、共生共荣、共同发展的能力(廖福霖，2010)。生态生产力是人们遵循规律，能够实现经济社会与生态环境在空间上优化、时间上无限可持续发展的能力。生态生产力观在前提、目标和过程等方面都与传统的生产力观有所不同。首先，生态生产力运行的前提是人类认识自然、尊重自然和保护自然，要体现出人与自然和谐相处的愿望和能力；其次，生态生产力发展的目标是人类与整个自然生态系统有机地结合在一起实现共同发展，而非仅仅聚焦于人类自身的发展；最后，生态生产力的运行过程是与自然界高度和谐统一的过程，是同自然界相互转换物质和能量的过程。

这种生态生产力观对于低碳经济的发展具有现实的指导意义。低碳经济提出的缘由是气候变化，当然，更重要的原因是能源问题，但无论是上述哪种原因，都是由于传统的经济发展模式对生态环境的破坏(气候变化)和资源的浪费(化石能源的浪费)所造成的，这就是传统的生产力观主张的尽可能地利用自然和征服自然的理念所造成的后果。生态生产力观让我们认识到，在低碳经济发展的过程中，要特别注意不要重蹈覆辙，应该认识到人类活动对气候造成的影响最终是会给我们人类带来自然灾难的。因此，发展低碳经济的目标就是要实现"低碳"(自然生态系统)和"经济"(人类经济社会系统)的和谐共存和发展；发展的过程中，应该利用相应的技术，实现资源利用效率的提高，减少碳排放的减少，增加碳汇，实现人类经济社会与自然界之间物质和能量的尽可能的循环。可以说，实现和发展低碳经济最根本的是人类生产方式和生活方式的转变，其中生产方式转变的主要决定因素就是生产力形态的转变，即发展生态生产力。从这个角度出发，发展低碳经济应该逐步改变工业文明的生产生活方式，提升和改造传统经济，实现更高层次的经济形态。

生态生产力是先进的生产力，它具有丰富的内涵，是多种分力的合力，其中最重要的分力包括高度发展的具有生态生产力内涵的科技如绿色科技；适应先进的社会生产力发展要求的政治经济体制；促进先进的社会生产力发展的经济和文化结构；良好的可持续发展的自然生态环境和社会生态环境(廖福霖，2011)。这些分力所构成的合力应该成为我们在生态文明这种新的社会文明形态下进行经济发展的重要推动力。生态生产力是低碳经济发展中所应该利用的。对于低碳经济而言，不断创新发展的低碳技术应该是具有生态生产力内涵的技术，可以称之为生态化技术。生态化技术体系是指，把社会生产力发展和人类经济活动纳入复合生态系统中，遵循生态系统运行的客观规律和基本法则，融现代生态学原理与技术、各行各业的科学技术与知识以及信息化技术于一体的技术体系。生态化技术体系包括三个层次：其一是覆盖各行各业的横向技术；其二是不同领域、行业和专业的专门科学技术与知识；其三是绿色管理理念和技术。它是低碳经济发展的最为重要的推动力；适应低碳经济发展要求的政治经济体制则是低碳经济发展的必要保障；低碳文化为低碳经济发展提供了支持；而自然生态系统和社会生态系统则是低碳经济发展的承载体，是基础性的，这四个分力的交互作用形成合力，将会极大地推动低碳经济的迅速发展。

生态生产力运行的基本原则是生态优先原则。生态生产力观认为在调整生产力布局的时候，要充分考虑生态系统的承受力，在建设基础设施时要充分安排保护和改善生态环境的项目，发展相关产业时，应该做到低消耗、高产出、低污染，坚决淘汰高消耗、高污染的产业，防止由建设和开发活动引起的生态环境破坏。发展低碳经济的一个重要内容就是进行节能减排，这就是生态优先原则的表现。《中华人民共和国节约能源法》所称节约能源(简称节能)，是指加强用能管理，采取技术上可行、经济上合理以及环境和社会可以承受的措施，从能源生产到消费的各个环节，降低消耗、减少损失和污染物排放、制止浪费，有效、合理地利用能源。这就从根本上做到在发展的同时考虑生态系统的阈值，减少对生态环境的破坏，体现了生态优先原则。

8.3　生态文明哲学观对低碳经济发展的指导

生态文明有别于其他的社会文明形态，首先就体现在哲学观上，生态文明的哲学观与农业文明、工业文明本质的区别集中体现在怎样看待人、看待人与自然的关系上。人与自然这一对立统一的矛盾体中，既有斗争性，又有同一性。工业文明时代，人类把斗争性看做是这一矛盾体的主要部分，表现在行为上就是不断向自然界索取，甚至向自然界开战，结果如现在的世人所见，自然界已经被人类征服得体无完肤了，当然自然界以它自己的方式向人类进行了报复。

相对应的，生态文明哲学观认为，在人与自然这一对立统一的矛盾体中，既有斗争性(向自然索取)，又有同一性(爱护自然、改善自然、使人与自然同步和谐发展)，并且同一性是占主导地位的，人们可以通过充分发挥自己的主观能动性，来达到这种同一的目的。生态文明哲学观十分重视人的主观能动性，将其看做是实现生态文明的最重要且最现实的条件。在这种哲学观所指导下的人类行为必然是遵循自然规律，人类可以且应该充分发挥自己的主观能动性，但这个主观能动性是有约束条件的，它被限制在自然可以接受的范围即生态阈值范围内，人类在发展自身的同时不忘保护自然和改善自然界。这样，社会生产力发展的同时，自然生产力也可以得以有效的保护和发展，而这又将再次作用于社会生产力的有效持续发展，形成良性循环的运行机制，两者都可以得以持续发展，这就是同一性哲学在现实中的指导意义，它本身也体现了可持续发展的思想内涵。此外还应该指出的是，这种同一性不仅仅是表现在代内人与自然生态系统的协调发展，还表现在代际之间的协调发展，即满足当代人需要的同时不能削弱子孙后代满足其需要的能力的发展，甚至还表现为国际之间的协调发展，即一部分人的发展不应该损害另一部分的利益。

注重同一性的生态文明哲学观，对低碳经济发展的许多方面都起着重要的指导作用。以低碳经济发展中的农业为例。农业由于其天然属性，与低碳之间的关系尤为密切，由于现在一些不合理的农地利用方式，导致土壤退化、病虫害加剧和农业生产能力下降，影响农业生态调节功能的正常发挥，也会对外部生态环境产生负面影响。因此，应该从生态文明哲学观的同一性出发，应当重视发挥农业的多功能性，促使农业在提供经济产品的同时也提供多类型的生态服务功能，使农田和相关的农业生产活动具有相应的生态调节功能，实现社会生产力和自然生产力的同时协调发展。

8.4 生态文明价值观对低碳经济发展的指导

生态文明价值观是人们对自然界生命价值以及人类在自然界中的价值和地位、功能的科学评价，是确立生态文明观，指导生态文明道德规范和行为的思想理论基础。生态文明价值观不仅仅看重人类自身的价值，而且还进一步将价值扩大到社会生态系统和自然生态系统，即将价值的主体从人延伸到自然生态系统的生物生命主体。在生态文明价值观体系中，人类具有价值，这种价值不但体现在其自身对于社会、对他人有用，而且要对自然界中的一切生命以及生命所赖以生存的环境负责，加上人类具有主观能动性，这种能动性应该秉承生态文明价值观，对社会生态系统和自然生态系统都承担起应有的责任和义务。这就意味着，在价值观方面，人类既要抛弃依赖自然顺从自然、在自然面前束手无策的自然中心主义，也要抛弃主宰自然、掠夺自然的人类中心主义，而是要确立人与自然和谐相处、共同发展以及人与生物双主体的生态中心主义。

生态文明价值观认为，自然界中的每一生物、每一种群，每一条生物链、每一张生物网都有其存在的价值意义。每一种生物的灭绝都有可能威胁到生物链或者生物网中其他物种的生存，所有的生物交织结合在一起才构成了自然界的动态平衡，因此，它们都具有不可忽视的价值。

生态文明价值观同人类的经验也许会有所不同，因为在人们的经验中，有一些生物并不具有价值，这种差异是由于人类的认知有限或者处理能力有限造成的，人们对于自然的认识能力是随着实践的发展而进步的。某种生物在过去对人们没有价值，并不代表现在也没有价值，进一步说，被人们认为没有价值的，并不代表该种生物就应该被抛弃。这样的理念对于低碳经济的发展具有重要的指导意义。例如，煤和石油对于人类的价值是在近代才被人类发现的。又如，人们在生产粮食时只看到小麦、水稻、玉米的价值，其实它们的生物量只占农作物地上部分生物量的 40% ~50%，而谷物的秸秆，其生物量则往往被认为是没有价值的废弃物。实际上，这些所谓的“废弃物”可以成为发展生物质能源的重要来源。以秸秆为例，每年麦收过后，由于无处堆放，通常都被农民堆到田头、路边或就地大量焚烧，不仅造成了生物量的浪费，也造成了环境污染。事实上，秸秆同样也是光合作用的产物，也含有能量和营养物质，还可以通过相应技术进行处理，转化为能源。现今，一些地区已经利用这些秸秆来生产乙醇或制木炭、造纸等。各地采用了种种处理秸秆的新方式，开始了农民的“低碳生活”进程，在宁阳县，已经出现了“秸秆煤”生产企业。利用废弃秸秆和木屑等作为原料加工而成的“秸秆煤”是一种无烟、无味、无毒的环保清洁型新型燃料，一年可以利用废弃秸秆近 10 万 t(邢兆远，张培国，2009)，这样的生产在提供能源的同时也减少了秸秆焚烧所造成的污染。

第9章　生态文明——低碳经济发展的方法论指导

9.1　现代生态学方法对低碳经济发展的指导

生态学知识是了解自然界客观规律的基础，也是掌握生态文明理论和建设生态文明所必需的。生态文明理论中包含着许多现代生态学的方法，这些方法对于低碳经济的发展都具有一定的指导意义。

首先，现代生态学关注生态平衡的理念对于低碳经济发展的指导。生态平衡是指一个生态系统在特定时间内通过内部和外部的物质、能量、信息的传递和交换，使得系统内部的生物之间、生物与环境之间达到了互相适应、协调和统一的状态，这种状态具有一定的自控制、自调节和自发展的能力，这就是生态系统的生态平衡。反映在生态文明上，就是生态文明持有的思维方式是系统性、联系性和动态性的，它反对形而上学的思维方式，认为不管是自然生态系统还是社会生态系统，系统内部和系统之间的联系都是广泛的、紧密的。系统内部的各个子系统之间存在着物流、能流和信息流的交换，系统之间也不断进行着物质交换和物质循环，最终在生态大系统内部形成一种动态的生态平衡。自然界本身就是一个有机联系的整体，其中的大系统与各个小系统之间存在着千丝万缕的联系，无法割裂，是一个相互依存的整体。以低碳经济密切相关的气候来说，全球气候状况是一个大系统，如果气候适宜，就能够对包括森林、农田等在内的各个小系统的生态平衡提供良好的外部环境。目前各个小系统的温室气体排放导致全球气候变暖、温室效应加剧，导致全球气候生态大系统因此无法达到生态平衡的状态。这也意味着，大系统可以为各个小系统提供良好的外在环境，但是事物是相关的，各个小系统的生态平衡也同时会影响大系统的整体生态平衡。因此，在气候变暖的今天，为了更好地发展低碳经济，就必须对各个小系统的生态平衡作出努力。例如，城市的生态平衡、森林的生态平衡、海洋的生态平衡、农田和乡村的生态平衡、城市的生态平衡、湿地的生态平衡，等等。从单个系统上看，生态平衡的实现要求我们在现实中的经济活动必须考虑生态自调节的限度，即生态学所称的

"阈值"。因为超过阈值，生物和生态系统的自我调节会失灵，生态平衡会走向衰退甚至消亡。以森林为例，林业碳汇是低碳经济发展的重点领域，森林在低碳经济发展中起到十分重要的作用，但是我们注意到，现实中毁林的现象经常出现。这和林业生产方式有关，当林地管理过程中采取的是合理强度择伐的经营措施，那么就能使森林生态系统凭借自身的调节能力保持在阈值范围内，处于相对稳定状态，保持生态平衡，从而使得森林生态系统能够充分发挥其经济和生态的功能。反之，如果采取大强度的砍伐或者皆伐，那么森林的自我调节功能就会失灵，导致其衰退成疏林地乃至沙漠。因此，人类的活动要使生态系统的自我调节保持在阈值之内，是取得经济、社会和生态三大效益和谐统一的重要前提。

其次，现代生态学的普遍规律对于低碳经济发展的意义。现代生态学的普遍规律包括了生态系统普遍的有机联系、生态形态开放性、相互适应和补偿的协同进化等。这些规律都被生态文明所吸收，并成为生态文明理论的组成部分。而生态文明的这些理论为我们在实践中思考问题、解决问题提供了整体性、联系性、协调性、开放性等思维方式，它可以作为方法论运用于低碳经济的实践，成为指导低碳经济发展的有力武器。生态文明观指出，生态系统是一个开放的系统，遵循耗散结构原理，系统必须同外界进行物质、能量等交换，才能从无序走向有序，从不平衡走向平衡，生态系统才能得到不断发展。整体性的思维方式则告诉我们，世界是一个整体，生态问题已经不是一个地区的局部问题，也不只是一个国家的问题，而是一个国际性的问题。一个地区的生态会影响到一个国家的生态，一个国家的生态会影响到全球的生态（例如气候问题就是一个全球性的问题，无法避免，每个国家的自身行为都会对全球气候造成影响），当代人的生态问题会影响到后代人的生态环境，这就要求我们在发展经济的过程中，在思考问题，付诸实践的过程中，要克服单一的、静止的、孤立的、急功近利的思维方式，应该从大局入手，从长远考虑。

当今的低碳经济，已经不是中国的问题，而是整个世界的问题。气候变化问题已成为全球关注的焦点问题，减少温室气体排放、转变能源结构和消费方式、大力发展低碳经济已成为国际经济的发展趋势。我们应该具有整体性的观念，认识到低碳经济已经不仅仅是我国发展与否的问题，而是全世界经济发展格局变化的新形势。在这样的新形势下，发达国家所采取的或者将采取的行动也应该纳入我们考虑的范畴。例如，现今，发达国家以"碳"为名，提出要征收"碳关税"，制定了绿色环境标志制度、低碳技术标准制度等，这种新的贸易壁垒很有可能遏制发展中国家的经济发展，以保护发达国家的经济和就业，以在未来的经济复苏来临时，能够再次取得世界经济的主导地位。如果中国只看到发展低碳经济的困难，而没有从大局和长远考虑，及早做好准备，抢占技术和经济的制高点，那么很有可能会错失发展的良机，在将来又会被发达国家牵着鼻子走。

9.2 唯物主义方法论对低碳经济发展的指导

马克思主义的历史唯物主义和辩证唯物主义既是马克思主义世界观的最重要组成部分，又是马克思主义方法论的最主要内容。它贯穿于生态文明的理论与实践中，是生态文明的重要方法论，对于低碳经济发展也具有十分重要的指导作用。

首先是对立统一规律。对立统一规律是唯物辩证法的根本规律，是马克思主义世界观的重要组成。该规律指出，无论是自然界、社会还是思想领域，所有事物和事物之间都包含着矛盾性，但又有统一的一面，它们共同推动事物的运动、变化和发展。这种思想贯穿于中西方哲学思想的发展过程中，例如，中国古代著作《易经》中就用阴阳两种对立力量的相互作用来解释事物的发展变化，古希腊哲学家赫拉克里特也认为一切事物都是经过斗争形成的，特别是近代德国哲学家黑格尔则以唯心主义的方式表述了对立统一的思想，认为矛盾是推动世界事物发展的原则。马克思主义正是批判地改造和吸取了哲学史上特别是黑格尔关于对立统一规律的思想，形成了对立统一定律。

而生态文明观十分重视并运用对立统一规律。生态文明观认为，经济发展与生态保护有时是对立的，是矛盾的，但又是可以统一的。那种认为当前我们最重要的任务还是发展经济，而不能把财力、物力和人力投入到生态建设中去的观点和做法，那种认为经济发展势必要牺牲环境的观点是片面的，是值得商榷的。对立统一规律告诉我们，经济、社会和生态作为一个大系统，它们更多的应该是统一的关系。生态文明强调的是经济、社会和生态的和谐统一发展。它着眼于人类的发展，认为人类是发展的动力和目的，生态文明建设的重点仍然是以生态生产力的发展为主的经济建设，同时全面推进经济、社会和生态的和谐发展。而这样的观点对于低碳经济的发展有着重要的指导意义。低碳经济强调的是“低碳”且“经济”的发展，这两个方面是无法割裂的，它们虽然看似矛盾的，因为在现阶段经济发展中追求低碳的确会给经济建设带来一定的影响，但是它们更多的是统一的关系。这是因为从现今资源和环境的情况，特别是能源的现状来看，如果不将“低碳”纳入经济发展的考量之中，经济发展就是不可持续的。对立统一规律告诉我们，事物发展的实质是新事物的产生和旧事物的灭亡，在低碳经济的发展过程就是这个规律应用的过程。传统的高碳的经济发展模式已经不能适应当今社会发展的潮流，不能够应对当前所面临的资源环境的危机，因此，作为旧事物，传统经济发展模式必然逐渐走向消亡，随之而生的是顺应了气候变化和能源危机而产生的新兴的经济发展模式，即低碳经济。

其次是否定之否定规律。该规律认为，由于内部矛盾的发展，事物正面也可能会转变成为反面，成为“反”阶段，这是第一个否定；由反阶段再过渡到它的反面，是为否定之否定。经过否定之否定后，事物虽然回到“正”态，但已不是原来的状态，而是更上了一层楼。在生态文明的进程中，我们始终看到否定之否定规律的作用。传统的工业文明取得了经济系统的正效应的同时，由于其和生态环境之间的矛盾，逐渐过渡到“反面”，即经济系统所产生的负外部性抵消甚至超过了经济所带给人类的利益，此时人类对于这种“否定”的反思产生了生态文明，并在实践过程中，逐渐地将自然—人—社会作为整体系统进行考虑，将生态效益纳入经济生产的考虑范畴。在生态文明理念的实践过程中我们看到，对于生态效益的追求并没有妨碍到经济效益的取得，更多的时候是二者得以兼顾，经济和生态都回到“正”态，而且这种状态与最早的单纯经济效益的“正”态相比，明显更为高级、更具有可持续发展性。生态文明中的这种否定之否定的方法论在低碳经济的发展中也具有很重要的指导作用，且被广泛应用。举例来说，低碳经济的发展路径之一是实行节能减排。对于企业来说，高耗能高污染的生产方式往往带来环境的负外部性，包括对周边环境的污染，排放的温室气体对气候的影响，等等。针对这些问题，国家出台了一系列的政策措施，如节能减排的政策，对于企业来说，节能减排的政策要求会使得企业的经济效益在短期内经历着由“正”态转为“反”态的过程，这个过程当然是痛苦的。但经历一段时间的痛苦后，企业如果开始进行相应的技术创新，采用节能减排的新技术，从而解决了这个问题，在这样的过程中，企业实际上实现了产业结构的调整，而且成为资源节约型和环境友好型企业，经济效益可能增加，这样又回到了“正”态，而且这种“正”态是更为成功、更为高级的。

再次是质量互变规律。马克思、恩格斯认为，物质的属性具有质和量两个方面。这两个方面的关系总是处在不断变化之中。每次由一种性质变化到另一种性质的过程中，总是由微小的变化(称作量变)慢慢积累，最终导致物质由一个性质变化到另一个性质，也就是从量变到质变。低碳经济的发展是一个量变到质变的过程。发展低碳经济是不可能一蹴而就的，它必然是一个由量变的慢慢积累，并在这样的积累过程中逐渐实现质变的过程。希望或者要求在短期内全面发展低碳经济不现实也不可取，即使是发达国家也不可能做到的，更何况是我国这样的发展中国家。我们的经济实力和科技水平同发达国家还有相当的差距，发展低碳经济面临着更多的困难和挑战。因此，我们应当从国情出发，逐步推进低碳经济的发展，应该有计划、有步骤地推进，从生产和生活的各个环节、各个方面入手，从各个产业的发展入手，通过微小变化逐渐量变的积累。量变是质变的必要准备，且决定着质变的性质和方向，当低碳经济在各个方面的发展达到一定程度后就必然会引起质变，从而促进我们的经济向低碳化方向发展。

最后是唯物史观的基本规律。马克思主义唯物史观的基本原理告诉我们，生产力决定生产关系，经济基础决定上层建筑，生产力是历史上的一切社会进步的尺度，社会生产力的发展水平，决定着人类社会的进程。低碳经济作为新兴的经济模式，是有利于推动社会生产力发展的，从而促进社会的发展和进步。不同的文明观对生产力的理解是不同的。工业文明是近几百年来全球社会占主导地位的文明观，而生态文明则是人类社会文明发展的产物，这两种不同的文明观关于生产力有着不同的理解。工业文明中，生产力更多地侧重于人类对自然的征服和改造，片面地强调人类的地位，强调的是人类和人类的发展，却忽视了资源、环境等自然生态。人类不加节制地从自然索取资源，同时向自然排放大量的废弃物，造成了资源的短缺和自然生态环境严重破坏的双重结果。因此，工业文明的生产力越强大，其对资源和环境的负面影响也越大。在生态文明观中，生产力是人类推进人与自然、人与人、人与社会和谐协调，共生共荣，共同发展的能力(廖福霖，2007)。这种生产力并不是单纯地去征服、改造自然，而是将人类与自然作为一个系统，促进整个系统的繁荣和发展。因此，生态文明所显示的生产力不是仅仅关心人类，注重人类的发展，同时它也强调关心自然、爱护自然，注重发挥人类的主观能动性以促进人类与自然共同走上良性循环的可持续发展之路。生态文明所界定的生态生产力也是低碳经济发展的指导性原则。低碳经济的发展中很重要的任务就是“节能减排”，这意味着，低碳经济所追求的生产力发展包含了资源特别是能源的节约和温室气体的排放，这与生态文明取向下的生产力发展目标是一致的，因而能够有力地促进生产力的可持续发展，推动社会的文明和历史的进步。

9.3 生态文明中的认识论对低碳经济发展的指导

认识论其实来源于辩证唯物主义，它所阐述的是认识与实践之间的关系，毛泽东把这个关系归纳为“实践—认识—再实践—再认识”。实践是人类的感知和思想产生的基础，但若只停留在实践的基础上，那么这种感知和思想就比较浅薄，所以人们必须对实践的东西进行分析和思考，以产生比之前更高层次的认识。生态文明就是人类实践的产物，根据认识论的原理，其产生和发展的过程并非是直线式的，而是波浪式或者说是螺旋式的。这是因为每个新生事物的发展都需要一个比较长时间的孕育和发生过程，当然这个探索和发展的过程是十分艰巨的。生态文明的认识论同样对低碳经济的发展具有重要指导作用。目前，低碳经济在我国的发展才刚刚起步，对于新能源的开发利用、节能减排技术的发展等都只是刚开始，在发展的过程中，会遇到许多问题。例如成本问题：节能减排的技术如果是引进，其引进的成本更高；企业生产低碳产品的成本也可能是高昂的，导致低碳产品在消费者中的接受度不高；政府监管低碳生产也是需要成本的。在目前，低碳经济尚未形成燎原之势，对实践的总结才刚刚开始，今后还需要通过大量的、艰巨的"实践—认识—再实践—再认识"过程，才能不断提高认识，才能在这样的过程中来促进其发展。

另外，生态文明建设过程中，人们对于生态智慧的认识、掌握和运用是至关重要的，因为许多生态技术本身就是从生态智慧中得到启发的。所谓生态智慧，是指大自然自身所具有的智慧，今天的自然经过几万年的演化而形成，它们遵循着一定的规律，是最有智慧的。对于人类而言，大自然是最好的老师，人类是在不断的实践中，经过不断学习，才能逐步认识自然，因此人类对于大自然的认识是一个漫长的历史过程。例如，大自然是最节约、最没有浪费的，一切自然之物都在系统内循环流动和循环利用。自然生态系统的很多规律实际上和社会生态系统有相似性和内在同一性，经济运行应该要借鉴和参考自然生态系统的客观规律，努力地学习自然生态智慧。对于低碳经济而言，新能源的开发和利用就是在认识和遵循自然规律的前提下，从自然界中来获取我们需要的能源，例如太阳能、水能、风能、潮汐能等。在节能减排中，生态智慧也给我们很大的启发。据报道，由意大利和我国共同设计的高效节能建筑就是模仿树叶原理，冬暖夏凉，少用甚至不用空调，当阳光充足时候，这种建筑的"树叶"就自动呈现半关闭状态，当阳光不足时，"树叶"便会呈现出完全张开状态，这就节约了能源，减少了资源的浪费。这种把树叶提供的生态智慧应用于现实生活的例子对于低碳经济的发展是具有指导意义的。我们有理由相信，这样的生态智慧很多，只是我们尚未发现罢了。大自然所拥有的智慧，需要我们在发展低碳经济的过程中，不断地通过"实践—认识—再实践—再认识"的过程，以不断地探索和开启自然界的智慧之门。

第 10 章　低碳经济与其他形态的生态文明经济协同发展

10.1　生态文明经济的内涵

当今世界正在经历从工业文明向生态文明转变的过程，相应地，世界经济也出现了从工业文明经济逐渐向生态文明经济转变的基本趋势。当然，这种趋势在发达国家和发展中国家会有所不同。在我们国家，目前也正进行着转变经济发展方式的过程，这实际上就是一个通过产业升级、优化经济结构，促进经济发展从高投入—低产出—高排放—低效益向低投入—高产出—低排放—高效益的方式转变，从资源枯竭、生态危机、环境恶化、人类工业病蔓延向资源节约、生态优良、环境友好、人类安康的方向转变，从劳动力密集型产业向知识密集型产业转变，从工业化技术与工艺体系向生态化技术与工艺体系转变。消费上从基本单一的物质需求向物质、精神、生态丰富的多样需求的转变，促进各种形态的生态文明经济协调发展。

10.2　生态文明经济形态

生态文明经济是生态文明社会的主要经济基础，它是生态文明的不同经济形态的总称，包括了创新经济（也称知识经济）、体验经济、生态经济、绿色经济、循环经济和低碳经济等，并且是这各种经济形态的有机结合、相辅相成、协同发展的经济系统。生态文明经济是发展理念、机制、技术、管理和市场相配套的综合创新，是转变经济发展方式的重要方面，它能够从内生力量推进生态效益、经济效益与社会效益相统一和最优化，从而满足人类的物质需求、精神需求、生态需求以及自然生态系统的自身需求，促进自然—人—社会复合生态系统全面、协调、持续发展的经济体系。它是生态文明社会的主要经济基础，是生态生产力的主要表现形态（廖福霖，2010）。

10.2.1　创新经济

创新经济实际上也是知识经济，是生态文明经济的核心形态，它的基本特征是：创新是经济发展的引擎，知识成为经济发展的主要资源。一方面在经济发展中最大限度地发挥知识资源（主要是人的创造性），最小限度地利用自然资源，由此也就可以把环境污染降低到最小限度；另一方面，通过创造和发展高新技术体系（主要是生态化技术体系），改造和提升传统经济，以实现生态效益、经济效益和社会效益的相统一和最优化。实际上，生态文明建设与创新经济是相辅相成的，在知识经济中，人的创造性是核心，和谐文化是创新的活力所在。心理学与创造学的研究都表明，人类只有在外部环境和谐、内部身心愉快和自由自在的努力探索中，其个体的创造性才可能得到极大的发挥。协调与协同是创新的重要机制，现代生态科学揭示了地球生态母系统的两个重要的机制：一是循环机制（即生物之间、生物与环境之间存在着物质的循环），这个机制的核心是协调；二是进化机制，这个机制的核心是协同，自然生态系统一定是协同演进的，朝着顶级群落进化。正是由于这两个机制，才使得绿色生命系统能够具备丰富的生物多样性，使生态系统具有很强的自组织、抗干扰、自平衡的能力；能够结构合理、联系密切、运行有序、功能强大；能够不断新陈代谢、吐故纳新、生机勃勃、欣欣向荣、长盛不衰。同样，人类只有协调与协同，其整体的创造性才能得到最大的发挥。因为生态文明的本质特征是和谐协调，所以建设生态文明又是发展创新经济的充分和必要条件。创新经济的例子比比皆是，例如厦门路达公司创新了一百多类近万种五彩缤纷的水龙头，每一件都是艺术品，其产品的展出就是艺术的展厅，令人叹为观止，产品热销海内外，其奥秘在于公司创造了十分和谐的、令人赏心悦目的生态文明的文化氛围。意大利中北部的艾米利亚—罗马涅达区原是农业区，分布着作坊式传统服装业，但他们充分发挥了协同力的作用，创造出许多世界品牌，“成功地打破了国际市场上巨型跨国公司的垄断神话”（廖福霖，2010），占领了国际市场，使该区的农业人口大量减少，工业人口大量增加，区内经济一片繁荣，长盛不衰，成为意大利的一大支柱产业。

10.2.2　体验经济

未来学家托夫勒强调，21 世纪，世界经济发展将从产品经济过渡到服务经济，然后上升到体验经济，体验经济将成为 21 世纪经济发展的主流。目前的发达国家已处于产品经济向服务经济的过渡时期，其服务业总值已占 GDP 的 70% 以上，我国尚未进入过渡期，但服务业的比重也有上升趋势。同时，发达国家和我国的沿海发达地区也已出现了体验经济的端倪，特别是健康产业的发展更为引人注目。专家预测，健康产业将成为继互联网经济以后的世界第五波财富浪潮，这在发达国家和发展中国家都已表现得比较明显，健康消费已成为许多国家家庭的第一大消费支出。我国的健康产业、休闲产业、文化创意产业、生态服务及其他现代服务产业等，都将成为我国经济发展的新动力。

服务型经济和体验型经济不但是物质的，而且是精神文化的，更是生态的，是三者有机融合协调作用的经济，是生态文明的高级经济形态，它具有三个基本特征：一是能够满足人们高层次需求，因而是高层次经济；二是能够满足个性化需求，因而是多样性经济；三是有许多多样性的组合就形成规模，因而也是规模经济。如一个产品可以给人们带来高层次多样性的体验价值，上面所说的厦门路达的产品，它不但给人们带来水龙头的使用价值，而且给人们带来很好的审美价值，还有利于激发人们创造性的想象力等。所以在体验经济中，产品的生产过程必须是技术加上艺术、理性加上情感、科学加上灵感、个性加上多样。

体验经济能够满足人们物资需求、文化需求、生态需求的多样化要求，给人们带来审美、愉悦、健康、幸福和全面发展，在需求理论中属于最高层次。以生态的需求为例：近年来，拉美地区被评为全世界最幸福的地区，其中最主要的因素就是他们是最生态的地区。据专家估算，全球生态服务功能的价值是全世界各个国家 GPD 总和的近两倍，能够创造十分可观的经济效益和社会效益。当然，这要靠人们发挥创造性，充分地保护和开发其生态服务功能，并把生态环境的优势转化为经济社会发展的优势。因此可以把体验经济称为人本经济，一方面满足人的个性化包括物质、精神、生态等多样化需求，为实现人的健康和全面发展提供经济基础；另一方面又充分发挥了人的创造性，实现经济发展从主要依靠自然资源到主要依靠人力资源的转变，走资源节约型、环境友好型发展道路，促进人与自然和谐。同时，由于体验经济能够满足人们高层次的文化和生态的需求，所以它能够促进人的心态和谐，从而促进社会和谐。

体验经济是多样性经济和规模经济的有机结合。现代生态科学有一个基本原理，即生物多样性导致生态系统的稳定性。这个原理同样适用于经济领域，多样性经济是经济稳健发展的重要前提。从长远看，一方面人们的需求不断地向个性化、多样化发展，另一方面，因为产品生命的周期性，单一的经济形态会有比较大的风险；当然，体验经济也离不开产品经济，产品经济是基础，产品经济发展到现代，又是一种规模经济。多样性经济与规模经济的有机结合，就必然提升为高级经济。这就形成了产品经济、服务经济和体验经济有机融合的综合经济形态。综合经济对于建设生态文明是十分重要的，能够产生 1 +1 >2 的系统效应。这里的机制也是协同，如何把产品经济、服务经济、体验经济有机的融合起来，协同起作用，是值得研究的。

10.2.3　生态经济

生态经济产生于 20 世纪 60 年代，80 年代初传入中国，而后掀起研究的热潮。生态经济是生态文明的宏观经济形态，它主要研究生态系统和经济系统协调发展的基本问题。“生态经济的理论出发点是研究生态环境对经济发展的制约，追求破除这些制约，让生态环境与经济协调发展”（李周，2008），是生态文明的基础经济形态。

为了实现经济系统与生态系统的协同发展，生态经济首先研究生态系统的基本规律和特征，如生态平衡规律。自然生态系统之所以能够保持生态平衡，其原因就在于生态系统的承载力具有可再生性、可修复性。而生态系统能够具有自组织能力、自调节能力和抗干扰能力，其基本的前提是人为的干扰不超过生态系统自调节能力的阈值（也称生态不可逆阈值），这样，它就会从内在进行自组织、自调节，逐渐趋于生态平衡。根据这个规律，生态资源、生态环境与经济发展之间的关系，呈现出生态经济的“生态库兹涅茨曲线”，如图 10-1。

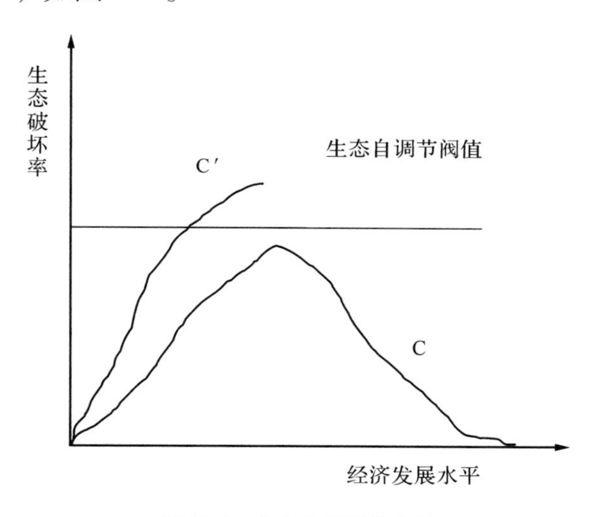

图 10-1　生态库兹涅茨曲线

（参考李周《生态经济理论与实践进展》略作修改）

显然，这一曲线和通常所说的环境库兹涅茨曲线，是有重要区别的：增加了 C′曲线，它超过了生态系统自调节的阈值，所以无法呈现“倒 U”形曲线，这是一个十分重要的概念，它对于经济社会的发展有重要的指导作用。同时，生态经济还研究资源的稀缺性，研究如何从资源的外部不经济变成内部性，运用市场规律来调节经济社会与生态系统的协调发展。

生态系统所具有的协同演进规律，是生态系统能够生生不息、长盛不衰的重要原因，也是生态系统创新能力的重要体现。协同演进规律，表现为和谐与竞争两个方面，和而不同。首先，在生态系统中，生物间是相依相存，相互制约，形成千丝万缕的生态网(生态链)，所以才会有基因、物种与环境(指生物间互为环境)的多样性。例如，某种生物过多，那么它们的食物就会减少，它们的生存环境就会恶化，然后迫使这种物种也减少。反之，如果某种生物过少，那么它们的天敌也会变少，这有利于优化这种物种的生存环境，这种物种就会繁荣起来。所以生物多样性导致生态系统稳定性就是生态学中的重要规律。其次是协同演进规律，充分体现为和谐与竞争的对立统一，竞争是达到和谐的重要方式；竞争中也包含合作、双赢。同时协同演进规律还充分体现了新陈代谢的规律。生态系统由于有了协同演进，它才会朝着顶级群落演进(如森林的协同演进)，使生态系统生生不息，长盛不衰。

运用生态学的基本原理和基本规律来解决生态与经济的协调发展，最终实现生态、经济、社会可持续发展，是生态经济学研究的重要内容。目前"生态经济研究集中在生态产业、生态恢复、生态保护三个领域，并形成了产业生态经济学、恢复生态经济学和保护生态经济学三个分支"(李周，2008)。当然，生态经济学还有其他具体的研究内容，但就其发展进程看，"生态经济的研究重点是人类社会经济系统应该如何运行才能和整个地球系统相协调"(张戈，2009)。主要是集中在比较宏观的方面，且多为学术上的探讨，加上一些学界同仁过分地强调了生态经济中的生态效益，忽视了其经济效益和社会效益方面，也使一些实际工作部门和干部对生态经济产生误解，进而望而生畏或有反感、抵触情绪。同时，由于生态经济学"尚未形成一个开放的学科体系，处于被其他学科挤压的状态"(沈满洪，2006)。但是生态经济作为绿色经济、循环经济、低碳经济的基础，作为生态文明的基础经济形态，它的作用和意义是不容忽视的。

10.2.4 绿色经济

绿色经济是由经济学家皮尔斯于1989年提出来的，很快就得到学界的高度重视，同时也引起实际工作部门的注意，并很快付诸实践。

张春霞在《绿色经济发展研究》中指出："绿色经济是一种以节约自然资源和改善生态环境为重要内容的经济发展模式。它是以经济的可持续发展为出发点，以资源、环境、经济、社会的协调发展为目标，力求兼得经济效益、生态效益和社会效益，实现三个效益统一的经济发展模式。"并在具体研究了绿色生产、绿色消费、绿色营销、绿色市场的基础上，构建了由点、片、线、面相结合的绿色经济网络体系。其中绿色企业与绿色产业是绿色经济的点，生态工业园区是绿色经济的片，绿色产业带是绿色经济的线，生态示范区是绿色经济的面(张春霞，2002)。可见，张春霞研究的绿色经济是把资源节约和环境改善的实现寓于生产过程和生活方式之中的，而不是置于它们之外；是贯穿于经济发展的过程之中，而不是独立于经济发展过程之外的。所以，著名经济学家陈征教授在为该书所写的序言中特别强调了绿色经济的经济性和实践性，指出："它构建了一个融资源节约、环境保护于经济发展之中，把经济的外部性进行内部化的新的理论框架。这个理论不仅具有很强的科学性、前瞻性，而且还具有很强的可操作性。以这样的理论为指导而建立的发展模式，就为实施可持续发展战略提供了微观的基础和实现形式，因而解决了可持续发展的实践性问题。"

同时，绿色经济还侧重于实现生态环境的优势与经济社会发展的优势互相转化，形成良性循环，取得生态效益、经济效益和社会效益的相统一与最优化。它和生态经济在理论思维、实践途径、技术体系和协同机制上都有区别。从当前情况看，绿色经济在国内外比较容易为公众、企业与政府接受并转化为实践，"绿色"规则也已经转化为规范国际经济发展的新秩序(特别是贸易方式)的。绿色经济的重点是"绿色"直接体现于产品之中，把生态环境的优势转化为经济发展的优势，特别是在经济发展和诚信市场发育比较好的国家和地区，绿色产品具有很强的竞争优势。

10.2.5 循环经济

循环经济是典型的方法论经济，可以视为横向经济，可以贯穿在其他各种经济之中。其哲学基础是马克思恩格斯关于自然生态母系统物质循环的思想。恩格斯在《自然辩证法》一书中强调指出，"辩证法的规律是从自然界和人类社会的历史中抽象出来的"，阐述物质运动的重要形式是循环和转化，指出"整个自然界被证明是在永恒的流动和循环中运动着"，这种循环已在科学实验中不断地被证明和完善着，"在这个循环中，物质的任何有限的存在方式，——除永恒变化着、永恒运动着的物质以及这一物质运动和变化所依据的规律外，再没有什么永恒的东西"。恩格斯阐述辩证法的三个规律"量转化为质和质转化为量的规律；对立的相互渗透的规律；否定之否定的规律"都蕴含着物质循环运动的因素。恩格斯警告我们"不要过分陶醉于我们对自然界的胜利"的分析中也透射着物质循环运动的原理等。马克思在《资本论》中专门用了一节来讨论"生产排泄物的利用"，指出"把一切进入生产中去的原料和辅助材料的直接利用提高到最高限度"，这实际上就是现在的循环经济的减量化原则，提高资源的利用率，减少废弃物的排放。

所以本书认为，循环经济是根据马克思主义辩证唯物主义、历史唯物主义和现代生态科学的原理，把生态系统物质循环运动和能量梯级利用的规律，运用到经济社会发展中，一方面在生产环节中实现循环，使上一环节的“流”（在传统经济中被称为废物）变成下一环节的“源”（即原料），延伸产品链和产业链，从而达到节约资源、提高产出、减少排放（直到零排放）的目的；另一方面，对生活领域的“废物”回收、分类，进行再利用、再生产（再循环），达到变废为宝的目的。前者称为动脉产业，后者称为静脉产业（也称还原产业）。循环经济是以提高资源的利用率，减少排放，提高产出作为一个整体的协同运行，这实际上是协同创造价值，以达到节约资源（低投入）、增加产品（高产出）、减少排放（甚至零排放）的要求，实现生态效益、经济效益、社会效益相统一和最优化。党的十七大报告要求“循环经济形成较大规模”，国务院《关于支持福建省加快建设海峡西岸经济区的若干意见》要求“积极发展循环经济，开展国家循环经济试点。建立和完善再生资源回收体系，促进重点行业废弃物再利用和城市生活垃圾资源化利用，提高工业用水循环利用率”。党的十八大把发展绿色、循环、低碳经济作为生态文明建设的基本途径。

在自然生态系统中，绿色植物作为生产者，从土壤、空气等环境中吸收水分、CO_2 和其他养分，经过光合作用生产出许多碳水化合物和蛋白质；动物作为消费者分为两级，一级为食草动物以绿色植物为生，二级为食肉动物以其他动物为食物（但归根结底还是以绿色植物为生）；微生物作为还原者，它们通过分解植物和动物的肢体、粪便等，一方面可以从中吸取营养，另一方面把许多营养素还回到土壤中，这样就形成了一个闭路循环，如图 10-2。

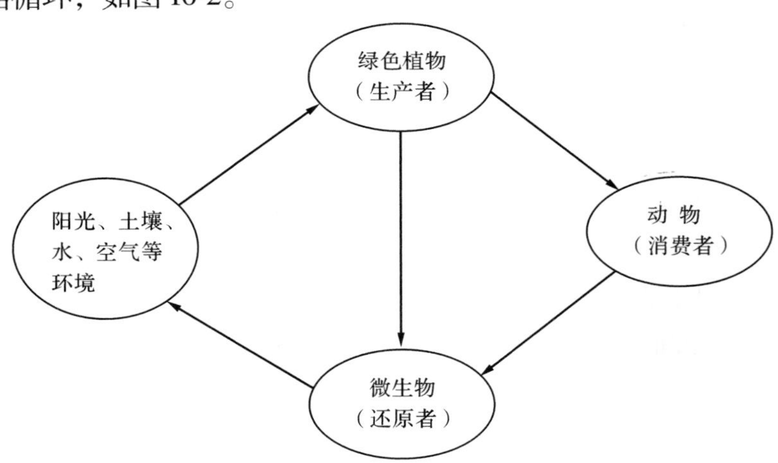

图 10-2　自然生态系统物质循环示意图

（根据林鹏插图绘制）

这个看上去简单的示意图，实际所包含的内容是丰富和复杂的，绿色植物、动物、微生物，每一大类中就有千千万万个分类和个体。而这众多种、类、个体之间既有生存竞争，又是协同演进，形成相互依存、有机联系的生态链(网)，在自然界中，一切事物都有其去向，一切事物都被充分利用，没有垃圾，没有浪费，是真正的生态效益与经济效益相统一和最优化，所以生态学也被称为自然的经济学。

把生态系统的这种原理、规律、模式运用到经济领域中，就形成了循环经济的模式，把生态链(网)移植到循环经济中，就叫做产品链(网)、产业链(网)。在循环经济中，上游产品(或产业)的"流"成为下游产品(或产业)的"源"，环环相连，构成工业生态群落，或农业生态群落，或工农业生态群落，使传统经济发展中的废弃物都能资源化，能量得到充分利用。所以，循环经济中一个十分关键的环节就是尽量延伸产品(产业)链，扩大产品(产业)网，才能达到"低投入—高产出—低排放—高效益"的两低两高的效果。发展循环经济在理论上是成立的，在实践中是可行的，在国内外都已经有许多成功的实践。

循环经济遵循"3R"原则，即减量化、再利用、资源化(再循环)，其中减量化是首要原则，即提高资源利用效率，这是从源头上节约资源，减少排放；资源化原则是指建立和完善再生资源的回收体系，促进重点行业废弃物和城市生活垃圾的资源化；再利用的面很广，其中要特别重视提高工业用水循环利用率。

循环经济有三个层面，即企业层面、产业层面和区域层面。在产业层面，有农业循环经济、工业循环经济、第三产业循环经济以及三者相结合的循环经济。在区域层面，有社区的、经济开发区的以及更大区域的。

10.3 低碳经济与其他生态文明经济形态的联系与区别

从2003年英国在其能源白皮书中最先提出"低碳经济"以来，"低碳"理念在经济、社会、空间的各个层面迅速推广开来，已经贯穿于经济与社会的每个角落，从"低碳经济""低碳产业"到"低碳消费""低碳生活"，再到"低碳城市"。但是值得注意的是，现实生活中出现了把"低碳"变成一个包罗万象的筐。实际上，低碳经济以它特定的内涵、自己的特征和功能，与生态经济、绿色经济、循环经济等生态文明经济的其他形态区别开来。

低碳经济与上述几种生态文明经济形态都是生态文明经济的有机组成部分，他们共同构成了生命力强大的生态文明经济。正如图10-3所示，这些经济形态之间既有密切的联系，有相同的重合的部分，但各自又有自身的特定内涵，并以这种不同而互相区别。

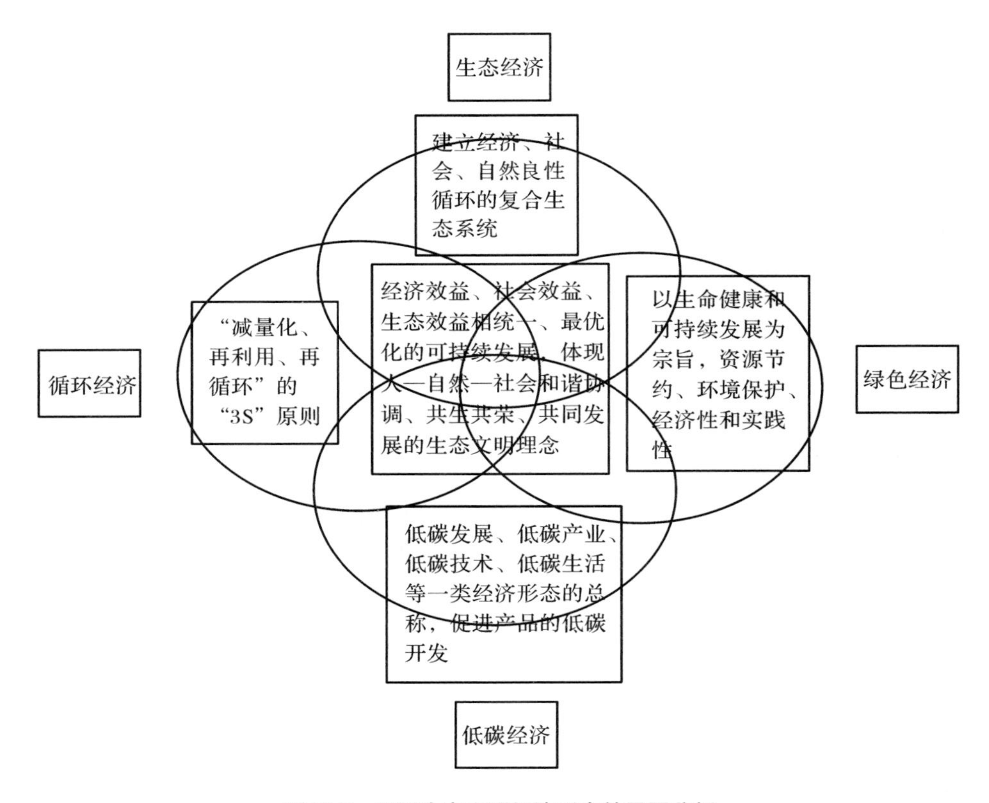

图 10-3 不同生态文明经济形态的异同分析

10.3.1 低碳经济与其他生态文明经济形态的联系

低碳经济与上述其他生态文明经济形态的理论基础都是生态学、生态经济理论、系统理论和可持续发展理论。它们共同立足于对经济、社会和生态系统的有机统一、协调和平衡的追求，以三大系统协调发展为核心。它们共同要求人类在考虑生产和消费时不能把自身置于这个大系统之外，而是作为这个大系统的子系统来对待，人类的经济行为必须符合客观规律，必须考虑自然生态系统的承载能力，尽可能地节约自然资源，不断提高自然资源的利用效率。对物质转化的全过程采取战略性、综合性、预防性措施，降低经济活动对资源环境的过度使用及对人类所造成的负面影响，促进人与自然的和谐发展(苏振锋，2011)。因此，它们都是旨在保护、改善资源环境，追求人类的可持续发展和实现环境友好型社会的经济形式。

10.3.2 低碳经济与其他生态文明经济形态的区别

从低碳经济自身来看，其核心是新能源和清洁能源经济，侧重于新能源和清洁能源的开发和应用，节约能源，减少以二氧化碳为主的"温室气体"的排放；还侧重于增加二氧化碳的碳汇和回收利用，未来可形成有巨大竞争力的国际国内碳汇市场。这里需要指出的是，现实生活中把二氧化碳称为"污染气体"的提法是值得商榷的，因为所有绿色植物的光合作用都需要二氧化碳，同时二氧化碳还是生产饮料等许多产品必不可少的原料，所以把二氧化碳称为"温室气体"是比较妥当的，应当看到，二氧化碳的回收利用可以成为产业。所以，以植树造林为主的林业产业、能源的节能减排、新能源的开发利用以及二氧化碳回收利用技术产业将成为低碳经济的重要内容。可以看出，低碳经济自身的侧重点是非常明确的，与其他经济形态的侧重点显然是有所区别的。

首先，生态经济的研究重点是如何运用生态学的基本原理和基本规律来解决生态系统和经济系统这两大系统之间的协调发展，最终实现生态、经济和社会的可持续发展。绿色经济则是着重将资源节约和环境改善贯穿于生产活动和生活方式中，贯穿在经济发展过程之中，而不是独立于这个过程之外。这两种经济形态虽侧重点有所不同，但都是更多地从宏观角度来谈经济发展模式的转变。低碳经济的发展思想与上述两种经济形态的发展理念一脉相承，但是低碳经济的侧重点更为具体，紧紧围绕"碳"（温室气体）的一"增"一"减"进行，可以预见，低碳经济与生态经济和绿色经济会是殊途同归，它们的发展目都是为了实现三大系统的和谐发展。

其次，关于循环经济和低碳经济。应该说，循环经济是实现低碳经济的重要方法和有效途径，所以它包含了许多低碳经济的因素，但又与低碳经济有重要区别。例如，上面说到，低碳经济侧重于新能源和清洁能源的研究、开发和应用，节约能源，减少以二氧化碳为主的"温室气体"的排放。这和循环经济既有联系又有区别，相比较而言，循环经济不仅仅减少温室气体的排放，更侧重于减少其他污染物的排放，而且循环经济更强调的是在生产、流通、消费全过程的资源节约和充分利用，提倡资源的重复利用，这当然也包括了节能减排的内容，包括了低碳经济的一些领域。

最后，关于低碳经济与创新经济和体验经济。创新经济强调的是知识和人的创造力的应用，而体验经济是兼顾物质、精神文化和生态的经济形式。从表面上看，它们和低碳经济并没有什么交集，它们的侧重点和发展对象是不一样的，但其实不然。事实上，低碳经济的发展需要有创新，因此与创新经济和体验经济是互相交错和融合的。创新经济所推崇的知识和人的创造力是低碳经济发展的条件之一，没有知识和创造力，就没有低碳技术的发展。如果没有低碳技术的发展，低碳经济就失去了其发展的引擎。再如，在体验经济中，良好的生态环境是可以满足人们的精神需求和生态需求的，各地如火如荼发展的休闲农业、森林旅游等其实就是体验经济的重要组成部分。这些体验经济的具体模式则是通过发展生态农业等方式而减少了温室气体的排放，同时通过发展生态旅游等方式保护了绿色植被，它因此增加了温室气体的吸收，其实也是一种低碳经济。

10.4 低碳经济与其他形态的生态文明经济协同发展

从上述可以看到，低碳经济与生态经济、循环经济、绿色经济等虽然是不同形态的生态文明经济，它们之间是有区别的，但另一方面，它们也有共同的地方。各个生态文明经济形态都是以生态学、生态经济理论、系统理论和可持续发展理论为理论基础的，它们都把人与自然的关系纳入经济研究的视野之内，共同要求人类要善待自然，人类的经济行为必须符合客观规律，必须考虑自然生态系统的承载能力，尽可能地节约自然资源，不断提高自然资源的利用效率，降低经济活动对资源环境的过度使用及对人类所造成的负面影响，促进人与自然的和谐发展(苏振锋，2011)。因此，它们追求的是经济、社会和生态系统的有机统一，是三大系统协调发展。因此这不同形式的生态文明经济之间是互相依存、相互补充的，我们可以也必须在生态文明理论和科学发展观的指导下，促进不同形态的生态文明经济协同发展，以形成整体优势，共同提升和改造传统经济，实现经济发展模式的转变。

从趋势上看，生态文明的各个经济形态，是新生事物，必然要取代旧事物。但在目前，它们都处于刚刚开始发展的初级阶段，它们的发展和成熟都不可能一蹴而就，是渐进的过程，需要较长的时间。比如低碳经济中的新能源，就不可能在短期内完全取代化石能源，虽然交通运输排放的二氧化碳几乎占了排放总量的三分之一，但交通运输工具所使用的能源，除了生物燃料乙醇和生物柴油是液体，可以取代石油之外，其他的风能、太阳能、地热能、潮汐能等，都还无法制成液体以取代石油。可再生能源在交通运输业中的广泛应用，还需要改变全球所有的交通运输工具及其生产线，这是一个十分庞大而又复杂的系统工程。又如，循环经济和绿色经济的发展，除了许多技术问题和成本问题外，还有诚信市场的构建问题。体验经济和创新经济的发展，更是一个长期过程。必须看到，传统经济仍然是一个十分庞大的经济体系，在经济社会的各个领域仍然起着不可替代的作用，传统经济体系是生态文明经济的起点和基础。所以生态文明必须继承传统经济中发达的水平维和强大的力量维，摒弃传统经济发展中对自然资源、生态环境、人类健康和人的全面发展产生的负效益、负价值，把传统经济改造提升成为符合生态文明要求的新型经济。这是相当一个时期内生态文明建设的最大量最繁重的任务(廖福霖，2010)。

第4篇

发展低碳经济，提高生态文明水平

第 11 章　发展低碳经济，提高生态文明水平

生态文明的本质特征是和谐协同，生态文明建设的核心是发展生态生产力，转变生产方式和生活方式，全面提高经济社会生态效益。低碳经济作为生态文明经济的重要组成，是生态生产力的主要模式，它可以提高经济竞争力、社会和谐度、资源环境可持续发展能力和文化竞争力，是提高生态文明建设水平的重要举措和有效途径。

从竞争力的相关研究中不难看出，人们对于竞争力的评价指标体系虽然不尽相同，但都是从经济、社会和生态三个方面分解出诸多的指标。由此可以说，综合竞争力实际上是综合反映一个国家的经济、社会、生态三个子系统的竞争能力，是对三个子系统综合实力、发展质量和发展潜力的整体评价，是生态文明建设中经济、社会、生态"三大效益"相统一和最优化的主要体现。我国已经进入了发展的关键期，各个地区在制定新一轮的发展战略时，都不约而同地开始追求综合竞争力的提高。如苏州就提出要发展创新型经济来提升综合竞争力(蒋宏坤，2011)，福建则提出在后 ECFA 时代(ECFA 是指《海峡两岸经济合作框架协议》)要提升闽台经济综合竞争力等(李建平，2011)。

11.1　发展低碳经济，提升经济竞争力

11.1.1　实现能源安全战略

我国生态文明建设的首要任务是保障粮食安全、生态安全、能源安全和食品安全。而发展低碳经济是实现能源安全的必然选择。我国的基本国情决定了实施能源安全战略是非常重要和急迫的。

其一，我国的能源资源十分短缺。中国的国土面积不小，但资源匮乏，尤其是能源，我国的石油储量仅占世界的 2%，人均剩余可采储量仅为世界平均水平的 7.7%；天然气的能源量为 380000 亿 m^3，人均剩余可采储量仅为世界平均水平的 7.1%；即使是较为丰富的煤炭也只有 10024.9 亿 t 的储量(其中可开采的为 893 亿 t)，仅为世界平均水平的 58.6%；三大矿石能源的人均占有率不及世界平均水平的三分之一。按照目

前所探明的储量和开采能力测算，我国的煤炭、石油和天然气的可采年限分别只有83年、15年和30年。此外，如果按照现有的经济增长速度，那么三大矿石能源很可能在2020年便趋于枯竭(廖福霖，2007；廖福霖，陈如凯，2007)。

其二，我国是能源消费大国。快速发展的工业化、城镇化对能源的需求将导致能源消费的持续增加，到2020年，一次能源需求预测会达到30亿t标准煤，石油缺口则会达到2.5亿t(李克强，2009)。能源的短缺造成我国对国外资源的依赖程度加深。目前，石油、铁矿石的对外依存度均已超过50%，铜超过60%，因此很容易受到国际原材料市场波动的影响(李克强，2009)。这种能源短缺的现实决定了我国发展低碳经济的必要，也成为推动低碳经济发展的重要动力。

其三，我国的能源利用效率较低。与国际先进水平相比，我国能源的利用效率、产出率以及能源的综合利用水平都比较低。高强度的能源使用不仅降低了企业的潜在竞争力，更影响了区域、国家的可持续竞争力。中国GDP总量占世界的比重不高，但重要能源资源的消耗却占了比较高的比重。大力发展低碳经济，提高资源的利用效率，以增强国际竞争力，已经成为我们面临的一项重要而紧迫的任务(齐洪钢，2010)。而发展低碳经济将有助于实现能源安全战略。一方面，从目前的情况来看，化石能源在未来的数十年内仍然是世界能源的主要组成部分，发展高效节能技术和洁净煤技术就显得十分重要，这有助于缓解资源的紧缺状况，而且节约能源和提高能源效率都有利于降低能源需求量从而减少温室气体的排放；另一方面，更为重要的战略是，要发展能够替代化石能源的新能源，如果说前者是“治标”，那么发展新能源便是“治本”了。相对于石油、煤炭等传统能源，新能源如太阳能、风能、水能、潮汐能、生物质能等普遍具有污染少、储量大的特点。着重发展新能源及其产业群有利于缓解当今世界能源枯竭危机和生态环境污染问题，并成为未来的主要能源，这也正是世界各个国家的实践所追求的。

11.1.2　创造新的经济增长点

能源安全和生态环境问题已经越来越成为一个国家经济发展的关键。传统能源已经无法满足经济发展的需要，低碳经济发展中的重点之一——新能源及其产业群的发展将能源、绿色和发展结合起来，提供了一个新的投资点。中国之前的发展过程中，在很多领域失去了先机，失去了宝贵机会，现在的低碳经济不失为是另一个良机。低碳经济是一种以减少温室气体排放为前提来谋求最大产出的经济发展模式，通过低能耗、低污染、低排放的技术投放，扩大市场规模，实现人与自然和谐相处的新发展，是对传统的“高碳”模式的一种替代。今天，世界各国特别是发达国家如美国、欧盟和日本正在抢占低碳经济发展先机，我国如果也能抓住这一轮的经济发展趋势，以新兴产业群取代旧产业群，形成大体量经济、形成新的增长点，扩大内需与外需相结合，必将为我国经济提供新的发展机遇。面对世界各国的竞争，中国不能落后跟从，而应该调整和优化能源结构，提高低碳能源比重作为中国的能源发展战略。若能在发展中紧跟前沿，不是闭门造车，努力朝着能源技术最前沿的方向前行，掌握新能源的核心技术，并进入大规模商业化运用，那么低碳经济就将成为我国发展的核心竞争力。目前各国都处于低碳经济的初步发展阶段，各国之间的差距不大，中国完全有可能通过低碳经济实现后发优势和跨越式发展，在新一轮的世界经济发展中抢占制高点。

在可以预见的未来，新能源的经济效益将会十分显著。麦肯锡的研究表明，一项旨在利用提高能源效率的成本效益机会的计划，有可能使全球能源需求的增长减少一半，并能削减温室气体的排放，产生极具吸引力的投资回报。据《新能源财经》估计，智能电网需要的投资额为8.6万亿美元(包括修复和替换现有的传输和分配网络所需的6.8万亿美元)。在新能源汽车方面，全球将掀起投资高潮。麦肯锡还估计，假设中国在2016~2030年间全面推广电动汽车，新增的投资将高达平均每年700亿欧元以上(麦肯锡，2009)。国际能源署在《世界能源展望2008》中估计，如果我们要将温室气体浓度限制在450微升/升二氧化碳当量，那么从现在起直到2030年，每年约需要将5500亿美元的资金投资于可再生能源和能源效率技术(郭万达，郑宇劼，2009)。能源基础设施方面的投资在2007~2030年期间需要超过26万亿美元(国际能源署，2008)。未来30~40年，全球每年在低碳经济上的投资至少在5000亿美元以上(世界经济论坛，2009)。这些投资将用于提高能源效率，发展智能电网、CCS技术以及新能源汽车。麦肯锡全球研究院在报告中估计，目前有1700亿美元的能源效率投资机会，其内部收益率(IRR)将达到17%或更高(麦肯锡，2008)。低碳经济涵盖电力、交通、建筑、化工等传统部门，本质上又涉及新能源及煤的清洁高效使用、可再生能源、油气资源的勘探开发等领域，涵盖了生产消费等诸多层面的投资，在一定程度上将带动后危机时代世界经济新一轮的增长(施恬，2011)。

可以说，低碳经济是一种可行的有效缓解目前经济发展困境的经济发展模式，而且有助于培养新的经济增长点以促进经济持续发展。低碳经济涉及和催生的产业领域十分广泛，除了现今更加蓬勃发展的可再生能源产业外，化石燃料的低碳化如清洁煤和煤气复合发电、液化燃料等；能源的效率化与低碳化消费领域如智能电网、燃料电池、节能汽车、节能家电、节能住宅和绿色物流；低碳型服务领域如碳排放权交易服务、绿色金融等(全国人大常委会，2009)。

从更大的范围来看，发展低碳经济能够提高中国国际竞争与合作的参与度，是提高国际竞争力的最重要途径之一。金融危机不仅带来了全球经济结构的调整，也催生了新的技术和经济革命，各国都在寻找新的经济增长点。美国、英国、日本等发达国家纷纷将低碳经济作为抢占未来国际市场的制高点和战略目标，制定了一系列政策以促进本国低碳经济的发展。例如，英国几年前就出台了一系列有关低碳经济的政策。日本也提出了低碳社会的概念，倡导在低碳排放的情况下建立一个富裕可持续发展的社会，并实施了一系列的相关措施。从整个世界经济发展的现状和发展趋势看，通过核心的低碳技术研发与应用，着力发展低碳经济，实现经济发展模式的调整和产业结构的转型，很可能成为未来抢占世界经济制高点的一个战略重点。当前和今后一个时期，我们一定要抓住当今世界开始重视低碳经济发展的机遇，努力在世界新一轮的经济发展中占领一席之地。

11.1.3　促进产业结构的升级和经济结构的优化

中国经济发展方式的转变需要进行产业的升级和经济结构的优化。调整经济结构是顺应世界经济技术的发展趋势，增强经济抗风险能力的必然要求。金融危机之后，世界各国都更加注重产业升级和经济结构的优化。美国奥巴马总统上台伊始就非常重视新能源等领域，提出利用信息技术提升传统产业并发展面向21世纪的战略性新兴产业的国家发展战略，日本、欧盟等发达国家也开始进行部署，提出了“再工业化”“低碳经济”等发展理念，抢占经济和科技发展的制高点。

从中国的出口情况来看，传统的劳动力密集型产业所带来的大多是低附加值的产品出口，而且是高耗能和高排放的产品占据了较大的比例，因此，我国的产业在全球产业分工体系中更多的是处于低端环节。面对金融危机后世界各国都出现的产业进步，中国的产业发展面临更大的压力，传统产业的比较优势开始减弱，加之美国等国家出台的多项针对我国产品的贸易限制政策，扩大出口的困难增加。

从国内的情况来看，中国自身的传统产业发展日益受到资源和环境的制约，由于能源、原材料和劳动力等成本不断上升，占出口主体地位的初级产品竞争力大大减弱，而且资源和环境已经无法继续承载高耗能和高污染的传统产业所带来的落后产能，国民的低碳消费和绿色消费理念也对产品的节能环保提出了更高的要求，市场需求很大。在这样的背景下，中国需要进行产业的升级。以农业为例，农业可以突破传统的单纯发展粮食产业，而转变为发展粮食产业和发展农业生物质能源并重。人们一般都认为粮食就是小麦、水稻、玉米等谷物，其实它们的生物量只是占据了作物地上部分生物量的40%～50%，其余的生物量则常常被认为是废弃物。这些“废弃物”往往可以成为发展生物质能源的重要来源。以秸秆为例，每年麦收过后，为了节约成本，农民往往就在田头、路边进行就地焚烧，这不仅造成了生物量的浪费，也污染了环境。事实上，秸秆同样也是光合作用的产物，也含有能量和营养物质，也可以通过相应技术进行处理，转化为能源。现今，一些地区已经出现了生产乙醇、或制木炭、或造纸等各种处理秸秆的新方式，农民开始了低碳生活和生产。在山东省宁阳县，已经出现了"秸秆煤"生产企业。利用废弃秸秆和木屑等作为原料加工而成的"秸秆煤"是一种无烟、无味、无毒的环保清洁型新型燃料，一年可以利用废弃秸秆近10万t(邢兆远，张培国，2009)，在提供能源的同时也减少了秸秆焚烧所造成的污染。更重要的是，在耕地上发展生物质能有助于优化农业产业结构，稳定和增加农民收入，促进新农村建设的进程。

促进产业升级、调整经济结构已经成为经济发展中迫切需要解决的难题，在面对"保增长"和"调结构"这一两难局面时，我国政府明确提出了要转发经济发展方式，2010年10月，国家出台的《国务院关于加快培育和发展战略性新兴产业的决定》以及此后《中共中央关于制定国民经济和社会发展第十二个五年规划的建议》中发出明确的信号，要鼓励和支持战略性新兴产业发展。从低碳的角度出发，除了现今更加蓬勃发展的可再生能源产业外，化石燃料的低碳化如清洁煤和煤气复合发电、煤气液化燃料等；能源的效率化与低碳化消费领域如智能电网、燃料电池、节能汽车、节能家电、节能住宅和绿色物流；低碳型服务领域如碳排放权交易服务、绿色金融等，都是具有巨大发展前景的新兴产业。

中国应该顺应经济发展的这种大势，大力发展低碳经济，同其他国家一起抢占世界经济运行秩序和国际贸易等制高点。在这个方面我们其实是有惨痛的教训的。火电的脱硫设备就是一个鲜活的例子，开始的时候，当我们还在为是否要发展这项技术而争论不休时，其他国家抢了先机，占领了这个技术与设备的制高点，抓住了商机，从市场中获取了可观的利润，后来该技术还成为了国际规则。由于我们的犹豫而遭受了巨大的经济损失，这样的教训不一而足。当然也有些企业及时抓住了机遇，如三明钢铁公司，研发了具有知识产权的脱硫技术，实现了脱硫生产，他们的产品顺利地进入国际市场。厦门通仕达公司研发了汞回收的技术，并应用于生产中，他们的产品就能够进入欧盟市场，获得了生态效益和经济效益的双丰收。这些公司能够着眼于长远，从大局出发，努力推动了生态文明经济的发展。

总之，在金融危机所催生的以新能源为代表的第四次产业革命即将到来的今天，我国应该吸取前三次产业革命中错失良机的惨痛教训，积极主动地进行经济结构的调整和优化，促进产业升级，进而实现科学发展，采取新的经济形式，将会产生一系列新兴的战略性产业群，形成新兴经济体系(廖福霖，2010)。低碳经济的发展会经由能源安全战略、创造新的经济增长点、产业结构升级和低碳技术的发展来提高我国的经济竞争力。

11.1.4 促进技术进步

低碳经济的发展对于新技术的研发和运用会产生积极影响，而科技是第一生产力，技术是经济增长的基本生产要素。从生产函数来看，资本、有效劳动投入量和技术等因素具有正向激励作用。人类发展的历史，是技术不断发展进步的历史，技术的飞跃，给人类社会带来了迅速的改变与发展，从根本上影响着人类经济社会的发展。低碳经济所要求的低碳技术将使社会发展模式发生改变，即从传统的高消耗性模式到低碳经济范式的根本性转变。

低碳经济将引发的是一次新的技术革命。低碳经济的技术是一个体系，包括可再生能源技术、碳捕获和封存技术、智能电网技术、节能技术(能源效率)、环保技术、储能技术、建筑新材料技术、新能源汽车技术等。不管是降低消费、节约能源和排放还是开发利用可再生能源、优化能源结构，低碳经济发展过程中的技术进步都会成为新兴的经济增长引擎，相应的，低碳技术的研发、应用和普及有助于实现经济发展模式向“低碳”的转变。

因此，低碳经济会经由技术进步来提升我国的经济竞争力。首先，新的技术发明、创造广泛应用于生产和生活各个领域，在一定程度上可以实现减排和经济发展的双重目标。例如，新能源技术和产品已经成为发达国家出口贸易最重要的组成部分。2007 年欧盟制造商向全世界提供了约 70% 的大型风力涡轮机，在全球已经安装使用的风能发电设备中，欧盟国家的产品占 50% 以上，成为向世界出口风力发电设备与技术最多的地区(郭万达，郑宇劼，2009)。其次，技术的研发、应用和推广都需要投入，新的投入带来了经济的增长点。低碳新技术从出现到发展成熟，到运用于生产实践，需要相关部门进行一定时间和一定规模的研发投资，这种投资就通过乘数效应推动了经济发展。需要特别指出的是，由于低碳技术的研发投资具有正外部性，即私人部门的此项投资往往收益低于成本，而给社会带来的效益又大于私人部门的成本。因此，为了充分发挥其正外部性，需要政府的支持。

11.2 发展低碳经济，增强社会和谐度

生态文明的本质特征是和谐协同，即人与自然的生态和谐、人与社会的社会和

谐、人与自身的心态和谐。生态文明建设的基本要求是经济的发展要同社会、资源、生态环境的发展相协调，实现社会、经济的发展与人的全面发展的辩证统一，建设资源节约型、环境友好型国家，走生产发展、生活富裕、生态良好的文明发展道路（阿玛蒂亚·森，2000）。低碳经济所倡导的低能耗、低排放、低污染的模式正是科学发展观所要求的经济。

11.2.1 社会主义和谐社会建设实践要求发展低碳经济

和谐社会的发展理念由来已久。生产发展、生活富裕、生态良好，是和谐社会的基本特征之一。这里的和谐既包括人与人的和谐，也包括人与自然之间的和谐，二者之间存在着密切的内在关系，是一种辩证统一的关系。构建社会主义和谐社会，必须真正实现人与自然的和谐，人与自然和谐相处的关键在人。而人的全面发展首先取决于人与自身的和谐关系，人与自身的和谐就是克己爱物，将欲望限制在有限的范围内，珍惜自然界给予我们的宝贵资源。同时人的全面发展还取决于人与人的和谐关系，人与人的和谐是人与自身和谐的外化，只有在一个良好的外部环境中才能实现；而人的全面发展最终取决于人与自然的关系。整个自然界是一个巨大的生态系统，人类社会是其中的子系统。人与自然的关系，实际上就是小系统与大系统间的关系。人与自然的关系必然决定性地影响着人与自身、人与人、人与社会所组成的人类社会这个子系统。在人与自然关系紧张导致的环境问题中，全球气候的极端变化诸如冰川融化和海平面升高，使海岛被淹没，自然灾害频发等已经越发对人类的生活产生了巨大的影响，引发了众多的关注。

社会主义和谐社会的构建离不开人和自然的和谐关系。正如胡锦涛同志所指出："大量事实表明，人与自然的关系，往往会影响人与人的关系、人与社会的关系。如果生态环境受到严重破坏、人们的生活环境恶化，如果资源能源供应紧张、经济发展与资源能源矛盾尖锐，人与人的和谐、人与社会的和谐是难以实现的。"中国共产党提出建设社会主义和谐社会，就是基于对人与自然、人与社会关系的清醒认识。任何和谐社会都是一个拥有巨大凝聚力的社会，人有自觉的环保意识的社会，人与自然和谐相处的社会，是有可持续发展能力的社会。因此，从碳排放的角度出发，发展低碳经济、倡导低碳生活就称为社会主义和谐社会建设实践的具体要求。

11.2.2 低碳经济契合了和谐社会的发展理念

低碳经济是以低能耗、低污染、低排放为基础的经济模式，是人类社会继农业文明、工业文明之后的又一次重大进步。经济发展的最终目的是为了提高人民健康水平和生活质量，让人们的生活更好。高耗能的生产方式不仅浪费了资源，也对环境造成了相当大的破坏。社会主义和谐社会的构建需要经济与生态的双赢，尽可能少地从生态系统中提取，也尽可能少地向生态系统排放剩余物，这就是我国所提出的建设资源节约型和环境友好型社会，党的十七大报告首次提出了"建设生态文明，基本形成节约能源资源和保护生态环境的产业结构、增长方式、消费模式"的理念。由此可知，发展低碳经济，选择新的发展模式，可以在发展的过程中同时兼顾到资源和环境。例如，在发展低碳经济过程中，如果将节能减排的工作做好，那么首先意味着大气质量好转，老百姓能直接受惠。从这个意义上说，为了能使人民在环境和资源的生态阈值范围内更好地生活，那么强调节能减排，提倡低碳生活和低碳消费等方式的低碳经济就是重要的民生问题。

因此，社会和谐的理念贯穿于低碳经济发展过程，也是低碳经济发展的重要目标。为了更好地促进社会和谐，我们提倡经济的低碳发展，包括在调整发展结构时，在经济领域要从产业结构、能源结构调整入手，转变高碳经济发展模式；在产业链的各个环节上，产品设计、生产、消费的全过程中寻求节能途径，推广节能技术；大力开发可再生能源，大力发展低碳产业、低碳技术、低碳农业、低碳工业、低碳建筑、低碳交通等，把低碳经济的理念传播到社会的各个领域，从而形成良好的发展低碳经济的势头(张宏，2010)。我们也倡导低碳生活，低碳生活对于普通人来说是一种生活态度，同时也是人们推进潮流的新方式。我们倡导并实践低碳生活，在不降低生活质量的情况下，引导居民享受低能耗、低消耗、低开支的生活。把社区建设成为安居休闲的乐土，文明和谐的家园。

11.2.3 发展低碳经济有利于构建资源节约型社会

中国经济的高速发展带来的是能源消耗的快速增加，随着经济的快速发展，中国已经成为世界的资源消费大国。但是，中国目前的资源高消耗性经济发展模式导致中国发展的步履维艰。从量上看，越来越大的经济规模和不断进行中的工业化和城市化对资源的需求越来越多，国内的自然资源供给已经无法满足这样的寻求。据测算，按照现有探明储量和消耗速度，中国目前已探明的45种主要矿产中，到2020年可以满足需要的只有6种。其中，供需矛盾最突出的当属石油和铁矿石。根据惯例当一国资源的对外依存度达到20%～30%的水平时，就存在较高的风险。由于能源供需矛盾，为了满足发展的需要，我们不得不大量进口资源、能源，使我国的经济严重受制于国际市场，很容易受到国外能源、原材料价格的冲击，因此近年来国际上就出现了"中国买什么，什么价格就飙涨"的现象。铁矿石就是一个突出的例子，这给中国的经济带来很大的负面影响(郝冀，马疆华，2010)。另外，中国能源利用技术水平还较为落后，导致能源利用效率较低，单位产品能耗仍然较高。而且中国的能源结构中煤炭占据了大部分份额。目前中国85%的二氧化碳、90%的二氧化硫和73%的烟尘是由燃煤排放的，大气污染中仅二氧化碳造成的经济损失就占GDP的2.2%(中国能源报告，2008)。发展低碳经济有助于改变这种情况。

发展低碳经济是以人为本、实现可持续发展的本质要求。传统的高消耗的增长方式，向大自然过度索取，导致生态退化、自然灾害增多、环境污染严重、气候变化异常，给人类的健康带来了极大的损害。低碳经济是一种以低碳生产的模式替代线性增长的模式，这种模式的可持续性强，其目标是使得整个经济系统以及生产和消费的过程尽量少地消耗资源，尽量少地产生废弃物，力求做到生产和消费污染排放最小化、废物资源化和环境无害化，从而以最小的成本获取最大的经济效益、社会效益和环境效益，实现经济、社会、环境之间的平衡(齐洪钢，2010)。

因此，发展低碳经济对当前的节能减排、转变经济发展方式、加快产业结构调整而言是一个很好的抓手，也为产业结构调整、转变经济发展方式提供了新的市场动力。从目前的情况来看，许多地方已经通过清洁能源发展机制的推广，坚持能源开发与市场并举、节约能源与排污共抓，依靠节能减排技术，加强重点治污企业的整顿工作，关闭淘汰落后产能，大力扶持新能源产业发展。从整体上看，我国“十一五”期间的节能工作取得了较大的成效。根据中国经济网报道，通过实施十大节能重点工程形成节能能力3.4亿t标准煤；2010年与2005年相比，火电供电煤耗由370g标准煤/(kW·h)降到333g标准煤/(kW·h)，下降了10%。我国非化石能源发电在各地发展迅速，根据辽宁科技信息网的报道，2011年山东即墨投资兴建了500余亩的“太阳能大棚”；2012年12月22日，国内首个家用分布式光伏系统在山东青岛完成并网；截至2009年10月底，内蒙古呼和浩特市已投产的风机制造项目年产150套大型风力发电机、叶片项目。各地的这些举措，都有利于促进经济发展方式的转变和低碳经济的发展，成为构建资源节约型社会中最重要的一环。据统计，90%以上的省市已经调低了2010年GDP增长目标，不再片面追求高增长，而是更加注重经济结构的调整。到2030年，中国的CO_2排放总量将可能出现“拐点”，每万元GDP的碳排放将下降到1t以下，人均的碳排放不超过3t，基本实现低碳经济的战略目标。

11.2.4 低碳经济的发展有助于构建环境友好型社会

在传统经济模式中，在产品的生命周期中，无论是生产阶段，还是消费阶段，都投入了大量的资源，也排放了大量的废弃物，对环境造成了巨大的压力，挤占了有限的环境容量，考验着自然环境的承载力。随着社会经济的发展，生产日益发展，人们生活水平的不断提高，消费量激增，都增加了污染物的排放，超过了环境的自净能力。在这种模式中，环境在整个的物质循环过程中承担极其艰巨的任务。

首先，在生产阶段，随着经济与社会的发展，人们对物质的需求增加，生产因此需要扩大，就需要增加各种生产要素的投入，大量消耗了能源、原材料、水、大气等，不可避免地会产生污染物和废弃物。据《第一次全国污染源普查公报》公布的数据，2007年各类废水排放总量2092.81亿t，废气排放总量637203.69亿立方米。主要污染物排放总量分别为：化学需氧量3028.96万t，氨氮172.91万t，石油类78.21万t，重金属(镉、铬、砷、汞、铅，下同)0.09万t，总磷42.32万t，总氮472.89万t，二氧化硫2320.00万t，烟尘1166.64万t，氮氧化物1797.70万t。

其次，在消费阶段，随着人们生活水平的提高，各种家电和汽车等商品的快速普及，产品更新淘汰速度加快，同时对部分产品的循环利用次数急剧减少，特别是对包装物等产品附属物过度使用，造成产品消费过程中的环境污染和废弃物大量增加。据《第一次全国污染源普查公报》数据表明，中国废弃物处理压力不断增大，处理废弃物的社会成本不断加大，由废弃物所引发的环境问题越来越严重。2007年，工业固体废物产生量38.52亿t，倾倒丢弃量4914.87万t。对于中国而言，人口众多，资源相对贫乏，生态环境脆弱，环境承载力和环境容量都承受不起这样长期的高强度的污染。传统单向的社会经济模式所产生的负面效应越来越明显，造成了较为严重的生态失衡、环境污染，危及国民生活质量和身体健康(郝冀，马疆华，2010)。

综上所述，大力发展低碳经济，对于加快建设资源节约型、环境友好型社会具有重要意义。具体来说，低碳经济通过倡导技术创新、制度创新、产业转型、新能源开发等多种方式和方法，以减少煤炭、石油等高碳能源消耗，减少温室气体排放，达到经济社会发展与生态环境保护的“双赢”。大力发展低碳经济，推行清洁生产，可将经济社会活动对自然资源的需求和生态环境的影响降低到最低程度，从根本上解决经济发展与环境保护之间的矛盾。低碳经济的发展模式，是落实科学发展观，建立节约型社会的综合创新与实践。

11.3　发展低碳文化，充实生态文化内涵

11.3.1　低碳经济与低碳文化相辅相成

所谓低碳文化并不是一种改进式的文化，是对传统工业文化的根本性发展，具有

质变的性质，因为低碳文化并不是在工业文明范式下占主导的文化模式上加上低碳的因素，而是一种建立在对工业文化所推崇的价值观念、利益立场和应对环境、解决生存问题的方法和手段进行彻底反思的基础上，扬弃并吸收一切人类文化中的合理成分，解决能源安全、应对气候变化的新型经济，实现人类可持续发展和人与自然环境共存、共融、和谐的新文化(袁江洋，2007)。低碳经济作为一种经济发展模式，会透过低碳的行为反映出人类的精神和思想。低碳经济的特征是以减少温室气体排放为目标，构筑低能耗、低污染为基础的经济发展体系，包括低碳能源系统、低碳技术和低碳产业体系。

低碳文化的形成和发展会对低碳经济的发展产生重要的正面影响。文化对人类的影响具有长期性和潜移默化性。作为科学的文化，低碳文化在改善人的生存境遇方面提供了切实可行的方法和手段，包括通过“降碳”的高新技术和低碳能源或可再生能源的研发及其产业化，可以形成新的能源获取渠道，从而使人的生活有了更为可行的能源来源渠道，实现了低碳繁荣的目标；通过碳捕获、碳封存、碳基金、碳交易、碳中和、碳足迹、增加碳汇等方法为温室气体的最大减排提供技术和制度基础，使人类减缓并适应气候的变化，降低由洪水、热浪、暴风雪、干旱等次生自然灾害引起的死亡率，并为降低营养不良的人数，降低疟疾、痢疾、腹泻等病的患病率提供帮助，使人的发展有一个良好的自然环境和公共卫生环境。另外，通过公正、合理的碳预算，不但可以确保当代人和下代人的碳排放权，也可以确保当代的不同地区和国家的人们的碳排放权，为人类的可持续发展提供足够的排放空间和保障(封泉明，2010)。

11.3.2 低碳经济与传统文化

低碳文化与低碳生活模式的建构与中国的传统文化较为切合。中国文化中历来就追求“天人合一”，讲求人类和自然之间的和谐统一，强调尊重自然、遵循自然的思想，才能实现和谐发展，使生活更加美好。反之，如果不遵循自然规律，违背自然规律，对资源环境过度掠夺、浪费资源、污染环境，那么就会遭到大自然的惩罚。可见，古人对于这方面的认识不可谓不深刻。

中华民族是一个崇尚节俭与和谐的民族。中国的传统文化中非常注重“节俭”，老子说：“吾有三宝：一曰慈，二曰俭，三曰不敢为天下先。”其中“节俭”即是老子的“三宝”之一。唐朝著名诗人李商隐“历览前贤国与家，成由勤俭败由奢”的诗句流传千古，影响深远。节俭文化的传承和发扬会对经济的发展乃至全体社会的发展发挥重大作用。

低碳经济所倡导的低碳生活与节俭有异曲同工之处。从某种意义上说，所谓低碳生活及其方式就是一种节能减排的生活方式，是一种在日常生活中节约、节省能源消耗的生活方式。有学者指出，面对低碳经济，应“厉行节约，鼓励消费的同时反对浪费”（刘世锦，2010）。因此可以说，“低碳文化”与节约文化是相通的。例如，低碳消费就是一种文化，一种需要进一步弘扬的文化。日常生活中各种低碳行为，如以步代车，遏制不良的、过度的消费欲望等，在许多层面反映的是生活的低支出，会造就低成本、低开支的生活模式，是主动减少各种碳排放的生活方式，而在本质上会节约生活成本，形成良好的生活习惯。这种生活模式实际上是一种高层次的节约与节俭，对于有着勤俭持家优良传统的中华民族而言，低碳经济与勤俭节约精神是一致的（王博，2010）。

11.3.3　构建企业低碳文化

节能减排是我国当前发展低碳经济的重要组成部分，节能减排的实现，除了市场以及政府的引导、舆论的宣传、法律的规制等多方面的共同作用外，企业的有所作为至关重要。企业除了应当承担经济的责任以外，还要承担社会责任和环境责任。企业一旦建立起低碳社会发展责任，低碳发展将会成为其自觉的行动，并且同整个企业文化，和每一个经济活动都联系在一起。

11.3.3.1　低碳经济促进企业可持续发展

低碳经济要求企业首先要改变传统高投入—高产出的理念，树立绿色生产、绿色能源、绿色产品的新理念，淘汰高能耗、高污染的落后产能，推进节能减排的技术创新，培育低碳的企业文化。低碳经济通过培养企业环保意识，完善企业环境管理制度，注重企业绿色形象的塑造，打造良好的企业公众品牌经济，来增强企业的凝聚力，提高企业的竞争力，形成良性循环的生态商业圈，获取并保持企业的竞争优势，促进企业的可持续发展。

11.3.3.2　低碳经济塑造企业的良好形象

如前所述，低碳经济是一种以低能耗、低污染、低排放为基础的，区别于传统的依靠高投入实现高产出的经济模式。低能耗、低污染、低排放，就要求企业必须把自身发展和环境保护有机结合起来，摒弃传统粗放型的生产方式，推进以能源节约、新型能源应用和二氧化碳排放强度降低为主要标志的低碳发展模式，强化企业在人与自然和谐建设方面的责任。低碳经济可以使企业的低碳理念得到确立，推行低碳化生产方式，淘汰不符合低碳发展理念的高能耗、高污染、低效益的技术和产能，以降低企业二氧化碳气体排放量，从而强化企业社会责任，塑造企业的良好形象。

11.3.3.3 低碳经济有利于培育员工的绿色行为方式

发展低碳经济必然要求企业在生产的过程中，不断减少原材料和燃料的消耗。而减少原料与燃料的消耗主要有两种渠道：第一，技术的方案，通过技术改进实现原材料、燃料利用效率的提高，从而促进企业员工绿色创新意识与创新能力的提高；第二，减少资源的浪费，通过员工的精心付出，努力减少企业生产作业过程中形成的流程性浪费。而原材料和燃料的消耗与劳动者的劳动态度、责任心有很大关系，如果劳动者的劳动态度不佳、责任心不强，往往会使原材料和燃料出现许多不必要的浪费，增加单位产品碳的排放量。因此，通过加强绿色企业文化建设，能够使员工树立强烈的主人翁责任感，增强低碳生产的意识和自觉性，在工作中就会表现出勤俭节约的作风，以主人翁的姿态对待劳动，养成良好的、有利于节能减排的行为习惯，从而减少或杜绝生产中的浪费(王晓慧，金起文，2011)。

第12章　低碳经济发展中不同利益主体的博弈分析

低碳经济的实现并非一蹴而就，而是需要一个长期、缓慢的，从高能耗、高排放、高投入向低能耗、低排放、低投入逐渐转变的过程。这样的转变过程，离不开政府、企业和其他利益主体的共同参与、共同努力。不同的利益主体根据自己的目标追求，必然制定出对自身最为有利的策略。由此，本章中基于低碳经济发展背景下政府、企业及公众三方的行为动机，构建动态均衡模型来分析各利益相关主体的策略选择，企求从中找寻三者利益均衡的条件，为贯彻生态文明建设的经济社会生态“三大效益”相统一和最优化的原则提供实证分析的依据。

12.1　“低碳”与“经济”策略的冲突及耦合

目前，社会上对于低碳发展与经济发展的关系存在一种误解，认为发展低碳就难以实现经济增长，发展经济就必须抵制低碳发展。如果没有及时理顺两者关系，消除误解，那么无论是低碳发展还是经济发展都无从谈起。

我们应该辩证地看待经济发展和低碳发展之间的关系，它们之间的确存在着一定的矛盾关系，如果只是从短期来看，低碳发展可能会对经济发展产生一定的不利影响，如为了减少污染物的排放，就需要采用新技术，增加治污的投入；限制污染项目的上马，也会影响一些地方的经济增长，等等。但是这种矛盾关系是相对的，是可调和的，而不是绝对的；是短期的而不是长期的，它们之间存在的矛盾关系，体现的是长期利益与短期利益的关系。着眼于长远，经济发展与低碳发展则是不可分割的，它们之间其实是一种既相互对立，又相互依赖、相互制约的辩证统一关系。只要发展、不要低碳，不顾经济增长中高碳的代价，以高能耗高排放为代价来换取经济增长，这样的发展终究是不可持续的；另一方面，如果只要低碳，不要发展，那会使经济发展停滞不前，以经济停滞为代价的单纯追求低碳的行为是不提倡的；只有将二者统一起来才是唯一合理的出路，而这也正是低碳经济的目标。因为低碳经济所追求的是一种既“低碳”又“经济”的发展模式，它追求的是在人与自然共生共荣的和谐中实现的经济发展。可以说，实现低碳目标与经济发展的双赢，是完全合乎科学发展观的本质要求的，即合乎党的十七大提出的关于实现经济又好又快发展的原则要求，符合党的十八大提出的生态文明理念。

12.1.1 “低碳”与“经济”策略的矛盾：短期利益的损失

从短期利益上看，不可否认，低碳发展与经济发展存在一定的矛盾。第一，对于世界大部分国家，尤其是发展中国家，经济的增长还是依然依靠高能耗、高污染、高投入的粗放型经济发展方式，经济增长点主要还是得依靠建材、化工、机械、冶金等重工业的发展。推行低碳经济，就必须控制资源，尤其是能源资源的使用，在短期内不可避免地会对重工业行业产生重要影响。对于正处于工业发展阶段初期（或中期）还没有来得及进行产业结构升级的国家，经济增长必然会受到一定的影响，不得不放缓经济发展速度。第二，对于促进经济增长的核心主体——企业来讲，实行低碳经济，必然要求他们在短期内投入大量的人力、物力和资本进行低碳技术引进和开发，对原有设备进行更新换代，或开发清洁能源和新型可再生能源，这就会加大企业的运营成本。此外，在目前，有些低碳技术和设备还不够成熟，市场价格也可能还没有处于相对较高的水平，中小企业一般难以承受。因此，大部分企业，尤其是中小企业，不会为了以后长期的发展，而放弃对利润追求，无法也不能忍受企业暂时亏损，这时企业的策略是选择短期的经济利益（粗放的经济增长）而不是长期的可持续发展（低碳发展）。第三，低碳经济自2003年首次见于英国的政府报告以来，只经过短短几年发展，在内涵、功能以及实现途径等方面还处于探索阶段，对低碳理念的宣传力度还不够，社会上还没有形成一种系统的、清晰的低碳意识，导致了公众对于低碳产品（包括低碳生活）的接受度不是很高。而企业为了尽快回笼资金收回投资，必将对低碳产品采取高定价的策略，在市场接受度不够的情况下，低碳产品少有人问津，这必然导致企业利润的下降，从而降低企业进行低碳生产的动力和欲望。

12.1.2 “低碳”与“经济”策略的耦合：长期利益的可持续发展

但是，就长远来看，发展低碳经济与经济增长是相辅相成、相互促进的共生共存的和谐发展关系。一方面，发展低碳经济必然促进经济的快速发展。第一，发展低碳经济就意味着要对现有的高能耗、高污染、高投入的粗放型经济发展方式进行改革，转变为依靠低能耗、低污染、低投入的集约型经济发展方式，加快产业结构升级进程，提高每单位能耗的GDP产出，促进经济高速、健康发展。第二，发展低碳经济可以缓解经济发展给环境带来的压力，减少环境污染，降低政府在治理环境方面的支出。第三，企业发展低碳经济，由于技术革新和管理水平的提高，生产效率必然得到大幅度提升，进而降低生产成本，获取更大的利润。第四，低碳经济的发展必然会提高公众的低碳意识，逐渐养成低碳生活和低碳消费的良好习惯，从而为社会节约大量的资源，而这些资源又可以用于创造更多的利润，进而促进经济的进一步发展。另一方面，经济的快速发展必然会推进低碳经济发展的进程。低碳经济的发展不仅需要软件层面的支撑——社会各界低碳意识的培养与提升、政府的政策法律保障、高素质管理人员的培养，等等；更需要硬件层面的支持——低碳技术和设备的开发、清洁能源和可再生能源的开发，而这些硬件都需要强大的资本作为保障。因此，只有经济发展起来，才能够满足发展低碳经济所需的硬件要求。此外，发展低碳经济还通过低碳产品的外部性增进社会福利。通过发展低碳经济，政府可以提升自身的公信力和国际声誉，企业也可以提高自身的社会形象，进而提升企业的品牌价值和市场竞争力，社会公众也可以享受因环境改善而提高的生活质量。

因此，发展低碳经济是一场立足于长远的革命，必将对我国的产业发展、贸易水平、人们生活方式等都会带来一系列重大且深远的影响，是一种可以得到经济效益、生态效益和社会效益和谐统一的可持续的经济发展模式。

12.2　利益主体的行为动机分析

低碳经济的发展是一个相当复杂的过程，这个过程离不开众多利益相关主体的参与，政府、企业、社会公众(包括环保组织)是最主要、最重要的利益相关主体。他们都是理性的经济主体，他们的决策必然是基于自身利益最大化而作出的选择。因此，要探究低碳经济发展的实现条件，有必要先对这些利益主体的行为动机进行分析。

12.2.1　政府的行为动机

毋庸置疑，政府在社会经济发展过程中发挥着重要作用，低碳经济作为一种新的经济模式，政府应当发挥更为积极、更为明显的作用。一般而言，政府在社会经济中发挥三大职能：稳定经济、配置资源以及分配再分配(收入)。政府的经济行为所追求的是社会福利最大化，市场作为一种最为灵活的经济运行机制，在理想状态下能够实现资源的优化配置，在自我调节中能够实现社会福利的最大化。然而由于公共产品、市场垄断、外部性和信息非对称等现象会导致市场失灵，无法单纯依靠市场调节达到效率的帕累托最优状态。此时，政府的干预作用就尤显关键。低碳(高碳)经济活动的实施必然伴随着正(负)外部性的产生，再加上环境保护所特有的公共产品性质，必将产生市场失灵现象，这就需要政府从中进行调节。在发展低碳经济的过程中，政府可以选择参与或者不参与的行为。正如前所述，“低碳”与“经济”在短期内是“矛盾”的，但在长期则是“耦合”的，因此，政府出于不同的考虑，会选择不同的发展策略，选择是否主动积极地参与低碳经济的发展。从近年来的情况看，中国政府采取了一系列节能减排的措施，积极参与了低碳经济的发展。在这个过程中，政府主要扮演如下角色。

首先，政府是低碳经济发展的主导者。政府在低碳经济发展中的主导地位更多地体现在政策法规的制定上。政府可通过法律法规、宏观规划、管理创新等措施，鼓励和推动节能减排，大力发展低碳经济。目前，世界各国都已经或者开始着手制定与低碳经济发展相关的政策、法律、规章、制度，例如英国的《气候变化法案》《英国低碳转型计划》，日本的《面向2050的日本低碳社会》《低碳社会行动计划》，美国的《低碳经济法案》。我国也已审议通过了《清洁生产促进法》和《促进循环经济法》等法规，并在此基础上，开始着手制定《低碳经济法》《可再生能源法》《节约能源法》等政策法规，这些都为发展低碳经济提供了一个良好的法制环境。

其次，政府不仅仅是低碳经济活动的主导者，还是低碳经济发展的引导者。低碳经济的发展并非单靠政府作用就能够实现的，还要依靠企业和社会公众的协同努力。由此，政府要担负起引导企业走低碳化生产，引导社会公众采取低碳生活方式的重责。一方面，政府应当加大低碳生产方面的宣传，促使企业认清低碳发展的前景，引导企业自觉改变高能耗、高投入、高污染的传统生产方式，转向低能耗、低投入、低污染的新型低碳生产道路。同时通过补贴、税收优惠等激励政策帮助企业进行技术革新、产业结构优化，转向节能减排和可再生能源等新型产业开发，提高能源利用效率，从而降低企业生产成本，最终实现企业可持续经营。此外，应当通过政府采购引导企业走低碳化生产道路，优先采购那些已经通过生态设计或环境标志、清洁生产审计等低碳认证的产品，迫使企业生产低碳产品。另一方面，作为引导者，政府应当鼓励和倡导社会公众开展低碳生活方式，通过广泛的宣传促进公众树立节电、节水、垃圾分类和资源循环利用等观念，树立节约消费理念，让社会公众养成一种节俭、节约、节能的生活习惯，使得“低碳”真正深入人心。此外，还要鼓励社会公众行使监督的权利，对于那些勇于揭发政府或企业在环境保护中的不当行为的人们，给予一定的奖励。通过这种方式让社会公众更广泛地参与到低碳经济的发展中来。

最后，政府又是低碳经济发展的监督者和维护者。一项制度要顺利、有效的实施是与监督、管理分不开的，这就需要一个公正的低碳经济转变过程中的监督者和维护者。由于政府和企业在低碳经济发展的初期阶段的利益追求并不统一，企业为了追求经济利润将不会完全遵循政府所制定的政策而开展低碳生产，依然坚持高能耗、高排放的生产方式，给环境造成不好的影响，甚至部分企业还会通过欺诈手段获取政府补贴。此时，就需要政府行使监督权利，审核企业，并对那些不法企业进行惩罚。

12.2.2　企业的行为动机

作为一个理性的“经济人”，毋庸置疑，企业追求的是利润的最大化。传统的企业所追求的更多是倾向于狭义的利润最大化——经济利益的最大化。然而，随着社会的进步和经济的不断向前发展，现代企业追求的则是广义的利润最大化——企业经济利益的可持续性，此时企业在追求经济利益最大化的同时，还要兼顾企业社会责任。所谓的企业社会责任，主要是指企业为了能够实现可持续发展，除了“经济利益”外，还必须将“社会的适应性”和“环境的适应性”作为其经营活动的组成部分并反映到企业的战略中，而市场对企业的评价依据不仅仅停留在反映经济效益的财务信息上，还需要从社会效益和环境效益等方面的信息中全面考察企业的价值(Elkington J，1997)。由此可见，经济利益并非是现代企业追求的唯一目标，社会效益和生态效益也是其追求的目标，尤其是在低碳经济发展时代，企业更注重追求经济效益、社会效益和生态效益三者的协调统一，以实现企业长期的可持续经营目标。但是企业并非一开始就会追求三大效益的均衡发展，它是随着社会、经济发展而逐渐形成的一种经营理念。从短期看，企业还是以追求经济效益的最大化为主要目标，因为实行低碳生产就必须对现有的技术和设备进行更新升级，将会加大企业的成本，短期内会降低企业的经济效益。因此，在没有外部力量的(主要是政府)干预下，一般的企业是不会主动进行低碳生产。然而，从长期角度考虑，实现低碳生产将会为企业带来以下几个方面效益：第一，低碳生产将会降低能耗，从而降低企业生产成本；第二，实现低碳生产将会提升企业的社会形象和品牌形象，增强企业的社会认同感和品牌价值，提升企业的整体竞争力；第三，企业生产低碳产品，有助于消除碳壁垒和碳关税的限制，提升企业的国际竞争力。当今世界是经济全球化的时代，国际交流与贸易日益频繁，企业要进一步发展，就必须“走出去”，与其他国家或地区的企业进行竞争。然而，在环境保护意识日益增强的当今，碳壁垒和碳关税已成为传统型企业“走出去”的最大障碍。因此，企业只有通过技术、设备革新的方式，生产低碳产品，才能够打破国与国之间设置的各种关卡，拓展新市场和新业务，提升自身在国际上的影响力，为企业创造更多的、巨额的新利润。

12.2.3 公众的行为动机

与企业一样，公众也是理性的“经济人”，追求的也是自身利益最大化。公众参与的主动性和积极性在很大程度上决定了低碳经济的发展。一方面，公众是低碳生活和低碳消费的实施主体，是低碳经济发展的参与主体之一。公众在日常生活中面临着节能、垃圾回收、绿色消费、低碳消费等与环境保护和能源节约密切相关的众多问题。此时，是否能够培养起一种良好的生活方式和消费方式，就关系到我们整个社会的可持续发展。另一方面，公众能够通过“选票”来促进低碳经济的发展。政府服务的最根本对象就是公众，公众的需要，特别是对良好环境、对安全食品的迫切需求能够得到满足，那么社会就可能和谐发展，政府会相应地获得公众的“政治选票”，就能够长期维持自己的统治地位。对于企业来说亦是如此，公众是企业利润的主要来源，只有将公众服务好了，公众才会将“市场选票”投给他们，企业也才能够创造出更大的利润。如果企业不发展低碳经济，由此导致公众生存和生活的环境恶化，那么企业就会遭到公众的报复——“市场选票”的流失。

12.3 利益主体的博弈论分析

政府和企业是实现低碳经济最直接的利益相关主体，它们的策略选择关系到低碳经济能否实现以及发展的程度。公众作为政府和企业服务的对象，既是低碳经济发展的受益者，同时也是低碳经济发展的参与者，在发展低碳经济过程中起到不可忽视的作用。因此需要对政府、企业和公众在发展低碳经济过程中的行为进行博弈分析，力求从中找出影响低碳经济发展的关键因素。

12.3.1 短期内政府与企业的博弈分析

在短期内，政府为了推动低碳经济发展，必将会先行动起来，通过政策制定、信贷支持、税收优惠等方式对企业进行激励，通过税收等手段给予企业减排补贴，支持和鼓励企业开展清洁生产，提高能效，降低“温室气体”排放量，通过信贷等手段支持企业引进和开发低碳技术、购置和安装低碳设备，通过制定节能减排规划，逐渐引导企业走优化产业结构，推进企业能源结构低碳化。而企业从事生产经营活动的主要目的在于获取经济利润，维持企业竞争力，由于在短期内实现低碳生产会加大成本。因此，在缺乏激励的情况下，企业不会自行开展低碳生产。即使在激励下，由于增加的成本大于所能够带来的短期收益，企业也有可能不开展低碳生产。

首先，我们考虑短期内政府先行动的策略选择问题，以节能减排为例建立博弈模型对政府和企业的行为决策进行分析，模型假设如下：

(1)假设参与者只有政府和企业两个主体。

(2)政府的策略{给予补贴，不给予补贴}和{审核，不审核}。

(3)假设政府和企业的初始收益分别为 R_1 和 R_2，政府对于企业的补贴是根据企业所申报的温室气体排放的减少量 E，企业每减少一单位的温室气体排放量，就要增加成本 C，但此时政府会给予补贴 S，而政府从中得到的收益为 T。由于是政府先行动，所以可能存在企业拿到补贴后，却不履行减排义务，此时政府就需要进行审核，假定政府审核的成本为 H，如果此时企业被审核出没有减排，那么补贴将会被收回，且将对企业处以罚款 F。其中，$T>S>C$。依据以上假设，我们可建立政府先行动的博弈模型，博弈树如图 12-1。

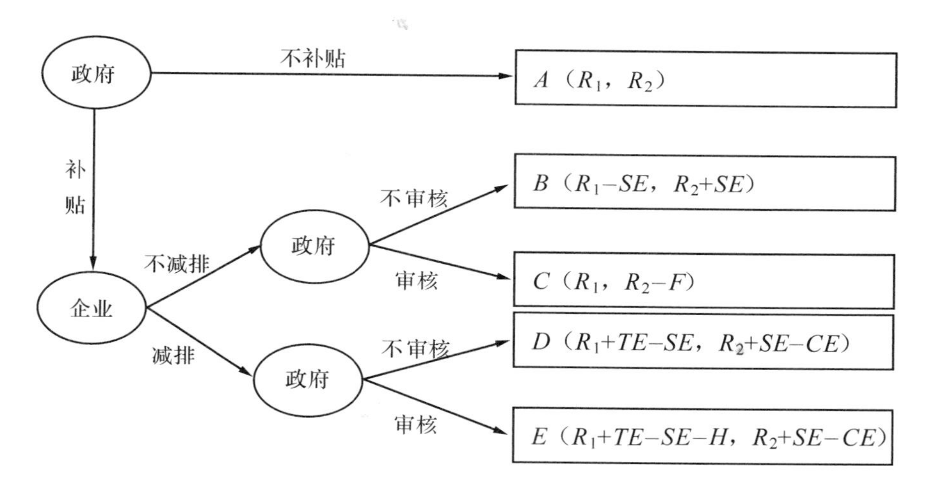

图 12-1　短期内信息充分下政府和企业的博弈树

图 12-1 表示的博弈树中，共有 A、B、C、D、E 5 个节点，每个节点代表着一种政府和企业的策略组合。假设政府和企业的效用函数分别为 π_1^i 和 π_2^i，其中 i 表示不同的节点。

对于政府来说，$\pi_1^D>\pi_1^E>\pi_1^A=\pi_1^C>\pi_1^B$，由此可知，政府希望在无需审核的情况下，得到补贴的企业能够按照申报计划如实减排。

对于企业来说，当政府没有进行审核时，由 $\pi_2^B>\pi_2^D$ 可知，企业会假意要实施减排措施，实际上却没有按照申报计划进行减排，从而骗取国家的补贴；但政府进行审核后，由 $\pi_2^A > \pi_2^C, \pi_2^A > \pi_2^E$ 可知，此时，企业基于综合考量，就不会为了获得补贴而申报减排计划。

从以上分析可知，在短期内政府期望企业能够减排，而企业却不愿意减排，二者无法取得均衡解。

12.3.2 长期内政府与企业的博弈分析

12.3.2.1 构建双方的博弈模型

发展低碳经济所能带来的效益并非是立竿见影的，是需要经过一段相当长的时期才能够显现出来的。政府发展低碳经济，短期内能够通过控制能源的高消耗、温室气体的高排放现象，进行改善和提升环境质量，达到社会福利改进的目标。长期上看，政府发展低碳经济能够促进经济发展方式的转型，推进产业结构升级进程，实现经济的可持续发展，同时又能够改善和提升公众的生活质量，赢得政府公信力，获得公众的“政治选票”。此外，发展低碳经济对于政府还有一个好处，就是提升国际声誉，尤其是在注重环境保护的当今，环境保护已成为国与国之间交流与合作的一个重要内容。而对于企业，发展低碳经济虽然在短期内必须一次性投入大量的人力、物力和资本，从而增加企业的运营成本。但从长期上看，发展低碳产品能够提高能源的利用效率，降低生产成本。同时随着低碳意识的日益深入人心，低碳产品必将替代传统产品，占据市场，给企业带来巨大的商业利益。此外，发展低碳经济还能够提升企业的市场形象、品牌价值以及国际市场竞争力。因此，应当对政府与企业对低碳策略的选择与否进行长期分析，从中剖析不同阶段发展低碳经济的关键所在。基于此思想，本研究构建了二阶段的政府与企业的博弈模型，以此分析影响政府和企业在发展低碳经济时策略选择的主要因子。该模型的前提假设如下：

(1)该博弈模型分为短期和长期两个阶段，在短期内政府和企业在不发展低碳经济的初始经济收益分别为 G 和 E 。

(2)短期内政府为了鼓励企业发展低碳经济，对企业支付补贴 S ，但在长期内由于低碳经济已发展成熟，政府的补贴将不再发放。同时，如果企业没有发展低碳经济，导致环境污染恶化，政府为了治理环境支出成本 C_g ，且企业在长期内将会受到来自政府的罚款 F（短期内没有罚款，如果政府不发展低碳经济的话，也不会有罚款）。

(3)短期内企业为了发展低碳经济，必须一次性支付经济成本 C_e（用于开发和引进低碳技术、购置和安装低碳设备、提升管理效率等），但此时会获得政府的补贴 $S(S \ll C_e)$ ，由于低碳产品还不够深入人心，企业的经济收益将会减少为 $aE(0 < a <$

1）。

（4）政府如果发展低碳经济就会获得社会效益（公众的“政治选票”）和良好的国际声誉等外部效益 I_g 。与此相对的，如果不发展低碳经济，政府就会丧失上述的外部效益 I_g 。

（5）企业如果发展低碳经济就会获得企业价值和国际竞争力等外部效益 I_e 。与此相对的，如果不发展低碳经济，企业就会丧失上述的外部效益 I_e 。

（6）企业的经济效益在第二阶段完全体现出来，如果企业发展低碳经济，由于市场对低碳产品的需求增加，就会获得经济收益 $bE(b > 1)$ ；如果企业没有发展低碳经济，那么此时，会在第二阶段丧失市场竞争力，企业的经济收益仅为 $cE(0 < c < a < 1)$ 。

（7）本模型中政府和企业的收益函数都是短期和长期两阶段加总而成的。

（8）本模型的构建是基于信息充分的前提假设，且不考虑贴现率和利率的影响。

基于上述基本假设，建立政府和企业双方的博弈模型见表 12-1。

表 12-1　长期内政府和企业双方的博弈矩阵

		政府	
		发展	不发展
企业	发展	$(aE+S+I_e-C_e)+(bE+I_e),(G+I_g-S)+(G+I_g)$	$(aE+I_e-C_e)+(bE+I_e),(G-I_g)+(G-I_g)$
	不发展	$E+(cE-F-I_e),(G+I_g-C_g)+(G+F+I_g-C_g)$	$E+(cE-I_e),(G-I_g-C_g)+(G-I_g-C_g)$

12.3.2.2　政府与企业的博弈分析

通过表 12-1 所述模型的均衡条件进行分析，假定 π_{ij} 分别表示企业选择 i 策略，政府选择 j 策略时企业的收益；φ_{ij} 分别表示企业选择 i 策略，政府选择 j 策略时政府的收益。由此可知：

（1）当政府选择发展低碳经济时，企业发展与不发展低碳经济的收益分别为：

$$\pi_{11} = (aE + S + I_e - C_e) + (bE + I_e)$$

$$\pi_{21} = E + (cE - F - I_e)$$

令 $\Delta_1 = \pi_{11} - \pi_{21} = (a + b - 1 - c)E + S + 3I_e + F - C_e$

令 $\Delta_1 > 0$ ，即 $(a + b - 1 - c)E + S + 3I_e + F > C_e$

上式 Δ_1 即表示企业发展低碳经济和不发展低碳经济的收益差额，当该差额大于零时，作为理性的“经济人”的企业才会有动力发展低碳经济。从上式中，我们可以得出企业发展低碳经济的几大因素：第一，企业发展与不发展低碳经济的经济收益的差距越大，企业发展低碳经济的意愿就越强。因为$0 < c < a < 1 < b$，得到$(a-c)+(b-1)>0$，表示企业发展低碳经济所获得两期的经济收益总和会大于不发展低碳经济时所获得的总和。两期经济收益总和的差额越大，企业发展低碳经济的意愿相应就会越强。第二，企业碳排放的机会成本越大，企业发展低碳经济的几率就越高。企业碳排放的机会成本主要通过政府补贴S和政府惩罚F来体现。从Δ_1可知，政府补贴S越高，企业发展低碳经济的总收益就越高，政府惩罚F越高，企业发展低碳经济损失的总收益就越少。由此可知，政府补贴S或政府惩罚F比较高时，即企业发展低碳经济的意愿就会更强。第三，公众的低碳意识和社会的可持续意识也是决定企业发展低碳经济与否的一个关键因素。企业价值和国际竞争力等外部效益I_e主要来源于公众对于企业低碳生产的认同感和社会各界对于可持续发展的认同。如果公众和社会对于环境保护意识较为强烈，那么企业发展低碳经济所得到的外部效益I_e就越高，发展与不发展低碳经济的收益差额就越大，企业所得到的发展低碳经济的动力就越大。第四，也是最为直观的一个因素，企业从事低碳经济所要支付的经济成本C_e越大，那么企业参与低碳生产的意愿就越弱。

(2)当政府不选择发展低碳经济时，企业发展与不发展低碳经济的收益分别为：

$$\pi_{12} = (aE + I_e - C_e) + (bE + I_e)$$

$$\pi_{22} = E + (cE - I_e)$$

令，$\Delta_2 = \pi_{12} - \pi_{22} = (a + b - 1 - c)E + 3I_e - C_e$

从Δ_2可知，政府不选择发展低碳经济时，此时企业选择自觉发展低碳经济与否的关键因素就只剩下企业的经济利益差额$(a+b-1-c)E$、公众和社会的低碳意识I_e以及企业发展低碳经济所需要支付的经济成本C_e。企业所获得的经济利益差额$(a+b-1-c)E$越大，参与低碳生产的意愿就越高；公众和社会的低碳意识I_e越强，企业从事低碳生产的几率就越高；企业发展低碳经济所需支付的经济成本C_e越高，企业发展低碳经济的动力就越弱。

(3)当企业选择发展低碳经济时，政府发展与不发展低碳经济的收益分别为：

$$\varphi_{11} = (G + I_g - S) + (G + I_g)$$

$$\varphi_{12} = (G - I_g) + (G - I_g)$$

令$\Delta_3 = \varphi_{11} - \varphi_{12} = (G + I_g - S) + (G + I_g) - \{(G - I_g) + (G - I_g)\} = 4I_g - S$

从上式可知，当企业选择发展低碳经济时，政府发展低碳经济与否主要取决于两大因素：一方面，社会效益和良好的国际声誉等外部效益 I_g 的高低。如果国际社会要求中国承担的低碳减排责任与义务越大，那么政府推行低碳经济所获得的国际声誉收益也会比较大，进而政府选择发展低碳的意愿会比较强烈。同样的道理，如果我国公众的低碳意识越高，对于低碳经济发展的认同感就越高，政府推行低碳经济所能获得的社会效益(政治选票)就越大，其参与的动力就越强；另一方面，政府发展低碳经济的成本高低也是影响其选择与否的关键因素。如果政府参与低碳经济发展的成本 S 越大，那么其参与的意愿就会越弱。

(4)当企业选择不发展低碳经济时，政府发展与不发展低碳经济的收益分别为：

$$\varphi_{21} = (G + I_g - C_g) + (G + F + I_g - C_g)$$

$$\varphi_{22} = (G - I_g - C_g) + (G - I_g - C_g)$$

令

$$\begin{aligned}\Delta_4 &= \varphi_{21} - \varphi_{22} \\ &= (G + I_g - C_g) + (G + F + I_g - C_g) - \{(G - I_g - C_g) + (G - I_g - C_g)\} \\ &= 4I_g + F\end{aligned}$$

显然 $\Delta_4 > 0$ 是恒成立的，表明在企业不发展低碳经济时，政府必然会推行低碳经济。这主要是因为当企业不承担环境保护的责任时，作为一个公共管理主体，为了社会福利的增加，政府只能单独承担起发展低碳经济、改善环境质量的重责。

综上所述，政府(企业)参与低碳经济发展与否的主要关键在于政府(企业)获得利益(经济利益和社会利益)能否大于所支付的成本。影响企业参与低碳经济发展的关键因素有：经济利益、政府补贴 S 、政府惩罚 F 以及公众和社会的低碳意识所决定的企业价值和国际竞争力等外部效益 I_e ；影响政府参与低碳经济发展的关键因素有由公众意识和国际责任所决定的社会效益和良好的国际声誉等外部效益 I_g 和政府补贴 S ，尤其要注意的是，当企业不发展低碳经济的时候，政府为了社会福利的增加，不得不单独发展低碳经济。

12.3.3　公众参与下政府与企业的博弈分析

在上面的章节中，我们分别讨论了短期内和长期内政府和企业关于是否发展低碳经济的均衡条件，但是低碳经济的发展并非只有政府和企业两大主体，它的实现同样离不开社会公众(包括环境保护组织)的努力。因此还需要就公众参与下的政府和企业的博弈过程和博弈结果进行分析，以期获得三者利益统一下的、低碳经济发展的均衡条件。为了简化分析过程，我们依然采用基于完全信息条件下的博弈模型。模型假设如下：

(1)博弈模型共有政府、企业和公众三方利益主体，三者都是理性的“经济人”，政府追求的是社会福利的最大化，企业和公众都是追求自身利益的最大化。

(2)政府、企业和公众的策略选择均为{参与，不参与}。

(3)政府、企业和公众在不参与的情况下的初始利益分别为 π_1,π_2,π_3 。

(4)政府如果参与，企业也参与，政府将会给予企业经济补贴 S 。但此时，如果在公众参与的情况下，企业不参与，企业会导致环境恶化而受到政府的处罚。该处罚并不固定，与公众举报的人数呈正相关，用 nF 表示，其中 F 是惩罚的基数，n 是举报的人数，而公众由于举报企业的污染行为会得到奖励 e 。但如果政府不参与，即使公众举报了，政府也不会对企业进行惩罚。

(5)企业参与，由于技术开发引进和设备的更新需要投入资本 C_1 。公众参与，由于需要投入时间和精力去审查企业是否有污染行为，同时还要购买相应的检测设备。在此，我们假设企业参与的成本为 C_2 。

(6)如果企业开展低碳生产，那么必然会减少对环境的污染现象，就会带来正的外部性，主要包括增加社会福利 I_g 、提升企业形象 I_e 和改善公众的生活质量 I_c 。与此相对，如果企业没有开展低碳生产，那么会导致环境恶化，带来负的外部性，相应的就会减少社会福利 I_g 、降低企业形象 I_e 和公众的生活质量 I_c 。而上述的外部性的大小均取决于公众环境保护和节约能源的意识的高低。

在现实生活中，由于政府的信息是公开的，所以政府参与低碳经济发展与否是预先可知。而企业和公众的决策行为是未知，由此我们可分为以下两种情况进行分析。

12.3.3.1 政府不参与下企业与公众的博弈分析

表12-1显示了政府不参与下企业和公众的博弈矩阵，从中可知：一方面，由 $\pi_3-C_2+I_c<\pi_3+I_c$ 和 $\pi_3-C_2-I_c<\pi_3-I_c$ 可知，无论企业选择参与还是不参与低碳经济发展，公众都会选择不参与。这主要是因为在政府不参与的情况下，公众对企业的监督缺乏法律约束力，对企业的污染行为无法进行惩罚；另一方面，通过公式 $\Delta=(\pi_2-C_1+I_e)-(\pi_2-I_e)=2I_e-C_1$ 可知，在政府不参与的情况下，企业是否参与低碳经济发展，与公众是否参与无关，而主要是根据参与低碳经济所能对其带来的社会效益(提升品牌价值和市场竞争力)能否大于发展低碳经济所需的支出 C_1 。如果能够得到的社会效益会大于支出，那么企业就会参与，反之，则不会参与。

表 12-2　政府不参与下企业和公众的博弈矩阵

		企业	
		参与	不参与
公众	参与	$\pi_3 - C_2 + I_c , \pi_2 - C_1 + I_e$	$\pi_3 - C_2 - I_c , \pi_2 - I_e$
	不参与	$\pi_3 + I_c , \pi_2 - C_1 + I_e$	$\pi_3 - I_c , \pi_2 - I_e$

12.3.3.2　政府参与下企业与公众的博弈分析

表 12-2 显示了政府不参与下企业和公众的博弈矩阵，从中可知：第一，当企业参与时，由 $\pi_3 - C_2 + I_c < \pi_3 + I_c$ 可知，公众在明白企业已经参与低碳经济发展，进行环境污染控制的情况下，不会再浪费自己的时间、精力和成本去监督企业，因此会选择不参与；第二，企业不参与时，由 $\Delta = (\pi_3 - C_2 + E - I_c) - (\pi_3 - I_c) = E - C_2$ 可知，此时作为一个理性的经济主体，公众会考量政府给予的举报奖励 E 与自己监督企业所支付的成本 C_2 的大小，如果政府给予的举报奖励 E 大于自己监督企业所支付的成本 C_2，那么此时公众会选择参与，否则会选择不参与；第三，公众选择参与时，由 $\Delta = (\pi_2 + S - C_1 + I_e) - (\pi_2 - nF - I_e) = S + 2I_e + nF - C_1$，此时决定企业是否参与低碳经济发展的因素有四个：政府经济补贴、政府罚款、社会效益以及参与低碳经济发展所需支付的成本，只有当前三者的总和能够大于最后一项支出，企业才会参与低碳经济发展；但公众选择不参与时，由 $\Delta = (\pi_2 + S - C_1 + I_e) - (\pi_2 - I_e) = S + 2I_e - C_1$ 可知，由于公众没有参与，企业的环境污染行为不会被披露，政府也无从对企业进行罚款，影响企业参与意愿的因素就只剩下政府补贴、社会效益以及参与低碳经济发展所需支付的成本。

表 12-3　政府参与下企业和公众的博弈矩阵

		企业	
		参与	不参与
公众	参与	$\pi_3 - C_2 + I_c , \pi_2 + S - C_1 + I_e$	$\pi_3 - C_2 + E - I_c , \pi_2 - nF - I_e$
	不参与	$\pi_3 + I_c , \pi_2 + S - C_1 + I_e$	$\pi_3 - I_c , \pi_2 - I_e$

12.4　结论与建议

综上所述，低碳经济的发展是政府、企业和公众三者博弈的过程。企业的参与程度则决定了低碳经济的实现程度，并且企业行为受到政府参与与否和参与程度以及公众的认知偏好与参与程度的重要影响。因此，为了更好地发展低碳经济，可以从以下几个方面入手：

首先，政府应该对低碳问题给予高度的重视，特别是在低碳经济刚发展的初期阶段。一方面，政府可以利用经济手段如补贴、惩罚等加大对企业的扶持力度，尽量降低企业从事低碳生产所要支出的经济成本以提高其积极性，帮助企业进行技术革新，产业结构优化，提高能源利用效率，转向节能减排和可再生能源等新型产业开发。政府也可以制定相应的制度来引导和推动企业形成低碳生产的长效机制。例如通过政府采购引导企业走低碳化生产道路，优先采购那些有通过生态设计或环境标志、清洁生产审计等低碳认证的产品，迫使企业生产低碳产品。此外，还可以效仿日本的“领跑者”制度。“领跑者”制度是指以当前市场上同类产品中能效最高者为标杆，规定在一定期限内其他企业的产品都必须达到这一能效水平，达不到者将被处以罚款。通过对企业低碳化生产行为和公众消费低碳产品提供有效引导，影响他们的生产和消费倾向。通过有效的政策支持和刺激，企业会尝试转变生产方式，从生产高碳产品转变为生产低碳产品，公众也会尝试性地购买低碳产品，从而对企业低碳生产行为产生新的推动力。正如前文所述，只有当企业生产低碳产品所获得的边际收益（包括政府的补贴、消费者增加购买行为等）大于生产的边际成本时，企业的低碳生产才会成为常态。另一方面，政府应当加大低碳生产方面的宣传，促使企业认清低碳发展的前景，引导企业自觉改变高能耗、高投入、高污染的传统生产方式，转向走低能耗、低投入、低污染的新型低碳生产道路。

其次，企业应该高度重视，将低碳生产纳入企业发展的战略目标。同时加大宣传，在国际和国内树立企业良好的形象。中国的制造业比较发达，但是由于一些产品出现的质量安全问题和食品安全问题，导致人们对“中国制造”产生了怀疑，对中国企业的声誉也造成了不利的影响。经过低碳生产以及相关的宣传，有助于为中国制造的产品和中国企业“正名”。事实上，经过30多年的发展，中国已经涌现出了一些致力于节能环保，履行社会责任，具有发达水平和先进发展理念的企业，对这些企业的大力宣传，有助于增加公众对企业和品牌的认同感和忠诚度，进而增加企业的经济利益。同时，企业的低碳发展也有助于在全社会提高人们的低碳意识，促进低消耗、低排放产品的低碳市场的形成，这就会对那些未采取低碳措施的企业形成压力，并进而成为迫使这些企业实施低碳生产的外部驱动力。

再次，增强公众的参与意愿，主要从提高人们的低碳意识、加大政府对公众的举报奖励和降低公众监督企业的成本等方面着手。政府应当鼓励和倡导社会公众开展低碳生活方式，树立节电、节水、垃圾分类和资源循环利用等观念，崇尚节约消费理念，让社会公众养成一种节俭、节约、节能的生活习惯，使得“低碳”真正深入人心。让公众将这些环境保护和节约能源意识贯穿到他们的购买行为上，通过“市场选票”来影响企业的生产决策。此外，还要鼓励社会公众行使监督的权利，对于那些勇于揭发政府或企业在环境保护中不当行为的人们，给予一定的奖励，通过这种方式让社会公众更广泛地参与到低碳经济的发展中来。

最后，政府应该积极选择参与低碳经济的发展。对我国来说，低碳经济的发展是一个巨大的挑战，但同时也是个机遇。发展低碳经济有助于我们走新型工业化道路，建设资源节约型和环境友好型社会，顺应现今世界经济发展的潮流，在低碳经济发展中占领一席之地甚至是抢占制高点，形成未来的国际核心竞争力。同时，低碳经济的发展也有助于增加社会福利，在国际上树立负责任大国的良好形象，因此，无论是出于对经济利益或社会福利的考量，政府都应该着力于发展低碳经济。

第13章　低碳经济发展的重要领域

可再生能源与清洁能源的研究开发及其技术设备、节能减排及其技术设备、碳汇的技术设备和二氧化碳的回收利用及其技术设备，是实现低碳经济发展的重要领域，也是生态文明建设的重要内容。

由于低碳的目的是为了减少温室气体的排放(常常也被称为碳排放)，因此影响碳排放的驱动因素也是低碳经济发展的主要驱动因素。在碳排放驱动力的相关问题上，国内外学者进行了富有成效的研究，具有代表性的研究方法包括基于IPAT方程的驱动力分析和基于Kaya模型的碳排放驱动因子分析(孙敬水，李志坚，2011)。学者们分别根据这两种研究方法对碳排放的驱动力进行了研究，提出IPAT方程，认为碳排放的驱动力主要是人口规模、经济发展水平和科技进步的综合作用(Ehrlich，1970)，也有根据Kaya模型，认为碳排放的推动力主要是人口、人均GDP、能源强度和单位能耗碳排放量等四个因子(Kaya Yoichi，1989)。国内学者也进行了相应的研究，定量分析了能源结构、能源效率和经济增长对中国人均碳排放的影响，认为能源效率和能源结构的抑制作用难以抵消由经济快速增长拉动的中国碳排放量增长(徐国泉，刘则渊，2006)。中国科学院可持续发展战略研究组经过研究认为，在碳排放所处的不同阶段，其依靠的驱动力是不一样的，驱动力主要包括能源技术进步、经济增长、碳排放技术进步等。因此，要降低碳排放增长，可以从降低人口增长、经济增长、碳强度或能源强度以及单位能耗碳排放量等方面入手(中国科学院可持续发展战略研究组，2009)。

可以看出，碳排放与能源问题密切相关，能源强度、产业结构和能源消费结构都对二氧化碳排放有着显著影响(林伯强，蒋竺均，2009)。有研究采用对数均值迪氏分解法(LMDI)对碳排放因素进行了分解，结果表明代表技术因素的能源强度是减少碳排放的最重要的因素，而能源结构也起到一定的作用(Wang Can，Chen Jining，Zou Ji，2005)。国内学者的研究也表明，能源强度是最主要的影响因素(胡初枝，黄贤金，钟太洋，2008)，产出规模和能源效率是对碳排放的增加和减少起关键作用的变量(宋德勇，卢忠宝，2009)。可见，节能减排和发展新能源是减少碳排放的重要途径。

低碳经济的发展来自于一“减”一“增”，因此，在减少碳排放的同时，增加碳汇是低碳经济发展的另一重要组成部分。森林碳汇以其特殊性和相对于工业的优越性成为低碳经济发展过程中碳汇的主体力量。有鉴于此，本章从发展新能源、节能减排和森林碳汇三个重点领域对低碳经济发展进行了相应的分析。

13.1　节能减排

13.1.1　节能减排提出的背景

改革开放30多年，我国在经济建设上取得飞跃发展，令人瞩目的经济成就也引发了国民经济能源消费量的持续上升，我国虽是能源储量大国，但人均能源拥有量却远低于世界平均水平。随着工业化、城市化进程的加速发展，中国逐渐走向了传统农业向世界工厂的转变，经济的高速增长也使中国对化石燃料的需求节节攀升。由于我国长期依赖“高投入、低产出、高污染、低效率”的粗放型经济发展模式，矿产开采和利用过程中所带来的污染日益加剧，中国经济发展也为此付出了惨痛的环境代价，持续性发展远景令人担忧。作为尚处于工业化进程中的发展中国家，仍然是以煤炭为主要能源，这在较长一段时间内仍摆脱不了“高污染、高排放、高耗能”的“高碳经济”特征，因此，我国的经济发展水平、节能减排技术与发达国家相比都还存在较大的差距。统计数据显示，2001～2007年我国能源生产增速为9.4%，能源消耗年均增速高达10.8%(中国能源统计年鉴，2008)。2006年中国与能源相关的碳排放总量达60亿元，占全球20.5%。国际能源署(IEA)预测，到2020年中国二氧化碳排放量将达到9.6亿t，2030年将增至116亿t(International Energy Agency，2009)。总体来说，我国能源供需失衡、环境承载能力降低，且新的能源生产供应体系未正式建立起来。节能减排的提出，是缓解能源紧张和资源环境尖锐矛盾的迫切需要。与此同时，随着中国资源能源消耗的急剧增加带给全球市场的巨大冲击，国际上已经出现了“中国资源威胁论”的声音。节能减排的提出，能有效减缓环境污染与破坏，同时，也是应对全球气候变化的迫切需要。

中国要提高经济发展质量，有赖于能源的高效利用，以降低能耗，减少污染物排放，节能减排也因此成为中国经济发展的重中之重。节能减排是指节约能源、降低能源消耗、减少污染物排放。《中华人民共和国节约能源法》所称的节约能源(简称节能)，强调加强用能管理，采取技术上可行、经济上合理以及环境和社会可以承受的措施，从能源生产到消费的各个环节，降低消耗、减少损失和污染物排放、制止浪费，有效、合理地利用能源。节能减排关乎中国长远的社会效益、经济利益的协调问题，注重发展和采用先进的能源技术，有利于提升中国在全球经济生产价值链中的地位，抢占更大的清洁能源市场，也是中国实现可持续发展的重要途径。中国迫切需要采取强而有力的措施，提高经济增长质量，缓解经济发展与资源能源、环境污染之间的矛盾，增强可持续发展的能力。政府应通过一系列严格而有效的措施和改革，促进能源效率的提高，加强污染物排放的总量控制，最终实现社会经济系统与资源、环境的良性互动。为此，中国政府将节能减排提升到了国家的重要战略议题，并将能源消耗纳入各地经济社会发展综合评价和年度考核中。中国在“十一五”规划中，提出在“十一五”期间单位 GDP 能耗下降 20% 的约束性目标。哥本哈根气候大会召开后，中国政府又提出了“到 2020 年中国单位国内生产总值二氧化碳比 2005 年减少 40% ~ 45% ”的自主减排目标，并将该指标纳入强制性的国民经济发展纲要中。《节能减排“十二五”规划》中又提出了我国对污染减排工作的具体要求和目标：2015 年，全国化学需氧量和二氧化硫排放总量分别控制在 2347.6 万 t、2086.4 万 t，比 2010 年的 2551.7 万 t、2267.8 万 t 各减少 8% ，分别新增削减能力 601 万 t、654 万 t；全国氨氮和氮氧化物排放总量分别控制在 238 万 t、2046.2 万 t，比 2010 年的 264.4 万 t、2273.6 万 t 各减少 10% ，分别新增削减能力 69 万 t、794 万 t。

总体说来，在发展低碳经济的背景下，发展我国的节能减排产业，如优化能源结构，提高能源使用率，开发利用新兴能源和清洁环保技术，既是确保我国度过能源危机的可行之策，也是实现“两型社会”的战略选择。“节能减排”已经成为世界性议题，国际社会高度重视节能环保技术，大力投资于开发、利用新能源，倡导采取节能优先、提高能源利用效率的能源发展战略，为世界的可持续发展而共同努力。

13.1.2 我国节能减排过程中存在的问题

作为一个负责任的发展中国家，我国虽然作出了“强度减排”承诺并为之设定了减排目标，付出相应的实践活动，取得了重大进展，但在节能减排技术层面上，中国尚缺少完善的技术支撑体系，东中西部经济发展水平、技术能力推广和社会结构也影响到“节能减排”措施的实施和普及力度。加之先进的“减排技术”掌握在欧美发达国家手里，绝大多数发达国家早已跨过高碳经济阶段，完成了向第三产业和高附加值工业制造业转化，节能产业趋于成熟。而中国在如何调整能源产业结构、协调经济增长和环境效益等“减排”路径上缺乏实践经验，中国要实现减排目标仍是任重而道远。

随着工业化和城市化进程的不断加快，尤其是重化工业和运输业的快速发展，对能源的需求大幅上升，供给不足的问题日益显现。由于我国产业结构的特点，第二产业的比重仍然较大，减排目标的实现形势仍然不容乐观。从目前情况来看，我国节能减排过程中还存在如下问题：企业节能减排的积极性不高，缺少节能技术支持；地方政府部门从本位主义出发，节能减排工作的实际措施不落实；市场机制这只“看不见的手”对经济的调节功能弱化；政府对可再生能源产业的政策支持还有待加强；虽然初步建立了节能减排的相关法律体系，但相配套的措施尚未完善；能源利用效率不高、矿产资源浪费现象严重；新能源研发推广应用的程度相对较低；节能减排的技术相对落后；国内优质能源不足，现有的能源结构不利于节能。

13.2 新能源开发

13.2.1 能源危机

现代经济的发展无不依赖于能源，能源短缺或是价格上涨都会直接影响着经济的发展。在当今，尽管核能、水能、地热能等其他形式的新能源开始逐渐被开发利用，但其生产供应体系尚未完善，世界经济的发展还更多地依赖于石油、煤炭等传统化石能源的使用。中国作为发展中国家，随着经济的发展，工业化、城镇化进程的加快，能源消费急剧增长，导致近年来中国的能源供应压力也越来越大，能源问题已经成为制约我国经济发展的重要因素。造成我国能源危机的主要因素包括以下几个方面：

第一，我国的产业结构是以制造业为主体的，而制造业的超常发展，导致能源消耗量的迅速增加，价格飞涨，加速了能源危机的形成。第二，能源结构不够合理。我国能源消费结构以煤为主，经济成长过程中对石油、天然气需求日益加剧，而国际能源市场的波动直接影响到石油供应，石油制品的短缺已经成为我国能源危机的主要表现形式。第三，价格低廉的出口商品使能源廉价外流。目前，虽然我国的机电产品与轻纺产品出口在国际市场具有一定的竞争优势，既质优又价低。这样的竞争力形成既有劳动密集的比较成本优势，也有低价能源的因素。以冶金机械、纺织设备、石化设备等为代表的出口机电产品和以石油下游产品为原料的出口纺织品，是能源消耗量很高的产品，十几年来出口的高速增长，实际上，是以出口商品为载体的能源廉价外流。第四，我国能源利用效率低下。国民节能意识和节能措施的相对落后，国际间高耗能产业的转移和经济工业化使得节能与能耗总量的增长比例失调，能源利用效率低是我国引发能源危机的关键因素。

13.2.2 中国新能源发展现状

近年来，随着常规能源可开采数量的减少以及投机资金的炒作，国际能源价格起伏动荡，上涨趋势明显，使进口国的经济不堪重负。同时，由于长期的开采及消费过程中的大量排放，也造成了严重的环境破坏。这意味着仅仅依靠石油、煤炭等常规能源，难以支撑人类社会的可持续发展。在这一背景下，各国不约而同地开始重视新能源及可再生能源的研发，在开发清洁能源、提高能源利用效率、减少排放等方面展开了新的一轮竞争。

新能源一方面作为传统能源的补充，另一方面可有效降低环境污染。中国可再生能源和新能源开发利用虽然起步较晚，但近年来发展很快。中国在新能源和可再生能源的开发利用方面已经取得显著进展，技术水平有了很大提高，产业化已初具规模。生物质能、核能、地热能、氢能、海洋能等新能源发展潜力巨大，近年来得到较大发展。

13.2.3 能源危机的应对策略——新能源开发

节能减排是低碳经济发展的重要途径。然而，有专家指出，碳减排会对中国能源系统产生影响：若从2030年开始减排，减排率为10%～46%时碳边际减排成本在45～254美元/t之间，实施碳减排将导致化石能源等影子价格的上升、各种能源服务需求的下降，还将引起终端以及一次能源消费结构的变化。最终能源消费量将由于燃料结构的优化和能源服务需求的减少而减少，在高减排率下，一次能源煤的比重将大大下降，而低碳和无碳能源特别是核能的比重将大幅度上升（陈文颖，高鹏飞，何建坤，2004）。

因此，为应对能源危机，在调整我国产业结构，大力推行节能减排以提高我国能源利用效率等措施的基础上，最重要的一个手段就是进行新能源的开发。新能源又称非常规能源，是在传统能源的基础上发展起来的新型能源，其各种形式都是直接或间接地来自于太阳、物质内部结构变化或地球内部深处所产生的能量，包括太阳能、风能、生物质能、核能、地热能和海洋能以及由可再生能源衍生出来的生物燃料和氢所产生的能量。

13.3　森林碳汇

绿色植物和湿地是陆地的主要碳库，本节着重阐述森林碳汇。

13.3.1　森林碳汇在发展低碳经济中所起的作用

低碳经济的核心是减少二氧化碳的排放，目前二氧化碳的减排存在很大的技术与经济难度，主要有3种技术方向和选择：一是化石能源的替代技术，主要包括清洁能源替代技术、可再生能源技术、新能源技术；二是提高能效，通过减少能耗进而实现削减二氧化碳排放；三是碳埋存以及生物碳汇技术。

能源结构调整对减排的作用最明显且困难较大，从目前情况看，短期内通过能源替代技术改变能源结构的作用有限，人类采用低碳或无碳替代能源技术还需走很长一段路。同样，碳埋存和相关碳汇技术因成本等问题难以全面推广。

因此，短期内实施清洁生产技术和提高能源利用效率是应对减排的最有效途径，同时增强陆地生态系统碳吸收与碳管理也可在一定程度上减轻全球所面临的温室气体减排压力。森林碳汇是属于生物碳汇技术的一种，与其他减排措施相比，有其独特的优越性。

13.3.1.1　发展潜力大、易操作且见效快

根据有关资料的统计，全球植物年固定二氧化碳2852亿t，占大气中二氧化碳量的11%，其中森林年固定二氧化碳1196亿t，占植物年固碳的42%；陆地上有机物中的碳为11500亿t，其中90%储存于森林中。目前，全球森林面积自20世纪以来每年约减少0.2亿hm^2，相当于森林从大气中吸收和固定二氧化碳每年减少48亿t（王爱霞，2010）。因此，《联合国气候变化框架公约》和《京都议定书》中第二条要求促进森林的可持续经营、造林和森林更新来缓解全球的温室效应。而造林和森林更新已是现成技术，早已被森林经营者和林业管理者掌握，只需要简单的业务培训与技术推广，因此在森林碳汇政策支持和市场机制作用下，碳汇林的经营就能迅速展开。

13.3.1.2　森林碳汇对经济增长影响小且成本低

联合国政府间气候变化专门委员会（IPCC）曾于2007年发布《气候变迁评估报告》，提出了CO_2的削减成本和减排量的测算值，而且为能源供应、交通运输、建筑、工业、农业、林业和废弃物处理等7个部门提出了有效对策。评价指出，林业在减排和增加吸收源两方面能以较低的成本作出很大的贡献。

当然，在充分肯定森林碳汇优越性的同时，也要意识到森林碳汇的不足，特别是森林碳汇的稳定性和长期发展潜力问题。但是在短期内，森林碳汇的优越性是其他减排措施无法比拟和替代的。

13.3.2 我国森林碳汇项目开发现状

我国开展森林碳汇相对较晚，但发展势头较好。我国政府于2001年启动了全球碳汇项目，对开展造林、再造林碳汇项目及其相关工作给予了充分重视和积极支持。自2003年年底，国家林业局针对气候谈判出现的新进展，成立了国家林业局碳汇管理办公室以来，国内推行碳汇项目的试点和研究逐渐增加。2007年，颁布的《中国应对气候变化国家方案》强调，植树造林、保护森林、最大限度地发挥森林的碳汇功能等是应对气候变暖的重要措施。

在这一精神的指导下，国家发改委和国家林业局等部门积极搭建碳汇信息交流平台，组织实施全球第1个CDM森林碳汇项目和多个森林碳汇试点项目。以中国科学院为首的一些科研院所，也对全国森林生态系统的碳循环、碳储量以及碳汇功能等进行了初步观测和研究。国家林业局、中国石油天然气股份有限公司及中国绿化基金会等已联合发起成立了中国绿色碳基金，以促进吸纳民间资金开展以固定大气中CO_2为目的的造林、经营森林及建设能源林基地，并投资森林碳汇项目进一步降低“碳足迹”。北京市将建立中国绿色碳基金北京专项，专门管理北京市企业、社会团体以及个人为森林碳汇造林所捐赠的资金。

13.3.3 我国森林碳汇项目发展前景

经过多年的研究和实践，森林碳汇交易从理论转变成实现减缓全球气候变化的市场工具之一，已从最初的自发交易发展成为有一定制度和规则的市场机制，成为实现全球二氧化碳减排的重要组成部分。造林、再造林等森林碳汇项目的研究不断深入，正在为市场交易提供日益可靠的技术支持。国际社会不断完善运作规则，无疑降低了森林碳汇交易的不确定性，为森林碳汇项目的交易和市场的发展提供更好的外部环境。目前，碳交易发展迅速，市场机制引入到生态服务领域，并正在实践环境服务市场。在《京都议定书》的框架下，通过森林碳汇交易市场，可以实现全球范围成本低、效益好的二氧化碳减排效果，同时也能为全球经济平衡发展注入新的活力，促使各国以减缓气候变化为目标，建立对全球负责任的发展模式，在可持续发展框架下走低碳发展之路，为实现全球环境、经济与社会的可持续发展创造条件。

我国通过实施CDM森林碳汇项目，可引入大量国外资金（如国际生物碳基金等）

开展生态林业项目，缓解我国林业建设对资金的需求，促进我国的生态环境建设。同时，还可引进国外先进的森林管理技术，提高我国森林管理的技术含量。为此，我国可考虑具体国情和林情，结合国际碳交易进展，不断探索如何通过市场机制来促进我国林业发展的机制创新，这必将促进森林碳汇项目的交易和市场的发展。

13.4　碳回收与利用

二氧化碳并不是无用或者有害物质，相反，二氧化碳对于我们的一些生产活动、一些产品具有重要作用。例如，在农业上，二氧化碳可以做肥料直接在温室里施用，利用植物根部吸收二氧化碳以促进植物的光合作用，从而促进农作物生长，增加产量。在化学工业上，二氧化碳是一种重要的原料，大量用于生产纯碱（Na_2CO_3）、小苏打（$NaHCO_3$）、尿素［$CO(NH_2)_2$］等。在轻工业上，生产碳酸饮料、啤酒、汽水等都需要二氧化碳。此外，固态的二氧化碳即“干冰”，主要用做制冷剂，用飞机在高空喷撒“干冰”，可以使空气中水蒸气冷凝，形成人工降雨；在实验室里，“干冰”与乙醚等易挥发液体混合，可以提供－77℃左右的低温浴。“干冰”还可以做食品速冻保鲜剂，等等。因此，我们应该物尽其用，努力做好碳的回收和利用，一方面减少“温室效应”，另一方面使之服务人类的生产与生活，获取经济、社会、生态效应相统一与最优化。

第14章　低碳生产：企业建立持久优势的必然要求

低碳经济提倡用较低的能源消耗来支持社会经济的可持续发展。企业的社会性决定了其发展必须依托所处的环境，低碳生产是低碳经济时代应对气候变化、建设生态文明的必然要求。低碳经济的发展也对企业的经营管理提出了新挑战。

14.1　低碳是企业转型与发展的要求

14.1.1　企业是低碳经济时代的行为主体之一

政府、企业、公众是低碳经济时代的主要行为主体。在低碳经济的发展过程中，政府是主导和表率，在低碳经济制度建设上发挥作用，制定相关政策鼓励企业、个人参与到发展低碳经济的活动中，引领低碳经济的发展方向；公众是关注低碳发展、进行低碳消费的积极参与者，应从自身做起，从生活的每一个细节践行低碳。

企业作为微观经济主体，是低碳经济时代的重要行为主体，按照英国经济学家罗纳德·哈里·科斯在《论企业的性质》中的观点，交易成本是“利用价格机制的费用”或“利用市场的交换手段进行交易的费用”，包括提供价格的费用、讨价还价的费用、订立和执行合同的费用等。科斯认为，当市场交易成本高于企业内部的管理协调成本时，将资源结合起来所形成的企业就产生了，企业存在的意义正是为了节约市场交易费用。企业对内部资源的配置发挥着主体作用，内部市场的资源分配的主导者。

在市场经济体制下，以理性经济人假定为前提，一个行为主体的目标函数是利润最大化。低碳经济时代的到来，将给企业带来极大的冲击，包括对企业的评价标准也会发生变化。一些传统意义上的“好”企业，可能会由于其利润不足以抵消高排放所需的成本而破产，与此同时，另一类围绕着节能环保和新能源技术发展起来的新兴战略性产业会脱颖而出，成为发展态势强劲的企业。相对应地，企业的低碳发展对于低碳经济的整体发展有着至关重要的作用。

首先，企业作为产品生产与提供服务的主体，是温室气体排放的主要来源之一，资源消耗大，最容易产生环境污染，企业在获得利润的同时，应该成为环境污染的最主要付费者。为了快速发展，许多企业对能源的消耗和排放是惊人的。无论政府如何重视，无论个体消费者如何关注，专家学者如何倡导，没有企业主体转变行为，节能减排，规范低碳生产过程，提供低碳产品与服务，使消费者拥有充分的选择可能，应对气候变化、发展低碳经济都是一句空话。在这方面，一些优秀企业充分体现了其主体作用和示范效应。例如，美的集团积极响应国家节能减排、低碳环保政策的要求，研制变频空调和高能效产品，成功研发了全球首台 Q-HAP 太阳能空调，并在中国市场正式推出，进入普通百姓家庭；美的无氟变频空调凭借出色的节能技术获得中国第一张变频空调节能认证证书，获得消费者青睐[①]。

其次，企业不仅是社会财富的创造者，而且更应尽自己所能对社会作出更大的贡献。低碳经济事关国家经济可持续发展，功在当代，利在千秋，作为社会主体的企业更应该发挥自己的应有作用。特别是随着市场经济的发展以及国际化程度的提高，政治主体的多元化，企业的自主性和影响力得到不断的强化，表现为企业在与社会的博弈之间渐渐地处于强势地位。与个人及其他社会组织相比，企业拥有更大的使用及处置社会共有自然资源的能力，具有经济能力、信息优势和发展动力，有责任也有义务减少对资源的消耗，减少废气物质的排放，把对环境的污染降低到最低程度。

最后，发展低碳经济在给企业带来挑战的同时，也能够给企业带来巨大的商机和市场前景。目前，我国已经进入“资源有限”的经济发展时代，随着资源稀缺的加剧，企业付出的生产资料成本将逐步上升，特别是石油、铁矿石等大宗材料价格的上涨将给企业生产带来重要影响。企业如果不改变传统的消耗资源模式，积极投入低碳经济，提高资源的产出效率和利用率，这种生产模式因为缺乏核心竞争力，其利润空间将十分有限。数量庞大的各类企业作为低碳经济时代的重要行为主体，不能置身事外。一些知名企业已经在这方面领先一步，例如，“十一五”期间，美的集团就投入总计已经超过100亿元，对全球白色家电变频技术、节能低碳技术、前瞻性技术和基础技术进行研究开发。美的集团“十二五”规划是“五年再造一个美的”，实现从行业跟随者转型到行业领导者的角色[②]。

---

① 美的邯郸首台产品下线，低碳布局促转型升级发展[EB/OL].(2011-01-11)[2012-07-08]. http://finance. ifeng. com/roll/20110111/3184647. shtml.

② fangfang. 美的：企业是发展低碳经济的主体[EB/OL].(2011-07-08)[2012-07-08] http://active. zgjrw. com/News/201178/News/771133823500. shtml.

14.1.2 低碳生产是企业的社会责任

企业是社会系统的重要组成部分，在承担向社会公众提供产品和服务责任的同时，应该承担不可推卸的社会责任。

研究企业社会责任的文献开始出现于20世纪30年代。1953年，美国学者Bowen首次给出社会责任的定义："企业有义务按照社会的目标与价值观，制定相关政策，作出相应决定，采取具体行动。"(Carroll A. B，1999)在此之后，研究逐渐深入，并成为20世纪初以来在西方学术界关注并研究的重要问题，不同领域的学者从政治学、经济学、伦理学、法学、管理学等不同角度进行研究，形成了几种代表性的理论，主要有企业公民理论、社会契约理论、层次责任理论、利益相关者理论、慈善投资理论等。国内的相关研究从20世纪90年代开始，对这几个理论都有比较深入的研究，形成了比较成熟的理论。企业公民理论强调企业在创造利润的同时，还是承担环境和社会责任的社会公民。利益相关者理论则认为股东、管理人员、工人、供应商、顾客、媒介、政府部门、社区甚至自然环境等属于企业的利益相关者，他们能够影响企业战略目标的实现。社会契约理论认为，企业作为契约的主体，应遵守社会契约，而不能为了追求经济利益违背契约。层次责任理论以卡洛尔的金字塔模型最为著名，他认为，经济责任、法律责任、伦理责任与慈善责任构成了企业社会责任的全部。慈善投资理论则认为企业参加慈善活动，承担社会责任，是一种慈善投资，可以积累声望资本，赢得更多顾客。上述理论均强调企业履行社会责任的必要性。

1997年，英国可持续发展环境咨询公司的创立者John Elkington提出了"三条底线"的概念，将企业社会责任进一步具体化，其含义是：企业为了能够实现可持续发展，除了"经济利益"外，还必须将"社会的适应性"和"环境的适应性"作为其经营活动的组成部分并反映到企业的战略中，而市场对企业的评价依据不仅仅停留在反映经济效益的财务信息上，还需要从社会效益和环境效益等方面的信息中全面考察企业的价值(Elkington J，1997)。这一概念受到了国际上各方的重视和认可。

企业是碳排放的主体，企业应在发展低碳经济中承担起社会责任，通过低碳生产，保证社会责任的履行，特别是在环境方面的社会责任。

企业忽视环境保护，不履行社会责任，就会造成外部不经济，给相关利益群体带来损失。外部性概念首先由新古典经济学家马歇尔提出，后由福利经济学家庇古发展为外部性理论。外部性是一种向他人施加其并不情愿的成本或效益的行为，或者说是一种其影响无法完全地体现在价格和市场交易之上的行为(Paul A.，William D，2001)，包括了外部经济与外部不经济，其中外部不经济指某主体的经济活动使他人受到损失付出代价，而未给他人以补偿。

企业在生产过程中向外随意排放污染而不重视低碳生产，属于外部不经济行为，即企业的私人成本MPC小于社会成本MSC，企业的生产导致成本外溢，增加了社会成本。在这里，社会成本包括了私人成本和受到企业生产排放污染对相关群体的损害带来的外部成本。边际社会成本 = 边际私人成本 + 边际外部成本，即MSC = MPC + MEC。

外部不经济存在时，如图14-1，生产者进行决策的边际成本为边际私人成本，私人成本曲线低于社会成本曲线。如果假定边际收益曲线MR为一水平线，则根据私人成本决定的产量为Q_1，大于由社会成本决定的产量水平Q_2。如果要使产量降到Q_2的水平，必须使生产者的实际收益降低到P_2的水平（沈晓梅，2005）。

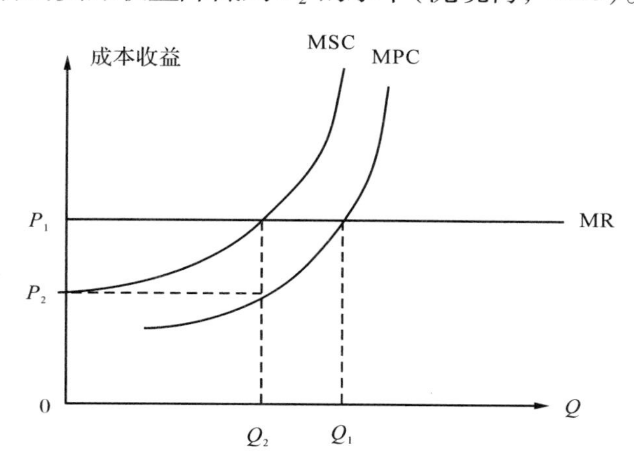

图14-1　负外部性的经济效率分析

Q_1的产出量上，生产的边际社会成本超过了边际社会收益，企业的生产成本由于转嫁给了整个社会而被人为缩小，企业因此会扩大生产，以获得更多的利益。显然，企业在不履行社会责任的情况下，产量过高，会损害社会利益，不符合整个社会的帕累托最优条件。因此，政府必须采取措施，进行调控，将成本内部化。

在竞争性短期均衡中，产品价格高于生产的平均成本时，企业就进入该行业，相反则企业退出。在长期均衡中，价格等于长期平均成本。而存在外部不经济时，平均私人生产成本低于平均社会成本，这样就鼓励了一些本该离开的企业留在行业内，而且产出越大，负外部性就越严重，社会付出的成本就越大。

如果企业履行了社会责任，考虑到环境保护与低碳生产的重要性，治理污染增加了企业的成本，企业承担了MEC成本，MPC曲线向MSC曲线靠拢，直到重合，企业实现新的均衡，此时的产量Q_2为最适应产量，社会总福利将增加。

从长期看，企业履行社会责任进行低碳生产，还能增强企业持续发展的竞争力。因为企业履行了社会责任，对社会带来了正外部性(图14-2)，企业的边际社会收益MSB比企业的边际收益MR大，社会增加了对企业产品的需求，增加至Q^*，这样有利于企业的发展(黎友焕，2010)。

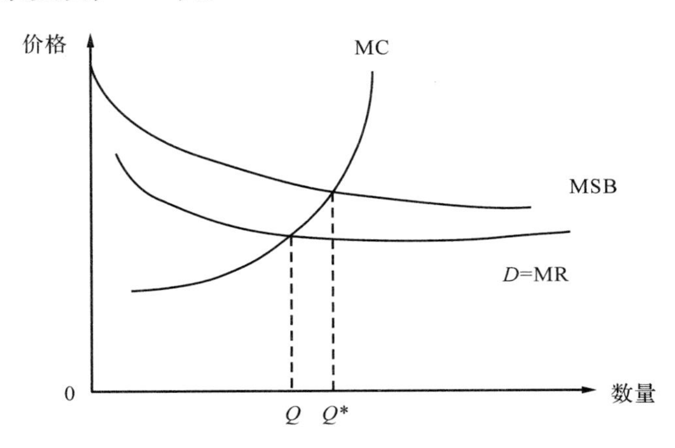

图14-2 企业履行社会责任后的社会需求

因此，应该倡导企业切实履行社会责任，推行低碳生产。在产品研发环节中，企业应加强研发，增加研发经费的投入，优化产品结构，从产品设计的源头减少碳排放量；在产品生产环节中，优化整个生产流程和方式，提高企业具有自主知识产权的低碳生产技术水平；在废弃物质回收环节，企业应加强监控，提高效能，降低碳排放。

相当一些企业已经开始重视履行企业的社会责任。据统计，目前全球已有2500多家企业发布各种类型的企业社会责任报告(张超武，邓晓峰，2011)。在众多跨国公司的企业社会责任报告中，越来越多地出现与低碳生产相关的"碳排放"内容。比如英特尔公司，在中国该公司设计的减少碳排放的目标是从2007~2012年，将运营产生的二氧化碳排放量绝对值减少20%。在中国，2003年3月第十届全国人民代表大会第一次会议召开后，企业社会责任受到政府部门的重视，并被写入相关文件。按照中国社会科学院企业社会责任研究中心编著的《企业社会责任蓝皮书(2009)》研究路径，环境责任是履行社会责任最重要的方面，包括环保管理、节约资源能源和降污减排三大领域。随着国家政策的引导和企业自身社会责任意识的提升，目前有越来越多的企业开始提交社会责任报告。根据有关报告，目前中国已有十几个行业的50多家公司发布了年度企业社会责任报告。

14.1.3 低碳是对企业发展的要求

随着低碳经济时代的来临，各国对企业的低碳都提出了要求，而且这个低碳要求在贸易中也将体现出来。目前，各国都制定了一些新的政策、法规、规定。不少国家与地区已开始要求企业承担生产过程所造成的碳排放代价，如欧盟温室气体排放交易体系对二氧化碳排放设定了价格，每多排放1t二氧化碳就要支付一定的价格，以刺激企业进行更为环保的产品开发[①]。针对企业生产经营活动的温室气体强制减排管理已是大势所趋。2009年11月26日，中国首次宣布了清晰的量化减排目标：在2020年单位国内生产总值二氧化碳排放比2005年下降40%～45%。节能减排是资源紧缺和环境承载能力有限背景下对企业的要求。

因此，为了实现科学发展，推进节能减排的实施，必须进行生产方式的彻底革新，进行低碳生产。低碳生产是贯穿于整个产品生产各个环节中，以节约资源、降低消耗、减少污染为目标，以先进的科学技术和管理为手段的一系列生产活动。低碳生产强调的是对生产过程中“三废”的控制和处理，以消除和减少工业生产对生态环境的影响(陈军，2010)。实行低碳生产就要选择可再生原料和可回收材料，淘汰污染工艺，采用先进的工艺设计，运用合理有效的运输方式，高效利用可再生能源、新能源以及清洁使用煤炭、油气资源，用高新技术提高产出效率，减少生产过程的污染物排放量，控制温室气体排放，降低资源耗费，达到节能减排的最终目标。实践证明，低碳生产是推进节能减排，促进污染防治从单纯的末端治理向整个生产环节全过程控制转变的必由之路。例如，作为行业领军者，伊利集团倡导低碳生产，构筑绿色发展。在使用包材方面，伊利持续探索可再生资源的使用，目前已经采用经过FSC认证的包材，其包材主要原材料来自于生态管理良好的森林资源。伊利集团还积极推行绿色环保物流的各项措施，如采用排污量小的货车、近距离配送、夜间运货，以减少交通阻塞，节省燃料和降低排放等。2010年，伊利集团吨产品平均综合能耗较2009年下降6.79%，减排二氧化碳约6.2万t[②]。

---

① Suesue. 欧盟将为ETS制定2013年二氧化碳排放目标[EB/OL].(2010-10-27)[2012-07-09] http://news.qq.com/a/20101027/001140.htm.

② Techoo-3. 伊利：低碳生产构筑绿色发展[EB/OL].(2011-07-08)[2012-07-09]. http://www.tech-food.com/news/2011-7-8/n0564296.htm.

14.2 企业低碳生产的现状及存在问题

14.2.1 企业低碳生产的领域

传统工业化的生产方式是单方面向自然索取的“资源—产品—废物”线性的生产过程，其处理废弃物的方式是非循环的（廖福霖，2010）。而企业的低碳生产是在可持续发展的理念指导下，通过技术、制度、产业等方面的政策手段，企业尽可能减少石化类高碳能源的耗费，达到经济社会可持续发展、生态环境优良的局面。低碳生产的主要特征是低能耗、低污染、低排放。低碳生产涉及原材料的采购、产品的设计制造等一系列活动，因此其中包括低碳设计、低碳采购、低碳技术、清洁生产等领域。

14.2.1.1 低碳设计

产品的设计是产品生命周期的起源，产品设计要求能根据产品品质与成本收益的目标，有效地将顾客的需要转化为现实的产品或服务，或改善现有的产品或服务，研究开发新产品或服务等方面。

设计贯穿于从原材料选择、工艺流程设计、消费使用乃至失去使用价值废弃后的回收、利用等阶段。低碳设计要求在设计过程中考虑到产品材料及工艺等对环境产生的消极影响，并将其控制在最小范围或最终消除。

低碳设计从碳排放量的角度出发，通过优化工艺流程、适当延长产品生命周期、可持续利用原材料、回收废弃物等方式，营造一个适应经济、社会以及生态发展的可持续环境，在设计过程中协调自然和社会的关系，保证在研发、生产、流通、使用以及回收过程中不对环境造成污染，从而实现节能减排。例如，日本 INAX 公司研发的陶土瓷砖，由泥土与石灰混合压制而成，使用晒干法制成，可以吸收阳光，隔热以及隔音等方面的性能良好，具有调节水分干湿的特点，可以净化空气。由于以泥土为原材料，在混合了熟石灰或建筑物残渣后，经高压蒸汽所产生的热反应固化成型，没有一般瓷砖在窑内烧制中排放热量及二氧化碳的缺点，即便使用到废弃，也只需简单地粉碎重归大地（穆存远，夏南，2011）。

14.2.1.2 低碳采购

企业采购的材料和产品在企业生产系统的各个阶段都会对降低环境冲击产生重要影响。低碳采购要求优先选择既可以减少环境负担又可以回收利用的原料和部件，比如一些可再生原料及可利用的废弃物，尽可能地减少对生态环境的破坏；采用合理的运输方式，减少不必要的包装物。

在材料选用方面，低碳采购要求尽量选用低能耗和少污染的低碳材料。所谓低碳材料，是指能够在确保使用功能的前提下降低不可再生原材料的使用量，生产制造过程能耗、污染、碳排放较低，使用周期较长，使用过程无有害物质，并可以回收利用的新式材料。低碳材料在生产、使用全过程能够实现企业节能减排的目标，是可持续和面向未来的材料。低碳材料的种类很多，如低碳改性母粒、环保降解母粒、低碳改性塑料合金等。

在材料包装方面，当前不少企业存在着过度包装、大量独立包装、使用非环保性包装材料等问题，既污染了环境，又产生巨大的资源浪费。必须在包装材料设计、包装工艺与技术方面进行改革创新，减少包装材料的使用量，从独立小包装回归“一次性同量包装”，选用纸质等无毒害、少公害、易分解处理的材料，多用传统自然、可降解、可拆卸压缩的包装材料，以减少废弃物的产生，节约能源与资源。

14.2.1.3　低碳技术

马克思早就指出，“社会上一旦有技术上的需要，这种需要就会比十所大学更能把科学推向前进”(马克思恩格斯选集第 4 卷，人民出版社 1995 年版)。技术的出现是市场需求的结果，低碳技术同样如此。低碳技术包括了电力、交通、建筑、冶金、化工、石化等部门以及在可再生能源及新能源、煤的清洁高效利用、油气资源和煤层气的勘探开发、二氧化碳捕获与埋存等领域开发的有效控制温室气体排放的新技术。

低碳技术中，可再生能源和新能源技术包括核能、水能、风能、太阳能、生物质能、地热能、海洋能、天然气水合物等相关技术；节能技术包括工业生产节能、清洁煤技术、整体煤气化联合循环发电系统、建筑节能、低碳交通(如新能源汽车)等(邢继俊，黄栋，赵刚，2010)。二氧化碳捕捉、封存和利用技术主要应用于碳排放比较集中的大型排放点，比如火电站、钢铁厂、炼油厂等，其中一些技术已经可以商业化或部分商业化应用。

发达国家在低碳技术研发上已经领先了一步，目前的一些核心低碳技术专利多为发达国家所掌握。比如德国的光伏发电技术，美国和法国的核能应用技术，美国、日本在风能、生物质能源、光伏发电等方面的技术。根据《2010 年中国人类发展报告——迈向低碳经济和社会的可持续未来》，中国实现未来低碳经济的目标，至少需要 60 多种骨干技术支持，其中有 42 种技术是目前的中国还没有掌握的核心技术。因此，我国应当在注重引进、消化、吸收国外技术的同时，更应重视自主研发、实现核心技术国产化的突破。

14.2.1.4 清洁生产

联合国环境规划署对清洁生产的定义是：一种新的创造性的思想，该思想将整体预防的环境战略持续应用于生产过程、产品和服务中，以增加生态效率和减少人类及环境的风险(国家环境保护总局科技标准司，2001)。对生产过程的要求是节约原材料和能源，淘汰有毒原材料，减降所有废弃物的数量和毒性。对产品的要求是减少从原材料提炼到产品最终处置的全生命周期的不利影响。对服务的要求是将环境因素纳入设计和提供的服务中。

自20世纪80年代以来，国外不少发达国家将推行清洁生产作为经济与环境协调发展的战略措施，逐步建立并完善相关的政策体系，鼓励企业进行清洁生产，具体包括：给予低息贷款、鼓励银行融资倾斜、给予税收减免等优惠、培育清洁生产的市场需求等。国内从20世纪90年代初开始，推行清洁生产，研究制定了一系列鼓励政策，2003年颁布实施的《清洁生产促进法》，标志着我国的清洁生产工作已走上法制化轨道。2003～2009年，中国实施清洁生产改造工程累计削减化学需氧量220多万t、二氧化硫71万t、节能4900多万t标准煤，有效推进了节能减排目标的实现[①]。目前，国内清洁生产还存在着审核比例不高、资金支持不够、关键技术供给不足等问题，未来，中国将全面推行清洁生产，促进工业发展方式转变。

14.2.2 不同类型企业的低碳生产

14.2.2.1 传统产业的企业

低碳不仅仅是发展新兴产业，传统产业在低碳经济时代的转型升级和效率提升也是低碳的重要体现之一。传统企业，特别是一些电力、钢铁、石化、建材、纺织行业的企业是碳排放的大户，大多具有高排放、高耗能的特点，抓好这些企业的节能降耗改造和技术升级，产生的“低碳效益”将十分巨大。

对于这些传统产业的企业来说，低碳经济时代同样提供了良好的发展机遇和巨大的商机。例如发达国家的造纸工业利用先进技术进行改造，适时转型，成为符合低碳经济发展要求的绿色工业。

首先，传统产业的企业存在着一定的降低能耗、节能减排空间。以我国为例，相关的研究表明，我国的能源系统效率为33.4%，比国际先进水平低10%，电力、钢铁、石化、建材、纺织等8个行业主要产品单位能耗平均比国际先进水平高40%，机

---

① 中国将全面推行清洁生产，正制定清洁生产规划[EB/OL].(2010-11-23)[2012-07-10]. http://news.163.com/10/1123/10/6M5SAE0E00014JB5.html.

动车油耗水平比欧洲高 25%，比日本高 20%，单位建筑面积采暖能耗相当于气候条件相近发达国家的 2～3 倍（李旸，2010）。因此，只要积极参与低碳发展，适时进行转型升级、提升效率，传统产业的企业依然拥有巨大的发展空间。

例如，大众汽车已经制定出一整套针对中国国情的绿色环保方案，涵盖了原材料采购、零部件测试、产品研发、生产、销售与售后服务等各个环节。在上海世博会期间，大众汽车展示了 5 款采用面向未来动力技术的全新车型，其中有三款采用了全新的可实现“零排放”的驱动技术。从长远来看，大众汽车已从战略层面探索更环保、更清洁的替代资源，以降低二氧化碳的排放。这些低碳战略，将带动上下游产业的发展、转型（张绥新，2010）。

其次，传统企业选择低碳发展，可以避免锁定效应，利用溢出效应。经济意义上的锁定效应是指事物发展对初始路径和规则的依赖性，也就是说，选择了某种路径，进行转变难度较大，主体的当前决策受到前期决策行为的影响，导致主体的利益受到影响。W. B. Arthur 认为，锁定现象是经济系统中的一种特定均衡，要打破这样的一种均衡，必须付出相当的成本，如果行为主体无法负担该成本，就只能按照以前的决策，于是经济系统就被锁定在原有的均衡状态中。对于传统企业而言，在高污染、高消耗、高排放的发展模式与低碳经济模式之间的选择，实质上是远期利益与近期成本之间的抉择，如果无法痛下决心付出相当的成本或者由于无法负担转变发展方式的成本，而停留在原有的决策模式中，那么今后转变的难度更大，投入的成本更多。由于传统产业的这些企业设备投入较大，一旦投入，使用年限较长，转移成本较大，因此越早参与低碳发展，更新设备与技术，越能节约成本，避免锁定效应的累积。同时，越早参与低碳发展，更新投资，越能获得经济效益。

总之，传统产业中的企业可以通过科技创新和科学规划，加快节能减排技术的研发、推广以及应用，减少碳排放，提高经济效益。传统产业的企业向低碳发展的转型，一方面是对国家政策的回应与实践，另一方面，也将影响到行业上下游产业链，从而对公众、地方经济产生广泛的影响。

14.2.2.2　新能源企业——生产低碳产品，拓宽发展平台

低碳经济的核心是新能源技术，新能源是传统能源之外的能源形式，它直接或间接来自于太阳或地球内部所产生的热能。在不同时期和科技发展水平下，新能源的内容不尽相同，目前所说的新能源，通常包含了太阳能、风能、生物质能、地热能、水能和海洋能以及可再生能源衍生出来的生物燃料和氢产生的能量。高效、清洁、低碳、低成本、可持续是新能源领域未来发展的重要方向。

在全球经济进入新一轮调整的新时期，作为“节能减排”“优化能源结构”和承担

产业结构调整的重要角色，新能源产业已被许多国家确定为重点培育的“新的经济增长点”，同时也成为新一轮国际竞争的战略制高点。比如美国总统奥巴马一上任，就把发展新能源作为投资的重点，欧盟宣布，2013年前将出资1050亿欧元支持“绿色经济”，发展新能源产业。我国对新能源产业也给予了高度关注，在2009年年底的哥本哈根大会上，中国政府承诺“使中国单位GDP二氧化碳排放比2005年下降40%～45%，可再生能源占一次性能源消费比重达到15%左右”；2010年温家宝总理在《政府工作报告》中提出，要大力培育战略性新兴产业，大力发展新能源、新材料、节能环保、生物医药、信息网络和高端制造产业；《新兴能源产业规划》已通过国家发改委审批，上报国务院。业内人士认为，新能源发展规划出台后，未来十年我国新能源投资将达5万亿元。

国家对新能源产业有增无减的扶持力度，将为中国企业的跨越式发展提供了难得的机遇。只要科学规划，加大产业化力度，在关键技术上有所突破，以生物质能、核能、风能、氢能、太阳能、燃料电池等为主要方向的新能源、新技术企业将成功地研发出符合未来发展方向的低碳产品，具有广阔的市场应用前景和发展空间。

目前，不少新能源、新技术企业抓住了国家在政策、项目、技术、资金等一系列的支持和机遇，大力研发推广低碳技术产品，规模化、产业化发展，取得了较好的经济效益和社会效益。例如，2010年(首届)中国新能源企业30强之一的江西赛维LDK太阳能高科技有限公司，是全球最大的太阳能电池硅片生产商。在光伏晶硅原料和硅片领域具备国内领先的规模和技术水平，通过产业链纵向延伸进一步确立了行业竞争优势。该公司在2009年成功投产万吨级高纯硅项目，打破了国外在此项技术上的垄断，推动了行业发展[①]。

14.2.2.3 金融企业

在低碳经济时代，实体经济从“高碳”向“低碳”转型，这种变革会对商业银行产品及金融服务产生巨大的需求，一些金融机构已经洞察到了这一变化背后的商机，开始明确提出节能减排的企业责任；积极参与到绿色环保项目的贷款和投资当中，投资低碳行业，如新能源汽车、工业节能、低碳建筑、太阳能、风能、生物质能和地热能等领域，为企业进行低碳实践创造良好的金融环境，通过金融资本的力量引导实体经济的发展，同时增加自身新的赢利增长点和竞争优势，取得了很好的社会和经济效益。

---

① Raymondzhao. 2010年(首届)“中国新能源企业30强”榜单揭晓[EB/OL].(2010-08-16)[2012-07-11].http://zhidao.baidu.com/question/176045609.html.

在信贷支持的传统业务方式上，金融企业可以充分发展绿色信贷，在贷款决策时重点评估项目对环境的影响、资源的有效利用程度等，信贷投向逐渐向符合低碳要求的领域和行业倾斜，对研发、生产治理污染设施，从事低碳生产、绿色制造的企业和机构，提供相对优惠利率的贷款扶持。绿色信贷是商业银行在低碳经济时代面临的重大机遇，能引导资金和贷款流向低碳发展方向的企业与机构，促进信贷企业更加注重能源、资源节约和生态环境保护，达到资金绿色配置的目的。近五年来，中国人民银行会同银监会等金融监管部门和环保主管部门，结合产业政策、环保政策制定并推行了一系列有利于环境保护的"绿色信贷"政策，引导商业银行实施"区别对待、有保有压"的信贷原则。

同时，金融企业还可以积极参与低碳金融的创新和发展，推出创新低碳金融衍生投资产品，包括排放权远期交易、排放权期货交易、套利交易工具以及与排放权挂钩的债券等。国际主流商业银行早已经深入到低碳金融交易的各个环节，比如，国际排放交易下的AAU、欧盟排放交易体系的EAU、联合履行机制下的ERU、清洁发展机制下的CER等都属于碳信用范畴，具有金融衍生产品的特征，充分满足不同投资者和企业的需求。

在这方面，国内的一些银行也进行了尝试，取得了不错的效果。例如，作为中国国内首家承诺采用"赤道原则"的上市银行，兴业银行2009年年报显示，2009年银行新发放节能减排贷款137笔，金额达132.79亿元。目前，兴业银行已与国际金融公司(IFC)签署了《能源效率融资项目(CHUEE)合作协议》，切入中小企业能效融资项目(王雅丽，刘洋，2011)。

14.2.3 企业低碳生产存在的问题

14.2.3.1 企业对低碳生产的重要性认识不足

一些企业对低碳发展带来的机遇和挑战尚没有形成清晰的思路，对发展低碳经济的重要性认识模糊，认为现在资源还很丰富，发展低碳经济是未来的事，缺乏紧迫感；有的认为低碳经济将禁止高能耗产业发展，还有的甚至认为低碳经济是政府的事情。对低碳生产认识的不足，导致了这些企业在工作中不能运用低碳经济理论来指导实践，无法有效地贯彻落实国家低碳生产的任务。

14.2.3.2 企业低碳技术水平偏低，研发能力不足

虽然我国低碳技术在政策的支持下得以迅猛发展，但在各技术领域中，日本、美国等主要发达国家均处于较为领先的地位。从企业的角度看，相当一部分的企业缺乏足够的能力开发出低碳生产所需要的节能、减少废弃物排放、减少环境污染的关键技

术，对发展低碳经济的科技支撑体系的研究相对滞后。这从我国低碳技术专利申请的分布情况可见一斑。截至2009年，在中国低碳技术领域专利申请量排在前5位的分别是清华大学(128件)、上海交通大学(91件)、浙江大学(77件)、比亚迪股份有限公司(76件)、天津大学(52件)，其中只有一个是企业[①]。这与国外企业低碳技术专利申请数量达到数百甚至上千的情况形成鲜明对比，表明了企业低碳技术水平的落后和研发能力的不足。

14.2.3.3 企业资金有限

企业是自然资源的主要消耗者和“三废”的最大排放者，推行低碳生产，必须自主研发，进行节能技术改造，淘汰高耗能的设备工艺，为自身企业生产所产生的污染支付治理成本，这都需要一定的资金支持。在推行低碳生产的初期，通常投入大，运营成本高，资金是制约中国企业发展低碳生产的重要障碍。资金的不足使不少企业研发投入少，根据有关资料显示，中国大多数中小企业投入的研发资金用于新产品开发的只有24%，用于基础研究的费用不到10%。而金融系统出于风险考虑，对低碳技术项目融资的支持力度不够，不能满足低碳技术发展的资金需求。

14.2.3.4 国家政策保障不完善

我国虽出台了一些鼓励低碳生产发展的政策，但缺乏整体的战略思路，使得各项政策只能是相互分割和彼此孤立，缺乏系统性、统一性，影响了政策的整体效率。

一方面，政府缺乏有效的激励性政策，没有能够充分调动企业节能减排、技术研发的积极性，对低碳生产的宣传力度还不够，企业低碳生产的观念淡薄；财政手段的灵活性不够，低碳生产的投资特别是大规模的技术项目的投资，还需要依靠政府的支持，没有形成高效完善的投入机制；金融手段方面，企业低碳发展会对金融机构产品及服务产生巨大的需求，银行信贷目前是许多企业低碳发展的主要融资渠道，在提供一个有利于金融发展创新的法律环境和政策环境方面，政府尚有可作为的空间。

另一方面，政府缺乏完善的监控政策，这主要表现在法律法规、制度标准方面建设的落后，在限制企业污染物排放，控制企业高能耗、高排放产品生产上监督力度不够，跟踪监测无法到位，对企业生产方式的考评也多流于形式，无法起到有效的监督和管理的作用。

---

① 三部委报告：中国企业低碳技术研发能力差[EB/OL].(2011-03-02)[2012-07-12]. http://info.solar.hc360.com/2011/03/02094056961.shtml.

14.3　促进企业低碳转型的政策措施

14.3.1　完善国家政策法规，引导企业低碳生产

政府管制理论认为，在市场经济体制下，当市场内部机制不完善时，会出现市场失灵，如环境负外部性等。如公共物品、破坏性、垄断、外部竞争等，都可能引起市场的失灵。在市场失灵的地方就需要政府的作为，政府应当依据有关法律法规对私人及经济主体的活动进行必要的干预，实行政府管制。政府管制分为直接管制与间接管制，而间接管制包括了经济管制与社会管制。根据政府管制理论，政府要为企业创造宽松的环境，通过恰当的政策组合，为低碳生产提供完善的制度保障。

首先，应借鉴国外的成功经验，加快制定低碳经济法、可持续发展法、资源循环利用法等有关法律法规，为低碳经济发展提供制度支持。

其次，实施低碳生产监控政策。庇古的福利经济学理论认为，边际私人成本与边际社会成本的差异导致了外部效应，市场的价格无法反映生产的边际社会成本，市场无法达到资源配置的帕累托最优状态。此时，政府应该根据污染所造成的危害征税，对那些边际私人成本低于边际社会成本的高碳生产企业，实现外部效应内部化。应用庇古税原理，政府应充分完善监控政策，严格执行污染许可证制度，允许排污权在企业之间的交易，实现既能高效率控制污染，又能将控制污染成本降到最低的目标。例如，加快制定针对工业企业的温室气体排放标准和收费标准。对生产污染环境产品的生产企业征收生态建设税。对污染企业进行停产整顿，作为惩戒，保证企业受制裁所付出的经济成本高于污染环境所获得的经济效益，促进企业低碳生产。

最后，实施低碳生产激励政策，对低碳生产项目给予土地、税收优惠支持，对企业投资于防污设备给予投资减免、税前还贷、加速折旧等支持。在发挥财政手段作用的同时，应加快金融领域的创新，发展绿色信贷。

14.3.2　推动企业技术创新，推广低碳生产技术

新古典增长理论的代表人物经济学家索洛提出的生产函数（考虑到技术进步），$Q=F(K, L, t)$，Q 表示总产出，K 表示资本存量，L 代表劳动，t 表示时间。假设技术进步是希克斯中性的，则模型为：$Q=A(t)F(K, L)$，$A(t)$ 表示不同时间的技术水平。索洛按美国 1909～1949 年的统计数据，计算出技术进步对经济增长贡献率超过

80%，他认为，经济的增长达到一定阶段后，技术进步在经济社会发展中的作用越来越突出。人均产出的增长源于人均资本存量与技术进步，但只有技术进步才能带来人均产出的永久性增长。

当前，低碳技术是低碳经济发展的动力和核心，技术创新是企业结构调整、转变发展模式的根本途径。政府要组织力量安排重点低碳技术攻关，把可再生能源、先进核能、碳捕集和封存等先进低碳技术作为提升国家技术竞争力的核心内容，列入国家和地区的科技发展规划，通过政策导向支持具有市场前景的低碳技术和低碳产业优先发展。优先开发新型、高效的低碳技术，鼓励企业积极投入低碳技术的研发、设备制造、低碳产品和低碳能源的生产。有效实现节能减排，降低 GDP 的碳强度。

此外，政府还应促进国际低碳技术转让，引进消化先进的节能技术、提高能效的技术和可再生能源技术，进一步通过谈判来推动发达国家制定相关法规以放松对低碳技术出口的限制，激励私营部门技术转让的积极性。

14.3.3 转变经济发展方式，调整产业结构

区域经济要获得环境与经济可持续发展的双赢，必须从产业结构等多方面进行优化与调整，对此，环境库兹涅茨曲线可以进行有效的说明。环境库兹涅茨曲线最早是由 Grossman-Kmeger、Shafik 和 Panayotou 提出的。1991 年，Grossman-Krueger 对 GEMS 的城市大气质量数据进行分析，发现 SO_2 和烟尘符合倒 U 形的曲线关系。1992 年，Shafik 按照世界银行提供的数据，采用 3 种不同的方程形式(线性对数、对数平方和对数立方)，拟合了各项环境指标与人均 GDP 的关系。1993 年 Panayotou 使用 1955 年 Kuznets 界定的人均收入水平与收入不均等之间的倒 U 形曲线，第一次将这种环境质量与人均收入水平间的关系称为环境库兹涅茨曲线(贾书梅，宋天和，2010)。

环境质量随经济发展出现先恶化后改善的过程，即环境质量与经济发展存在“倒 U 形”关系。当一国经济从农耕为主向以工业为主的社会转变时，经济规模越来越大、投入的资源越来越多，污染和废弃物也随之增加，这是规模效应；但当经济发展到一定程度后，产业结构升级，能源密集型的重工业向服务业与技术密集型产业转移，污染减少，这是结构效应；随着经济的增长，研发支出相应增加，技术不断进步，资源的利用效率得到改善，生产对环境的负面影响逐步减弱，先进的清洁生产技术降低了单位产出的污染排放，这就是技术效应。

目前，经济结构不合理是中国高污染、高能耗问题的主要原因之一。2010 年，中国第二产业比重为 46.87%，第三产业比重为 42.96%。工业结构中，碳需求量较大的重化工业占到工业比重的 70% 左右(钟茂初，张学刚，2010)。根据廷德尔气候变化研

究中心的报告，中国的碳排放量中大约有 23% 来自于出口产品的制造。可见，第二产业中的重化工业比重过高，出口产业中高污染、高消耗、能源密集型的制造业产品比重较高，这导致了能源处于高碳消费状态、企业碳排放量居高不下。

因此，企业低碳生产道路必须建立在转变经济发展方式、调整产业结构的基础上。应在维持资源环境容量平衡的基础上，采取项目审批问责等有效措施严格控制高耗能行业的过快增长，提高高碳产业准入门槛，调整、改造产业存量中高排放、高污染、低效益的落后产能，大力发展低消耗、低排放、低污染、高效益的低碳产业。

“微笑曲线”理论认为，反映企业利润率的曲线横轴由左向右，依次代表产业的上中下游，左边是研发，中间是制造，右边是营销；纵轴则代表附加价值的高低。其中处于中间环节的制造附加值在产业中的获利能力相对最低，而上下游的研发环节与营销环节附加值相对较高，整个曲线如同一个人抿嘴微笑时的嘴巴形状。在附加价值的观念指导下，企业只有不断往附加价值高的区块移动与定位，才能持续发展与永续经营，因此，应推进产业向利润曲线附加值更多的研发设计和品牌服务两端延伸，实现产业结构的优化。当然，用低碳技术改造提升传统产业，也是必不可少的。

14.3.4　重视低碳生产的舆论宣传，强化企业社会责任理念

政府应该有效地利用电视、广播、报纸、互联网以及其他媒体，广泛宣传企业低碳生产的概念、内容、措施和低碳生产的意义与价值。要发挥新闻媒体在企业发展低碳经济中的舆论引导作用，促进企业关注低碳，端正对低碳生产的认识，倡导低碳生产、低碳经营的舆论氛围。政府要通过舆论指导，树立低碳生产企业的榜样，增强企业对低碳责任的认识。此外，应充分发挥新闻舆论、消费者协会、行业协会的作用，形成多层次、多渠道的监督体系完善企业低碳生产的社会环境。

第15章　低碳消费：低碳生活方式的核心

低碳生活是转变生活方式的重要内容，也是生态文明建设的重要内容。2010年3月，温家宝同志在《政府工作报告》中明确提出："要努力建设以低碳排放为特征的产业体系和消费模式。"即发展低碳经济要"两条腿"走路，低碳生产和低碳消费缺一不可。一方面，低碳消费本身是减少碳排放的重要途径；另一方面，还要充分认识生产与消费的紧密联系，充分重视低碳消费对低碳生产的巨大反作用。

生产是将投入转化为产出的活动或是组合各种生产要素以制造产品的活动，而消费则是人类社会永恒的主题。消费是指人们在生产与生活中对物质产品、精神产品、生态产品、劳动力和劳务进行消耗的过程。消费包括了生产性消费与生活消费，生产消费是生产过程中工具、原料和燃料等生产资料和生产劳动的消耗(程远，2003)。非生产性消费的主要部分是个人消费，指人们为满足个人生活需要而消费的各种物质资料和精神产品；另一部分是非生产部门，如机关、团体、事业单位在日常工作中对物质资料的消耗(谭娟，陈文婕，2009)。本章所说的消费，主要指非生产性消费中的个人消费，即人们每天消费已经生产出来的消费资料(包含劳务资料)来满足(然后优化)物质、文化和生态生活需要的消费行为。

马克思早就指出，"没有生产，就没有消费，但是，没有消费，也就没有生产，因为这样，生产就没有目的""生产直接是消费，消费直接是生产"(马克思恩格斯选集第2卷，人民出版社1972年版)。一方面，生产决定消费，生产是消费的源泉；另一方面，消费对生产具有重要的反作用，消费是生产的目的和动力，消费形成新的生产需求。因此，在低碳经济时代，应更加关注对消费需求的科学引导和消费者角色和作用的合理定位。

15.1　低碳时代消费心理的转变

社会心理学的行为模型与理论认为，行为是情感、道德、社会和规范因素的复杂集合(徐国伟，2010)。美国经济心理学家乔治·卡托纳在其著作《经济行为的心理分析》一书中也提出“消费者主权”的概念，认为消费需求并非完全取决于消费者的财政因素，需求具有“自由决定权”，消费者行为受到消费者购买倾向如消费者的动机、期望、倾向等心理因素的较大影响。

消费者的动机主要通过消费者的愿望、兴趣、理想等形式表现出来。消费价值取向是决定消费动机的核心因素。显然，外在环境与条件的变化都会对消费价值取向产生影响，消费心理是多种因素综合作用的结果。

随着社会的富裕和人们收入水平的提高，消费者的行为将越来越多地受到消费心理因素的影响。健康的消费心理和消费行为是素质和修养的重要体现，如果人们的消费心理实现消费主义向可持续消费、低碳消费转变，那么对于低碳生产乃至低碳经济发展、低碳社会的构建都会发挥重大作用。

15.1.1　消费主义

消费主义是一种崇尚和追求过度占有和消费作为满足自我和人生目标的价值取向，以及在这种价值观念支配下的行为实践(嘉瑞，吕志敏，2005)。在这种实践中，人们沉溺于消费，将物质的占有与消耗作为人生目的和美好生活的象征。

消费主义始于 19 世纪，它产生的背景是后工业化社会。资本主义社会的早期，为了保证资本积累和国民财富的增加，生产在社会各个环节中的地位是第一的，经济学家与社会学家均通过各种理论论证节制消费对资本积累的重要意义。比如古典政治经济学家亚当·斯密就指出：“资本增加，由于节俭；资本减少，由于奢侈与妄为。一个人节省了多少收入，就增加了多少资本。”著名社会学家韦伯，也从新教伦理的角度，论证了禁欲主义对积累财富、资本主义社会发展的重要性。

然而，进入后工业化社会后，随着社会财富的增加，西方资本主义国家的商品过剩问题日益突出，经济危机频繁发生，消费主义逐步兴起，在 20 世纪初广泛蔓延，至 20 世纪五六十年代达到顶峰。

消费主义的代表性人物之一就是英国经济学家凯恩斯。针对资本主义社会频繁出现的经济危机，他提出了“消费不足危机论”，认为国家不能甘于当“守夜人”，应采用扩张性经济政策，刺激消费，施加宏观干预。只有通过有效的手段刺激人们大量消费，才能解决“销售过剩”的问题，保持经济持续增长。凯恩斯定理取代了“供给产生需求”的萨伊定理，消费成为决定生产循环和再生产的重要因素。刺激消费的舆论一浪高过一浪，各种促销手段层出不穷。此外，采用流水线大批量生产同质产品的福特主义进一步促进了大众消费与消费主义的发展。

对于消费主义的兴起与发展，一些有识之士开始对其进行反思。首先是马克思的反思，此外法兰克福学派的弗洛姆和马尔库塞、法国著名社会学家鲍德里亚、美国批判社会学的代表人物丹尼尔·贝尔也进行了反思等。马克思早在《1844年经济学哲学手稿》中就提出了异化劳动理论，此后又在《资本论》中提出了“商品拜物教”理论：人与人之间的关系在商品社会中异化为物与物之间的关系，物对人的物化统治代替传统的人对人的阶级统治，由此产生资本主义社会中各种病态现象。法兰克福学派的弗洛姆和马尔库塞也对消费异化进行批判，他们指出，当代发达资本主义社会的异化现象日益严重，并且已渗透到消费过程中，表现为消费异化(陈玉霞，2008)。在后工业、后现代社会，许多人精神空虚，没有寄托，丧失了主体性，异化为商品的奴隶，投身于狂热的消费活动中，以缓解心灵的焦虑，成为消费主义的实践者。马尔库塞则指出，发达工业社会的兴盛与繁荣，使得社会各阶层民众的生活日益富裕、安逸和舒适，在消费的享乐中，人们丧失了进行批判与创造的动力，一味肯定现状，陷入只具有肯定性一方面的单向幸福观中。学者们对消费主义提出批评，认为这种消费主义思潮对人是一种无形的摧残，它制约了人的全面发展，与传统的勤俭、诚信、自强的价值观背离。使人成为马尔库塞所界定的满足丰裕物质生活、对社会丧失批判精神的单向度人(丹尼尔·贝尔，1989)。

消费主义最重要的特征是符号消费。根据法国著名社会学家鲍德里亚的消费社会理论，消费主义是一种生活方式，消费的目的不是为了实际需要的满足，而是不断追求被制造出来、被刺激起来的欲望的满足。换句话说，人们所消费的，不是商品和服务的使用价值，而是它们的符号象征意义。符号消费的泛滥，使真实与拟像背离，人们不再对真实世界进行思考，而崇尚奢侈、享乐的生活方式，成为贪婪的消费者(马尔库塞，1988)。

当代美国批判社会学的代表人物丹尼尔·贝尔认为，资产阶级社会与众不同的特征是，它所要满足的不是需要，而是欲求。欲求超过了生理本能，进入心理层次，因而是无限的要求。他指出，这种享乐主义的消费伦理强调自我满足，加剧了“人为物役”的异化倾向(丹尼尔·贝尔，1989)。享乐主义的泛滥导致人们以消费满足感性的欲望，忽视道德行为和社会责任，道德的判断标准变得模糊，其价值与伦理导向是错误的。

虽然有识之士已经对消费主义开始了反省，提出了质疑和批评，然而，在经济全球化的背景下，消费主义逐渐蔓延于世界各个角落，英国著名社会学家斯克莱尔就明确地把消费主义扩散作为全球化的重要内容。

自20世纪80年代以来，随着改革开放的进程，经济的快速发展，我国人们生活水平也得到比较大的提高，各种发达国家生活方式、消费观念的渗透，消费主义逐步开始进入我国，冲击着人们的价值观和消费观。人们的消费日趋于追求便利、美观、奢侈。消费主义在中国主要体现在以下几个方面：

第一是奢侈消费。当前，在中国消费领域的奢华现象层出不穷，在日常的衣食住行中，一件品牌服饰可以卖到上万元，一桌宴席花费上千甚至上万元，一套别墅数百数千万元，一辆高档进口轿车售价从几十万到几百万元不等。在奢侈品消费领域，2012年12月，全球知名战略咨询公司贝恩公司发布的《中国奢侈品市场研究报告》中说，中国消费者已成为世界最大的奢侈品消费群体，购买了全球25%的奢侈品。报告指出，2012年中国内地奢侈品销售量增长7%，在境外的奢侈品消费支出增长31%。

第二是过分超前消费。超前消费以分期付款、信用卡消费为代表，适度负债有利于扩大消费，是社会进步的体现。但是过分超前消费就会引发不良后果，比如近年来“啃老族”“月光族”“新贫族”“负翁”等称谓经常见诸报端，一些年轻人在买房、购车时消费预算失衡，盲目攀比，不仅花光了父母的积蓄，自己也沦为“房奴”“车奴”。

第三是一次性消费。为迎合人们的偏好，商家加快了商品更新换代的速度，商品的寿命越来越短，淘汰的频率越来越快。这种消费方式在很多方面体现为一次性消费，即用即弃的现象严重，甚至一些数码电子产品都被“用过即扔”，造成了资源的过度浪费，污染了环境。

15.1.2 可持续消费：对消费主义的反思和矫正

如前所述，消费主义倡导一次性消费、过度超前消费、奢侈消费等消费行为方式，在消费主义引导下，消费者的消费欲望被无限激发，大量消耗资源，大量排放废弃物。企业片面追求经济增长和发展，加速了消费品的更新换代。

这种通过“扩大消费的政策”寻求刺激经济发展的方式，在一定程度上具有短期的经济效益。但是“大量生产—大量消费—大量废弃”的工业化模式带来了社会的文明与繁荣的同时，也导致了高投入、高消耗、高污染、低效益的结果。一方面是自然资源大量消耗，导致了资源的巨大浪费；另一方面，大量的废弃物排放超过生态系统的自我修复和转化能力，严重危害了自然环境，长此以往，资源枯竭和环境污染问题日益严重，危及了人类的生存与发展。同时，消费主义思潮还助长了粗放型的经济增长方式，引发人类社会代内与代际不公平，形成严重的经济和社会危机。

风险社会的到来使得我们对于消费主义产生反思，1992年联合国在《21世纪议程》中就指出，全球生态环境遭到破坏的主要原因是传统工业文明的消费模式，社会生产、经济活动都得不到科学协调和可持续的发展，与此同时，人们的消费质量也难以得到真正的保证，不利于国家综合实力和国际竞争力的提高。

针对消费主义造成的过度消费、无限制消费等问题，必须进行矫正，倡导可持续消费的消费心理，国际学术界因此提出了“可持续消费”的理念。“可持续消费”一词始于1994年奥斯陆专题研讨会会议，同年联合国环境规划署在内罗毕发表《可持续消费的政策因素》报告，首次把可持续消费定义为“提供服务以及相关的产品以满足人类的基本需求，提高生活质量，同时使自然资源和有毒材料的使用量最少，使服务或产品的生命周期中所产生的废物和污染物最少，从而不危及后代的需求”(UNEP，1994)。

可持续消费是适度、公平、理性的消费，要求消费水平必须与个人实际需要和社会经济发展水平相适应，不超过自然的承载能力和个人的承受能力，避免过度超前消费。要求遵循资源阈值原则，消费应在资源允许的范围内，代内消费公平和谐，不牺牲其他国家和地区的发展，同时应考虑后代的需要，使后代人拥有与当代人同样甚至更好的发展条件，实现代际消费公平；要求消费时达到人、自然、社会的协调发展。可持续消费与生产并重是应对气候变化，支撑低碳经济的长效战略。

可持续消费是全新的消费观念，是对消费主义及其消费模式的批判和矫正，它并不意味着提倡简单化地对消费加以限制，而是强调在人们基本需求得以满足的同时更强调对资源的节约和环境的保护，避免资源大量消耗、生态恶化以及环境污染的问题，从而提高人们的生活质量，促进人的全面发展和社会的全面进步。

目前，我国经济发展已经跨越了罗斯托所说的起飞阶段和成熟阶段，进入了大众消费时代，随着经济的高速增长，居民消费全流程的碳排放也进入了增长的关键阶段。这一时期是居民消费升级期，更是消费观念转型的关键期，实现消费主义心理向可持续消费的转型，具有现实必要性和紧迫性。

15.1.3 低碳时代的消费行为

消费是社会行为，消费活动在促进经济增长的同时，也给环境带来日益增大的压力。美国学者艾伦·杜宁在《多少算够——消费社会与地球的未来》一书就指出：“从全球变暖到物种灭绝，我们消费者应对地球的不幸承担巨大责任。”(艾伦·杜宁，2000)在研究人类活动对环境造成影响的理论中，由美国斯坦福大学著名人口学家Ehblich于1971年提出的经典IPAT模型得到广泛认同并被经常采用。在该模型中，$I=PAT$(Impact = Population × Affluence × Technology)，这个公式中I是指对环境造成的影响，P是指人口规模，A是指人均消费水平，T是指技术(王璟珉，2007)。公式中的乘号不代表简单的数学乘法运算，而意味着当公式右边的三个因素中任何一个有所变动，都会对环境造成影响。根据该公式，当人口和技术水平都较为稳定的时候，人类活动对环境是否带来更多影响将直接取决于人均消费水平。上述的奢侈消费、过分超前消费、一次性消费等不良消费方式都会对环境构成威胁，必须进行彻底的改变。

出于对能源安全和生态环境的考虑，20 世纪 70 年代初的消费行为研究已经带有“低碳”的色彩。学者们对如何鼓励人们减少能源消耗，对各种节约能源的行为干预方法的应用进行了大量的研究。20 世纪 90 年代，相关研究则加入了可持续发展的考虑，特别是气候变化问题成为全球关注的热点，低碳经济被提出之后，学术界开始了更多关于可持续消费、低碳消费等内容的研究。从研究结果来看，人们虽然对低碳消费的模式开始重视，但是消费者在行为上并没有表现出太多的“低碳”化。虽然消费者开始关心气候变化，但是他们却并不愿意改变日常高碳消费行为去解决气候变化问题（Goldblatt，2005）。一些研究还发现，消费者对环境的信念和态度对能源消费并没有显著影响，而经济上的节约和可观察的能源利用方式比环境因素更具激励作用（Dwyer et al.，1993）。面对消费者在低碳态度与行为上的不一致，Geller 认为需要将行为干预措施与社会营销技术结合起来，从而促使消费者不仅在行为上向低碳消费方式转变，而且让这种改变具有长期性（Geller，2002）。另有学者从社会心理学的行为改变理论出发，对人们从高碳消费行为向低碳消费行为的转变进行了研究，根据行为干预方法提出，提供低碳消费方式的建议和相关信息、开展能源消费审计的事前干预；对低碳消费结果进行反馈、对低碳消费行为进行激励的事后干预；发挥社会团体的影响力和让消费者设定低碳消费目标和承诺的社会影响技术（徐国伟，2010）。

可以说，可持续消费在低碳时代的重要体现之一是低碳消费，低碳消费是以消费低能耗产品与低排放、低污染为特征的消费行为，它是低碳经济发展的重要环节和必然选择。按照美国社会心理学家马斯洛的需要层次理论，人类的需要分为生理需要、安全需要、归属与爱的需要、尊重的需要、自我实现的需要五大类，按固定顺序排列，有高低等级之分。低碳消费需要，是人类为了自身健康和所处社会的可持续发展而产生的需要。因此，低碳消费需要属于超越自我的高层次的消费需要。

在目前我国社会条件下，专家学者比较公认的广义的低碳消费方式，其涵义包括五个层次：一是“恒温消费”，消费过程中温室气体排放量最低；二是“经济消费”，即对资源和能源的消耗量最小，最经济；三是“安全消费”，即消费结果对消费主体和人类生存环境的健康危害最小；四是“可持续消费”，对人类的可持续发展危害最小；五是“新领域消费”，转向消费新能源，鼓励开发新低碳技术、研发低碳产品，拓展新的消费领域，更重要的是推动经济转型，形成生产力发展新趋势（陈晓春等，2009）。近年来在建设节约型社会、绿色环保等观念的影响下，低碳消费的方式已经得到越来越多人的认可，普通消费者反思自身过去习以为常、增加污染排放的消费模式，从日常生活的消费细节做起，为减少资源消耗以及碳排放奉献自己的力量。不过分追求时髦穿着打扮、合理饮食、减少不必要的装修材料浪费、采用低碳代步工具、分类投放垃圾、使用环保购物袋、循环利用废物等正成为众多消费者的自觉行动。下面阐述关于低碳消费的具体形式。

15.2　从“碳足迹”角度看消费

碳足迹来源于一个英语单词“carbon footprint”，最早流行于英国，英国的碳信托(Carbon Trust)公司把碳足迹定义为用以确定和衡量每件产品或每一项活动的供应链流程步骤中温室气体总排放碳当量的一种明确的方法和技术。

关于碳足迹，比较权威和综合性的是 Thomas Wiedmann 的定义：碳足迹是社会活动或某一产品生命周期过程中产生的二氧化碳排放量(于小迪，2010)。通过测量碳消耗产生的导致气候变暖的主要元素二氧化碳的量，来评估人类活动对环境的影响，这里的“碳”，指的是木材、石油、煤炭、天然气等自然资源中含有的碳元素。目前，使用最广泛的碳足迹标准是 2008 年英国标准协会(BSI)等部门联合发布的 PAS2050 标准(《产品与服务生命周期温室气体排放评估规范》)。

按应用层次类型进行划分，碳足迹可分为个人碳足迹、产品碳足迹、企业碳足迹、国家/城市碳足迹四个层次。个人碳足迹是指个体在日常生活中衣、食、住、行活动所导致的碳排放量。产品碳足迹，是以单一产品从制造、使用到废弃整个阶段过程中由于燃料使用所导致的碳排放量。企业碳足迹除了包含产品碳足迹的内容外，还包括非生产性活动，如相关投资的碳排放量，也属于企业碳足迹的计算范围。国家/城市碳足迹，则是指整个国家的总体物质与能源的耗用所产生的排放量。

碳足迹的概念让人们意识到：节能减排不仅仅是政府、企业的责任，而是人人有责，每个人在日常生活中都会向大气中排放温室气体，留下碳足迹(即温室气体排放量)，个人的能源意识及行为会对自然界产生巨大的影响。

一个人在日常生活消费中，会因为衣食住行的活动导致多少二氧化碳的排放，无法一概而论，但是可以按照人们的日常生活习惯，进行一个粗略的计算。这里就需要碳足迹计算器的使用。

碳足迹计算器是计算个人消费碳足迹的主要工具，它根据家庭人数，能源消耗量以及日常生活方式等来计算各项居家生活的碳排放。现有的碳足迹计算器版本众多，下面是目前日常生活中常用的个人碳足迹计算公式(罗运阔等，2010)，运用该公式，只要输入个人生活消费的一些基本数据，就可以计算相应的碳足迹，十分简易方便。

家居用电的二氧化碳排放量(kg) = 耗电度数 ×0.785

家用天然气的二氧化碳排放量(kg) = 天然气使用度数 ×0.19

家用液化石油气的二氧化碳排放量(kg) = 液化石油气使用度数 ×0.21

家用自来水的二氧化碳排放量(kg) = 自来水使用度数 ×0.91

食肉的二氧化碳排放量(kg) = 肉的千克数 ×1.24

15.2.1　衣

一件衣服从原材料的生产到制作、运输、使用再到废弃后的处理，都在排放 CO_2。在服装面料方面，化学纤维由石油等原料人工合成，消耗的能源和产生的污染物比棉、麻织物更多。服装的抗皱、免烫、防水、防污等附加功能，都是用化学药剂实现的，这也增加了碳排放量。在消费者使用方面，研究表明，一件衣服 60% 的“能量”在清洗和晾干过程中释放，其洗涤过程不仅耗费大量的水和电，而且洗涤剂和干洗溶剂还会造成环境污染。不良的习惯如使用热水洗衣、用烘干机晾衣都会增加二氧化碳排放量。

比如，根据环境资源管理公司的计算，一条约 400g 重的涤纶裤，假设它在中国台湾生产原料，在印度尼西亚制作成衣，最后运到英国销售。预定其使用寿命为两年，共用 50℃温水的洗衣机洗涤过 92 次，洗后用烘干机烘干，再平均花 2min 熨烫。这样算来，它“一生”所消耗的能量大约是 200kW · h，相当于排放 $CO_2$47kg，是其自身重量的 117 倍[①]。

15.2.2　食

饮食从食材、选购、烹饪到就餐，都直接影响衍生出的二氧化碳排放量。食材方面，随着生活水平的提高，人们的饮食结构出现了粗粮越吃越少、肉食摄入量越来越多的趋势，食谱偏向动物食品，这不仅不利于身体健康，而且造成了碳排放量的增加。联合国粮农组织的数据指出，肉类生产碳排放量占全球温室气体总量近 1/5，比汽车和飞机的碳排放总和还高，其中又以牛肉的碳排放量最高。研究表明：人吃 1kg 牛肉后，所排放的 CO_2 为 36.5kg；而吃同等分量的果蔬后，所排放的 CO_2 量仅为该数值的 1/9(吴文盛，吕建珍，2011)。此外，精加工的食物增加了自然环境的负担，制造了不必要的温室气体排放。长途运输的食品则增加了运输、包装、存储过程的能

① 服装环保新概念，如何穿衣最“低碳”[EB/OL].(2009-12-08)[2012-07-13].http://news.qq.com/a/20091208/002132.htm.

耗，给地球带来更大负担。

选购方面，一些消费者喜欢在冰箱囤积很多食物，这样容易造成电能的浪费和食物的变质，增加了碳排放量。此外一些食物的过度包装不仅浪费资源，还增加了环境垃圾。

烹饪方面，一些消费者为了追求口感，喜欢热油爆炒、长时间煸炒、烤、油炸等烹调方式，虽然食物吃起来可口，但容易产生较多的油烟污染空气，碳排放量较大，对健康也有危害。

就餐方面，随着生活水平的提高，居民在外就餐次数增加，一些消费者不顾实际，点餐过多，造成剩余饭菜的浪费。数据显示，少浪费0.5kg粮食可节能0.18kg标准煤，相应减排二氧化碳0.47kg。还有一些消费者喜欢使用一次性餐具，据统计，我国每年消耗一次性筷子450亿双。3000双一次性筷子等于一棵20年的大树，一年因此需要砍伐大约2500万棵大树，减少森林面积200万 $m^2$①。

15.2.3 住

居住条件的改善同时伴随着二氧化碳排放量的增加。根据联合国政府气候变化专门委员会的统计资料，每建成 $1m^2$ 的房屋，约释放出 CO_2 共800kg。

建筑能耗主要表现在建筑保温、采暖、照明及装修等方面。在建筑保温及采暖方面，建筑外围护结构保温隔热性能、外墙及外窗的漏风情况、采暖系统的技术性、锅炉和管网效率都会影响能量的耗费。与国外建筑相比，我国建筑的保温及采暖能力较差，造成大量能量损耗。据资料统计，北京的建筑供暖能耗是同等气候条件下的瑞典、丹麦、芬兰的近两倍(易培强，2011)。在建筑照明方面，从煤所含化学能转化为白炽灯照明，效率的高低也会影响碳排放量的多少。在建筑装修方面，装修过程中装饰装修材料的环保性和质量、建筑材料的运输、建筑垃圾的处理等都会影响二氧化碳的排放。随着人们生活水平的提高，一些家庭往往选择购买大户型房屋，追求豪华，过分装修或反复装修，造成了噪声、废弃物和人力物力的浪费，加剧了建筑能耗和碳排放增加。还有一些用户喜欢在墙面上大面积使用深色系涂料，大量使用吊灯和射灯，这样也会增加热能的吸收，增加能量的消耗。

当前我国建筑耗能，包括采暖、空调、通风、照明、热水、家电等在内的总能耗已经超过一次能源消费总量的1/4，达到约30%，居耗能首位。随着我国城市化加速

---

① 李颖慧，吴佳．低碳饮食很健康，烹饪方法大流行[EB/OL]．(2010-06-25)[2012-07-20]．http：//news.xinhuanet.com/life/2010-06/25/c_ 12262589_ 3.htm.

推进，这一比例将呈快速增长趋势。不仅如此，建筑物还日益成为城市碳排放的“大户”。据估计，城市里碳排放 60% 来源于维持建筑物功能所耗能源上，而交通汽车只占到约 30%。

15.2.4 行

工业文明的进步带来了交通的迅速发展与人们出行的极大便利，但另一方面，交通工具尤其是汽车消耗了大量的石油资源，带来了二氧化碳的大量排放，导致能耗的大幅增加，给环境造成了极大的压力。

以汽车为例，根据有关资料，汽车平均每燃烧 1L 汽油，要释放出 2.2kg 的 CO_2；公共汽车每百千米的人均能耗是小汽车的 8.4%，电车是小汽车的 3.4% ~4%，地铁是小汽车的 5%（吴晓江，2008）。由这些数据可知，汽车是交通运输业中的能耗大户。未来出行低碳化的方向是，着力发展以地铁、轻轨和市郊铁路为主的城市轨道交通，积极推广绿色汽车（指不用传统汽油能源，采用电动、油电混合动力、氢气和新兴柴油等），有效控制汽车保有量的过快增长。其他交通工具方面，下面的数据来自日常生活中常用的个人碳足迹计算公式（罗运阔等，2010），说明了运用各种交通工具出行所造成的二氧化碳排放量。

开小车的二氧化碳排放量（kg）= 油耗升数 ×2.7

短途飞机旅行（200km 以内）的二氧化碳排放量（kg）= 千米数 ×0.275

中途飞机旅行（200 ~ 1000km）的二氧化碳排放量（kg）= 55 + 0.105 ×（千米数 − 200）

长途飞机旅行（1000km 以上）的二氧化碳排放量（kg）= 千米数 ×0.139

火车旅行的二氧化碳排放量（kg）= 千米数 ×0.104

对于普通人来说，更简单易行的是在日常生活中将碳足迹、碳中和的理念贯穿到我们的生活方式中。这里就必须引入碳中和的概念。

碳中和一词起源于 1997 年伦敦未来森林公司的商业策划，指企业、产品、项目、区域、建筑、团体或个人等在严格计算自身在一定时间内直接或间接产生的碳排放总量的基础上，购买同等数量的自愿碳减排额，对其在地球上产生的碳足迹进行中和。

碳中和的概念自 1997 年问世以来，就在西方逐渐走红并在全球发展扩张，成为人们为减缓全球变暖所做的努力之一。购买碳汇是实现碳中和的一种选择。不少经营“碳中和”项目的公司都会在网上提供详细的碳足迹计算方式，越来越多崇尚低碳生活的消费者，会在专门的碳汇网站计算自己的碳排量，并计算抵消这些二氧化碳所需的经济成本，支付相应的费用，购买自己的碳排放，由网站使用这笔费用投资植树等碳中和项目，为减缓全球变暖作出贡献。

例如，环保组织世界自然基金会（WWF）就向中国公众推荐了4个可供购买碳排放额度的环保网站，鼓励中国民众购买自己的“碳排放”，实现碳中和。2008年12月，中国首个官方碳中和标识——中国绿色碳基金碳中和标识发布。个人可以通过购买碳汇林或种树，以抵消碳排放。

15.3 倡导低碳消费，推动生活方式低碳化

根据前文的界定，本节所说的消费，主要是指个人的生活消费。居民的个人生活消费对企业的生产行为具有很强的引导作用，健康的消费需求会促进企业进行清洁生产，提供合适的商品。低碳消费是以消费低能耗产品和低排放、低污染为特征的消费行为，它离消费者的日常生活并不遥远，生活中的各个细节均可体现。

2007年9月1日，中国科技部将六大类36种日常生活方式换算成节能减排的量化数据，向全社会公布了《全民节能减排手册》，研究结果表明，如果大家都积极参与，36项日常生活行为的年节能总量约为7700万t标准煤，相应减排二氧化碳约2亿t，经济、社会和环境效益十分显著。随着我国温室气体减排目标的提出和低碳经济的发展，消费者的环境意识日益强烈，低碳消费已经成为我国经济社会发展到这一阶段的必然要求。

在日常生活中，居民的消费包括穿衣、饮食、居住、出行、家用娱乐等基本形式，本节仅以最常见的事例对低碳消费的形式进行说明。人类学家玛格丽特说“不要怀疑一小群人改变世界的力量”。如果每个消费者都能从自己做起，践行低碳消费，就会减少资源的浪费，保护生态环境。

15.3.1 消费时尽量减少能源消耗量

居民在个人生活消费过程中，应尽可能选择符合特定环境保护要求、资源利用率最高、能源消耗低、对生态环境无害或危害极少的产品。从范围上来说，不仅包括最受消费者关注的食品，还包括服装、家电、建筑材料、化妆品、洗涤用品、纺织品、机动车等各种无污染产品。

在穿衣方面，应尽量选择用低碳排放手段生产的服装，如没有经过印染的天然纤维织物的服装。选择有机棉、彩棉、竹纤维、大豆蛋白纤维等低碳环保布料，少穿化纤面料的服装，这样在生产过程中更节省水和农药，减少碳排放量。服装款式上应选

择白色、浅色、无印花、小图案的衣服。这类衣服较少采用各种化学添加剂进行处理，不仅对人体更健康，也更低碳。

在饮食方面，应提倡多吃谷物蔬菜，尽量减少肉食消费。根据《全民节能减排手册》的有关统计，每人每年少浪费 0.5kg 猪肉，可节能约 0.28kg 标准煤，相应减排二氧化碳 0.7kg。有条件的多购买有机和天然食品，多购买当季水果蔬菜，少购买反季节水果蔬菜。提倡吃粗加工或不加工的食品，多吃新鲜水果，少喝果汁和碳酸饮料，这样可以减少在制造、运输、销售过程的温室气体排放。在食品包装上，应加大研发力度，多使用可食性包装材料或者可降解材料。

在居住方面，采用充气混凝土、泡沫玻璃可以有效降低墙体的传热系数；使用空心墙、屋顶保温层、双层玻璃门窗，可以降低房屋的热量耗费；采用节能电器和节能灯泡可以节省电器和照明设施的能源使用量；使用高性能的水泥混凝土、保温隔热、装饰装修材料、绿色墙体材料可以节约能源消耗；使用生态玻璃可以控制光线，调节温度，节约能源。

在出行方面，多选购小排量汽车，根据《全民节能减排手册》的有关统计，排气量为 1.3L 的车与 2.0L 的车相比，每年可节油 294L，相应减排二氧化碳 647kg。

在家用消费方面，消费者在购买除食品以外的其他产品时可以通过“环境标志”来判断该产品是否符合环保标准。在选购家庭清洁洗涤用品时，少用或不使用化学合成制品。家庭中尽量不要使用含氟的空气清新剂。买化妆品要学会分辨防腐剂、色素、香料的成分表，购买天然化妆品。

15.3.2　消费过程不污染环境

消费污染是指消费者在消费过程中享受消费品的使用价值的同时对自然环境和他人造成的消极影响与损害。消费污染主要体现在消费品的外包装、残留物、有害物质等的随意处置。随着消费规模的扩大，消费污染应引起人们足够的重视，应倡导消费者在消费过程中尽量不污染环境，减少资源的消耗和二氧化碳排放。

在穿衣方面，应通过旧衣翻新、捐赠他人、改为他用等方式有效利用旧衣服，进行低碳处理，既可以避免衣物闲置或者作为垃圾焚烧，又可以增加衣物利用率，减少新衣服的购买，进而减少碳排放量，降低对环境的污染。

在饮食方面，提倡剩菜打包，减少餐桌垃圾。选用电磁炉、微波炉、焖烧锅、多层蒸锅等节能灶具，采用节能的烹调方式，比如蒸、煮、凉拌、白灼、清炖等，减少油烟污染和二氧化碳排放。

在居住方面，太阳能作为我国重点发展的清洁能源，具有丰富、清洁、安全、廉价、可再生等特点，将其代替常规能源在建筑中综合利用，发展潜力巨大。在城市，应在中高层建筑逐步推广太阳能，作为热水能源来源的主要供应形式，发展太阳能光热光电综合运用。在农村住宅中可将其推广用于供暖，根据《全民节能减排手册》的有关统计，一座农村住宅使用被动式太阳能供暖，每年可节能约0.8t标准煤，相应减排二氧化碳2.1t。

在出行方面，大力发展混合燃料汽车、电动汽车等低碳交通工具。购买家庭轿车过程中，应考虑低能耗、低排放或使用清洁能源的产品，减少对环境的污染，而不能进行盲目的攀比。

在家用消费方面，科学实验表明，塑料袋在自然环境下要50年才能完全化解，化解的同时还会对土壤和水源造成严重污染，应尽量自备环保袋，少用塑料袋，减少白色污染。不随意丢弃废旧电池，注意废旧电池的集中回收，减少废旧电池里重金属带来的污染和水源破坏。减少含磷洗衣粉的使用，否则生活废水流入江河，会使江河水域富营养化和藻类繁殖，造成环境污染。居民家庭应将垃圾分类投放，超市等公共场所也应广泛设置分类回收桶，如纸张、废电池、饮料罐、塑料等，以便回收利用。

15.3.3 合理利用各种设施，注重节约资源

资源是人类赖以生存和发展的物质基础，毁坏环境、浪费资源，人类的生存和发展就要受到威胁。根据IPCC第四次评估报告的数据显示，地球上产生的大量温室气体90%是由人类活动造成的，如果消费者不在日常生活中节约资源，依然随心所欲地盲目消费，带来大量的碳排放，人类生存的环境将会越来越差，最终导致人类生活质量的严重下降。低碳消费，必须做到合理利用各种设施，注重节约资源和能源。

以个人生活消费最常用的家用电器设备为例，首先，应注意及时拔下电器插头。根据《全民节能减排手册》的有关统计，电视机、洗衣机、微波炉、空调等家用电器，在待机状态下依然耗电。如果全国3.9亿户家庭都在用电后拔下插头，每年节电约20.3亿度，相应减排二氧化碳197万t。

其次，购买电器时注意能效标识，多购买节能型设备。例如，使用节能灯来代替普通白炽灯，或者尽量使用荧光灯，可以节约至少40%的能源。多使用节能空调和节能冰箱，根据《全民节能减排手册》的有关统计，1台节能空调比普通空调每小时少耗电0.24度，1台节能冰箱比普通冰箱一年可省电约100度，减少CO_2排放100kg。

再次，使用设备时应注意提高效率。比如，空调是耗电量较大的电器，设定的温度越低，消耗能源越多，因此，每台空调可以在国家提倡的基础上提高1度，同时养成出门提前几分钟关空调的节能好习惯。

在使用电风扇时，则应多选择中低挡风速，而不是随意使用高挡风速。使用洗衣机时，尽量把衣物积累到洗衣机容量时再洗，衣服洗净后，尽量让其自然晾干，减少能源消耗。时间允许的话，每月手洗一次衣服，尽量使用温水而不是热水。

使用电脑与电视时，调低电脑、电视的屏幕亮度，不用电脑时以待机代替屏幕保护。

15.3.4　减少不必要的消费

高投入、高污染、高排放、低效率的经济增长模式在环境方面的不可持续性日益受到关注，人们对未来可能爆发的气候危机和能源危机的忧患意识日渐提升，这使得人们将环境与经济问题统筹进行有效的思考，积极倡导低碳消费。

低碳消费，就是要引导社会公众自觉遵循节约、环保、低碳排放的消费模式，减少不必要的消费，提倡合理、适度的消费，避免挥霍性的浪费，尽可能地减少物品消耗，从源头上做到节能减排。

在穿衣方面，在保证生活需要的前提下，少买不必要的衣物，尽量多改造旧衣，提高衣物的使用效率，降低能源耗费。根据《全民节能减排手册》的有关统计，每人每年少买一件不必要的衣服可节能约 2.5kg 标准煤，相应减排 $CO_2$6.4kg。

在饮食方面，养成健康的饮食习惯，重质适量。应多选择包装简单的洁净食物，使用过度包装既浪费资源又污染环境。饮酒应适度，减少吸烟，以免在对身体产生危害的同时还消耗能源。

在居住方面，公共照明多使用半导体灯代替白炽灯，减少耗电量；增加商场、会议中心等公共场所的自然采光，节约用电，减少二氧化碳的排放量；不购买面积过大的住宅，不进行过分装修、豪华装修，减少不必要的装修材料的浪费，减少装修中能耗较大的铝材、钢材、木材使用量，减少建筑陶瓷使用量。减少住宿宾馆时的床单换洗次数。

在出行方面，尽量多步行，骑自行车，乘坐轻轨、地铁、公共汽车等公共交通工具。必要时应买节能环保车型，出行尽量做到少开车。

在家用消费方面，减少一次性筷子和餐巾纸的使用，避免家庭用水跑、冒、滴、漏。多用电子邮件、MSN 等即时通讯工具，少用打印机和传真，打印纸两面用。少购买印刷品、光碟，多使用图书馆与互联网资源。在娱乐方面，减少去网吧、KTV、酒吧、迪吧等高耗能场所娱乐。

第16章　低碳外贸

低碳外贸有利于优化经济结构，推动产业升级，增加产品附加值，节约资源，减少污染排放，建设高水平的生态文明，具有不可替代的作用。

16.1　低碳外贸中的新产品：低碳产品

16.1.1　低碳产品与低碳产品认证的出现

“低碳”一词是随着“低碳经济”正式提出而产生的，英文为 low carbon，意指较低(更低)的以二氧化碳为主的温室气体排放。随着“低碳”这一概念走向历史舞台，能够吸引整个社会在生产和消费环节参与到应对气候变化的低碳产品应运而生。低碳产品是指具备节能，减排作用的产品。“低碳产品”的内涵应该贯穿于整个产品的生命周期，包括原材料采购，生产过程的低能耗、低排放、低污染，运输中的节能，使用中要高能效、低碳排放以及产品废弃后的处置方式。因此，鉴别一个产品是否为低碳产品，首先要从低能耗、低排放、低污染和追求绿色这四个方面来全方位地衡量。

对低碳产品衡量的需求催生了低碳产品认证。现今，低碳产品认证成为了低碳时代的热点。所谓低碳产品认证，是以产品为链条，吸引整个社会在生产和消费环节参与到应对气候变化，通过向产品授予低碳标志，向社会推荐一个以顾客为导向的低碳产品采购和消费模式，从而以公众的消费选择来引导和鼓励企业开发低碳产品技术，积极向低碳生产模式转变，最终达到减少全球温室气体的效果(国家环保总局，2004)。

正是由于低碳产品认证的这种作用，近年来，越来越多的国家将低碳产品认证作为一个工具，纷纷开展低碳产品认证计划。很多国家由政府推动和支持开展低碳产品认证项目，评估和披露产品生命周期内的碳排放行为，向产品授予碳标志，开展低碳产品认证。也有一些企业基于市场营销和社会责任，自发投入力量，进行碳足迹计算和披露，向公众提供产品中低碳的相关信息。

16.1.2 国外主要的低碳产品认证项目

国外低碳产品认证项目在近两三年如雨后春笋，不断涌现。目前已经有德国、英国、日本、韩国等十几个国家开展低碳产品认证。德国环境标志产品已发展到4000多种，占其全国商品的30%；日本标志产品有2500多种；加拿大标志产品已发展到800多种。

16.1.2.1 英 国

2006年，英国碳信托(Carbon Trust)开展了“碳削减标志计划”(Carbon Reduction Label Scheme)成为开创低碳产品认证的先锋，试点计算了几十种产品的碳足迹。2007年5月，英国环境、食品和乡村事务部(Defra)公布了基于碳信托试点项目的自愿性计划，建议商家在商品标签上注明该产品在生产、运输和配送等过程中所产生的碳排放量，以告知消费者该商品对全球变暖的影响程度，当时就有120多商家表示愿意加入。2008年10月英国环境、食品和乡村事务部与碳信托和英国标准协会(BSI)合作制订的计算产品碳排放量的评价规范，即英国PAS 2050标准正式发布。它是一个开放性的碳排放量计算测量标准，目前很多国家或私人企业所进行的产品碳排放评估活动在不同程度上参考了该标准。参加首批试点计划的六个英国公司，包括Innocent饮料公司、百事可乐公司和英国超市连锁乐购(Tesco)已经对选定的试点产品正式贴上了英国碳削减标志。

英国还致力于为PAS 2050标准争取国际发展空间，在世界范围内以技术支持和技术合作的形式增强英国标准的碳标志影响力，还积极参与国际标准化组织的低碳产品标准的制定工作。

16.1.2.2 德 国

蓝天使“保护气候标志”：德国的蓝天使标志是世界上最悠久、最著名的生态标志。德国在2008年11月举行的蓝天使30周年庆典上，宣布了蓝天使标志今后的发展框架，将原来的蓝天使环境标志，根据保护对象的不同分为健康标志、气候标志、水标志和资源标志。其中德国蓝天使气候保护标志授予那些气候友好型产品和服务，以便为顾客提供更好的购买选择。蓝天使气候保护标志被德国联邦环境部推荐作为首要的国家保护气候标志。

“德国产品碳足迹试点项目”：2008年4月，德国政府支持的“德国产品碳足迹试点项目”(PCF Pilot Project Germany)启动，由世界自然野生动物基金会(WWF)、德国生态研究所(ko-Institut)和波斯坦气候影响研究协会(PIK)和THEMA1共同协助完成产品碳足迹标志的试点。有十家企业参加试点工作。德国“产品碳足迹”试点标志计划工作组将进行碳分析方法学、碳展示方面的研究，并考虑让更多对碳标志感兴趣的企业和产品加入到该计划中来。

16.1.2.3 日 本

2008年6月日本内阁通过“建设低碳社会”的决议，尝试把“碳足迹产品体系”引入日本。该决议公布后，日本经济贸易产业省(METI)成立了碳足迹系统国际标准化国内委员会，以对应国际标准化组织(ISO)开发碳足迹国际标准的行动，并向社会公布了由METI建立和协调的试点计划。该计划由日本产品环境管理协会(JEMAI)实施，借助其III型环境标志的研究基础，开展产品碳足迹的相关研究。日本还紧密关注国际标准化组织关于碳标志国际标准的制定工作，并将其低碳产品认证的工作计划依据国际标准化组织的工作动向进行调整。目前已发布了日本“技术规范(TS Q0010 产品碳足迹评估和贴标基本规范)”草案，很快将修订第一版TS Q0010，引入更详细的要求来开发产品种类规则(PCR)文件。

16.1.2.4 韩 国

2008年年初，韩国有10家公司提供产品参加由政府支持的碳标志试点计划，韩国低碳产品认证由承担III型EDP项目的韩国生态产品研究院(KOECO)负责，2009年1月~11月，韩国全面启动Cool Label计划。

韩国低碳产品认证计划中设计了两种类型的碳标志。第一种为“温室气体排放量标志”，在标志上显示产品的碳足迹。目前，韩国有方便米饭、航空运输、TFT-LCD玻璃衬底、燃气锅炉、水过滤设备、洗衣机、衣柜、洗发液、豆腐十种产品和服务获得第一类认证的碳标志，即进行了温室气体排放认证。第二种为“低碳”标志，对获得“温室气体排放”标志的产品达到国家有关碳足迹的最低消减目标时，可获得“低碳”标志。今后在积累一定行业数据之后，韩国会逐渐开展第二类“低碳标志”认证。

16.1.2.5 美 国

美国加利福尼亚州在2008年通过了“2009年碳标志法令”(The Carbon Labeling Act, 2009)，通过立法，确定要建立碳标志制度。

16.1.2.6 瑞 典

瑞典的Ⅲ型环境标志引入了“single - issue EPDs”概念，根据不同的市场和客户的需要，对完整披露产品全球变暖潜势、臭氧层消耗潜势、酸化效应潜势、光化学烟雾潜势和富营养化潜势的环境产品声明(EPD)，以简单的形式进行相关信息摘要。目前已发布了8个产品的气候声明。

16.1.2.7 法 国

法国所开展的碳标签计划不是由官方主导的，而是分别由法国超市连锁Casino公司和 E. Leclerc 公司首批自愿引入的。Casino 公司采用由 Bio 智能服务环境咨询公司(Bio IS)在2006 年前开发的生命周期方法。法国零售商 E. Leclerc's 的碳标志试点计划由巴黎的 Greenext 咨询公司开发。试点计划于 2008 年 4 月在法国北部的两家商店启动，总共涵盖产品数量达 20000 种。

法国碳标签计划是企业的自愿行为，企业自行选择环境咨询机构为其设计碳足迹披露计划。而这些咨询机构进行碳足迹计算时，明显受到英国 PAS 2050 标准的影响。法国环境和能源署(ADEME)对这两个由超市连锁企业自行发起的碳标志计划表示支持。

16.1.2.8　瑞　士

瑞士的碳标志也是由企业自行发起的。瑞士最大的超市连锁 Migros 于 2007 年开始了产品碳标志项目。顾客可以在 Migros 的一些自有品牌的产品上找到认证机构 Climatop 授予的碳标志。该标志不仅展示产品的碳含量，而且还证明贴有碳标志的产品比同类产品的碳效率高 20%。

16.1.3　我国低碳产品认证发展概况

中国环境保护部在参考了国外低碳产品认证发展模式的基础上，决定开展低碳产品认证。2009 年年初，环保部启动了环境标志框架下的低碳产品认证研究工作，并与德国、英国、日本和美国开展了多项具体合作。

16.1.3.1　我国环境标志认证概况

环境标志是一种标在产品或其包装上的标签，是产品的“证明性商标”，它表明该产品不仅质量合格，而且在生产、使用和处理处置过程中符合特定的环境保护要求，与同类产品相比，具有低毒少害、节约资源等环境优势。有的国家称之为生态标签(Eco Mark)、蓝色天使(Blue Angel)、环境选择(Environmental Choice)，国际标准化组织(ISO)将其统称为环境标志(Environmental Labling)。

中国环境标志认证，是指国家环保部环境认证中心自 1994 年启动的一项认证，获得此标志的产品表明其生产、使用和处理处置过程中符合环境保护要求(国家环保总局环境认证中心，2006)。实施环境标志认证，实质上是对产品从设计、生产、使用到废弃处理处置，乃至回收再利用的全过程(也称“从摇篮到摇篮”)的环境行为进行控制。它由国家指定的机构或民间组织依据环境产品标准(也称技术要求)及有关规定，对产品的环境性能及生产过程进行确认，并以标志图形的形式告知消费者哪些产品符合环境保护要求，对生态环境更为有利。中国环境标志是一个符合 ISO14020 和 ISO14024 标准要求，结合中国实际经济、社会和环境现状，以自愿为原则的第三方认证制度。

中国环境标志计划是在1992年联合国环境与发展大会的召开和国际生态标签运动的背景下，由中国政府提出的。1993年3月31日，中国国家环保局向各省、自治区和直辖市政府发布了主题为“在中国开展环境标志”的文件。这标志着中国环境标志的开始。

1993年8月25日在中国政府正式公布了中国环境标志图形。中国环境标志图形由中心的青山、绿水、太阳及周围的十个环组成。图形的中心结构青山绿水和太阳表示人类赖以生存的环境，外围的十个环紧密结合，环环紧扣，表示公众参与，共同保护环境；同时在中文中，圆环的“环”字和“环境”的“环”字相同，其寓意为“全民联系起来，共同保护人类赖以生存的环境”。

1994年5月17日，中国环境标志计划的管理机构“中国环境标志产品认证委员会”正式成立，5月30日，中国国家环保局批准并颁布了“首批7类环境标志产品技术要求”，它包括了对7类产品的认证技术要求，这标志着中国环境标志正式开始运行。到2010年，共有70多类产品被纳入环境标志计划认证范围。共有近2000家企业的20000多种产品通过了认证。中国环境标志正在成为引领中国绿色经济发展的一面旗帜。

2003年9月，中国国家环保总局在整合多项认证资源的基础上批准成立了中环联合(北京)认证中心有限公司。经过国家环保总局的授权，已经全面承担了中国环境标志产品认证委员会秘书处的环境标志产品认证职能并颁发中国环境标志。调整后的中国环境标志授予工作是由国家环保总局授权，中环联合(北京)认证中心有限公司承担“中国环境标志”授予的技术评定工作和标志授予及监管工作，使“中国环境标志”授予工作更加科学、规范。

16.1.3.2 中国环境标志低碳标准

中国环境标志低碳标准是在中国环境标志的基础上修改而成。中国环境标志认证指标包括能耗、有毒有害物质、污染排放、人体健康等多个指标，而低碳认证则是在此基础上对其能耗指标再次评估，把碳排放指标进行了量化并明确加以规定。如果原标准能耗指标是比较先进的，则直接转化为中国环境标志低碳标准，例如已经公布的数字式多功能复印设备、数字式一体化速印机；如果原来的能耗指标不具有先进性，则区分为中国环境标志低碳产品能耗指标和中国环境标准产品能耗指标两级，典型者如家电制冷器具、家用电动洗衣机。以家电制冷器具中的冷藏冰冻箱为例，根据中国环境标准产品要求，冷藏冷冻箱的能效指数(所谓能效指数指家电工作状态时的能耗跟产品能效基数的比值，比值越小越节能)不大于40%，而根据中国环境标志低碳产品的要求，其能效指数应不大于33%。

16.1.3.3 低碳产品认证

为规范中国低碳产品的发展，2010年9月，环境保护部全面启动中国环境标志框架下的低碳产品认证[①]。我国低碳产品认证是在中国环境标志框架下，把产品服务归入适当的分类，设置"气候相关"类产品，与每年中国环境标志标准的制修订工作结合，对纳入"气候相关"类的产品技术要求中增加碳排放的限值要求，按照原有中国环境标志认证体系，对通过认证的该类产品授予中国环境标志——中国低碳产品认证标志(图16-1)，以表示该类产品对减少碳排放、保护气候方面的积极作用。根据环境认证中心《开展低碳产品认证》的发展规划，我国低碳产品认证工作分为三个阶段："中国环境标志——低碳产品"阶段、产品碳足迹标志阶段和产品碳等级标志阶段。

图16-1 中国低碳产品认证标识

在低碳产品认证的第一个阶段，环保部将会对中国环境标志现有的74个产品种类进行分类。把气候相关产品，也可以说把产品在生产或使用过程中产生较大温室气体排放的产品归入到"中国环境标志——低碳产品"。在中国环境标志产品技术要求每年的制(修)订工作中，对纳入"中国环境标志——低碳产品"类的产品技术要求中增加碳排放的限值要求，并按照原有中国环境标志认证体系，对通过认证的该类产品授予"中国环境标志——低碳产品"，以表示该类产品对保护气候方面的积极作用。目前，通过中国环境标志认证的企业超过1600家，涉及的产品型号超过30000个，年产值超过1000亿元。通过这种方式，可以最大限度地提高低碳产品认证的影响力，引导企业和消费者积极参加温室气体减排活动。

在低碳产品认证的第二个阶段，将会开展产品碳足迹和产品碳足迹等级标志。产品碳足迹标志是在"III型环境标志——环境产品"声明框架下，基于生命周期分析(LCA)和产品碳足迹(PCF)计算方法学，将产品在生产、运输、使用和报废处理的全生命周期过程中排放的各种温室气体转化为二氧化碳当量(即产品的碳足迹)，将其在碳足迹标志中予以表述。碳足迹标志是对产品导致气候变化的环境性能进行声明，有

① 中国将全面启动环境标志框架下的低碳产品认证[EB/OL].(2010-09-29)[2012-08-18].http://news.xinhuanet.com/2010-09/29/c_12620067.htm.

助于公众自行比较产品碳排放的信息，并进行消费选择。

低碳产品认证的第三个阶段，是在收集和调研产品行业碳足迹的基础上，研究设置产品的行业碳排放等级，对产品进行"碳等级标志"认证。碳等级标志是对产品碳足迹和所处行业等级信息进行声明。碳等级标志将为消费者提供更多的信息，更好地帮助其在消费过程中进行判断和选择低碳产品，推动社会低碳生产和低碳消费的进程。

目前，环保部为认证设置了较高门槛，中国的低碳标准已经接近德国、日本等先进国家的水平。获得中国环境低碳产品认证标志的产品，与其同类产品相比，在温室气体排放方面排放较少。低碳认证产品与中国环境标志认证一样，一般在同类产品中只有20%～30%能够达到中国环境标志低碳产品标准的要求。

由于低碳产品认证涉及广大的产品范围和种类，工作量巨大。因此，只能由易向难，逐步开展。"中国环境标志——低碳产品"认证的产品种类，将会从现有的中国环境标志标准体系中选取。主要从产品的影响力、产品在生命周期内产生温室气体的数量、产品所在行业的现有技术储备和减排潜力以及产品与消费者的密切程度考虑。2010年9月27日，环保部出台了修改后的《环境标志产品技术要求　家用制冷器具》（HJ/T 236—2006）、《环境标志产品技术要求　家用电动洗衣机》（HJ/T 308—2006）、《环境标志产品技术要求　数字式多功能复印设备》（HJ/T 424—2008）、《环境标志产品技术要求　数字式一体化速印机》（HJ 472—2009）等4项国家环境保护标准[①]。这标志着环保部已完成家电和办公用品两类产品的标准研发，涉及四种产品：家电制冷器具、家用电动洗衣机、数字式多功能复印设备、数字式一体化速印机。除家电和办公用品之外，环保部接下来的重点开发领域是水泥和陶瓷。

到2011年1月，已有11家企业的292种不同型号的产品通过了认证。其中，通过家用制冷器具类和家用电动洗衣机类认证的企业是海尔；通过多功能复印设备类认证的企业有柯尼卡美能达办公系统（中国）有限公司、理光（中国）投资有限公司等8家企业；通过数字式一体化速印机认证的企业有理光和珠海理想科学工业有限公司。

16.1.4 我国低碳产品认证的作用

中国环境标志低碳产品标准发布以及实施低碳产品认证制度，至少有以下三方面作用。

16.1.4.1 顺应时代潮流，培养绿色消费意识

伴随着经济发展和教育程度的普遍提高，人们的消费观念在逐渐发生变化，从单

---

① 中华人民共和国环境保护部公告2010年（第70号）。

纯追求质优价廉、优质优价的商品到绿色消费观。可以说，绿色消费日渐成为当今消费领域的主流。随着中国温室气体减排目标的提出和绿色低碳经济的推进，国内消费者的低碳消费意识进一步高涨，消费者要求越来越高，低碳消费已成为中国当前经济社会发展的必然需求。中国环境标志低碳产品标准发布以及实施低碳产品认证制度，为消费者选择消费品提供了有力支持。

发达国家的民意测验表明，大部分的消费者愿意为环境清洁接受较高的价格，其中的多数人愿意挑选和购买贴有环境标志的产品。在英国，1988 年 9 月出版的《绿色消费指南》，在 9 个月内居于最畅销书的首位，出售了 30 万册以上。而德国环境数据服务公司(ENDS)完成一项名为《环境标志，在绿色欧洲的产品管理》的研究报告则认为，环境标志培养了消费者的环境意识，强化了消费者对有利于环境的产品的选择。

我国也是如此。据广州联建资讯中心对广州地区的调查显示，在被调查的 23085 人中，81.7% 完全愿意为购买有益于环境尤其是居室环境和饮食环境的产品而支付更多的钱，15.5% 比较愿意在经济条件许可的范围内购买环境标志产品，只有 2.8% 表示无所谓(国家环保总局，2004)。

16.1.4.2　有利于企业打破贸易壁垒，抢占经济制高点

随着全球一体化和低碳经济的不断发展，国际贸易中的碳足迹将越来越大，低碳贸易壁垒将很大程度上影响我国的出口贸易。国内企业只有顺应低碳经济发展模式这一国际潮流，实现低碳化，才能更好地应对国外低碳贸易壁垒。获得中国环境标志低碳产品认证的产品和企业将赢得较高的美誉度和信任度，有利于企业拓展国内外市场，实现可持续发展。

因此，中国环境标志低碳产品标准发布以及实施低碳产品认证制度，将有力地推动国内企业打破贸易壁垒，得到国内外消费者的青睐，在低碳时代获得竞争优势。获得中国环境标志低碳产品认证是产品进入《政府绿色采购清单》的条件之一，通过认证后在政府采购、工程招标、产品评优等活动中具有竞争优势，这些都将给认证企业带来巨大的利润。

在进行中国环境标志低碳产品认证过程中，也有利于企业重新审视内部流程，优化内部管理，实现科技兴企，为企业进一步提高奠定基础。

16.1.4.3　形成“共赢”格局，有利于可持续发展

如前所述，中国环境标志低碳产品标准发布以及实施低碳产品认证制度，顺应了时代潮流，向消费者传递一个信息——告诉消费者哪些产品有益于环境，并引导消费者购买、使用这类产品，有利于推动、促进和引导绿色消费。消费者在选购商品的时候，往往优先选择绿色低碳商品。而这一消费倾向，恰恰又推动了低碳产品生产企业

的发展。即通过消费者的选择和市场竞争，引导企业自觉调整产品结构，生产对环境有益的产品，使得低碳产品市场逐渐形成规模。

同时，低碳产品认证的目的是吸引整个社会在生产和消费环节参与到应对气候变化，以达到减少全球温室气体的效果，因而能够形成消费者、企业、社会的“共赢”格局，最终达到环境保护与经济协调发展的目的，有利于可持续发展。

16.1.5 我国低碳产品认证中存在的问题

我国的低碳产品认证刚刚起步，与发达国家相比仍有较大差距，主要表现以下几方面。

16.1.5.1 起步晚，涉及产品和行业少

到目前为止，环保部仅仅完成家电和办公用品两类产品的标准研发，涉及四种产品：家电制冷器具、家用电动洗衣机、数字式多功能复印设备、数字式一体化速印机，与发达国家相比差距明显。

16.1.5.2 必须展开与国外大的认证机构的互认工作

在开发中国低碳产品认证标准方面，还必须展开与国外大的认证机构的互认工作。如果中国单方面认证得不到认可，对消除贸易壁垒没有实质性帮助。目前，只有北欧以及德国、日本、韩国、澳大利亚、新西兰、泰国和中国香港等8个国家和地区[①]的环境标签机构与中国环境标签实行了互认机制。

环保部与英国标准学会(BSI)等机构签订了合作协议，希望能在低碳产品领域的互认方面进一步合作。2010年3月1日，环境保护部环境发展中心与英国标准协会在北京签署了低碳产品认证的合作备忘录。环保部环境发展中心将和英国标准协会共同开展以温室气体减排为主要目标的相关工作，包括共同推进低碳产品认证的研究工作，以公众的消费选择来引导和鼓励企业开发低碳产品和低碳技术，促进形成低碳的生产模式和消费模式等。如果能开展互认的话，能够帮助企业节约出口时在国外认证的成本。

16.1.5.3 缺少对产品生命周期中的碳排放量计算

根据《环境认证中心开展低碳产品认证》的发展规划，我国低碳产品认证工作分为三个阶段：“中国环境标志——低碳产品”阶段、产品碳足迹标志阶段和产品碳等级标志阶段。目前只停留在第一阶段。由于缺少对产品碳足迹和碳等级标志的研究，导致

---

① 中国访谈．低碳认证引领低碳化发展[EB/OL]．(2010-12-10)[2012-08-20]．http：//www.china.com.cn/fangtan/2010－12/09/content_ 21512282.htm.

低碳产品认证停留在表面。国家发改委已经启动了中国产品碳足迹制度研究的课题，参与该课题的多个国家级认证机构正在积极研发各个行业的产品碳足迹的标准。此外，在国外此类认证，通常是由权威的第三方来完成，而中国由于自己的国情，权威的第三方往往是有政府背景的认证机构。

16.2 低碳外贸中的新形态：碳交易

国际贸易(international trade)又称“世界贸易”，泛指国际间的商品和劳务(或货物、知识和服务)的交换。它由各国(地区)的对外贸易构成，是世界各国对外贸易的总和。国际贸易在奴隶社会和封建社会就已发生，并随生产的发展而逐渐扩大。到资本主义社会，其规模空前扩大，具有世界性。随着国际贸易的发展，国际间交换的种类和形式不断增多，温室气体排放权作为一类特殊商品，也进行着国际间的交换。

16.2.1 碳交易的产生

西方经济学对国际贸易理论的研究，起源于亚当・斯密的绝对优势理论和大卫・李嘉图的比较优势理论，这两个理论被称为“古典贸易理论”。在此之后，比较优势的思想成为了现代国际经济分析的起点，20世纪30年代，瑞典经济学家赫克歇尔和俄林把对比较优势形成的原因的研究又向前推进了一步，创立了要素资源禀赋理论，该理论又称为“新古典贸易理论”。第二次世界大战以后，国际贸易理论在解释市场竞争不完全、要素密集度转换、产业内贸易和规模经济方面又取得了新的进展。提出的主要理论有新李嘉图主义贸易理论，克鲁格曼的产业内贸易理论，迪克特和斯蒂格利茨的DS模型以及萨克斯、杨小凯等人的内生分工与专业化贸易理论，这些理论被统称为“新贸易理论”。根据国际贸易理论，在温室气体排放领域，不同国家的需求存在差异，因而对温室气体排放权需求高的一方，可以向另一方购买排放权，由此碳交易应运而生。

碳交易(即温室气体排放权交易)是为促进全球减排所采用的市场机制。《京都议定书》把市场机制作为解决以二氧化碳为代表的温室气体减排问题的新路径，即把二氧化碳排放权作为一种商品，从而形成了二氧化碳排放权的交易，简称“碳交易”，也就是购买合同或者碳减排购买协议(Emission Reductions Purchase Agreements，ERPAs)。碳交易的基本原理是：合同的一方通过支付另一方而获得温室气体减排额，买方可将购得的减排额用于减缓温室效应，从而实现其减排的目标。在6种被要求减排的温室气体中，二氧化碳为最大的一宗，所以这种交易以每吨二氧化碳当量为计算单位，通称为“碳交易”。其交易市场称为“碳市场”(Carbon Market)。

《联合国气候变化框架公约》和《京都议定书》是碳交易出现的法律依据，是碳资产出现的根本原因。在环境合理容量的前提下，政治家们人为地规定包括二氧化碳在内的温室气体的排放行为要受到限制，由此导致碳的排放权和减排量额度(信用)开始稀缺，并成为一种有价产品，即碳资产。由于《京都议定书》规定发达国家有减排责任，要在2008~2012年将其温室气体排放量在1990年的水平上平均削减5.2%，而发展中国家没有。由此产生了碳资产在世界各国的分布不同。碳资产这种逐渐稀缺的资产在《京都议定书》规定的发达国家与发展中国家共同但有区别的责任前提下，出现了流动的可能性。另一方面，减排的实质是能源问题，发达国家的能源利用效率高，能源结构优化，新的能源技术被大量采用，因此这些国家进一步减排的成本极高，难度较大。而发展中国家，能源效率低，减排空间大，成本也低。这导致了同一减排单位在不同国家之间存在着不同的成本，形成了高价差。发达国家需求很大，发展中国家供应能力也很大，碳交易市场由此产生。

碳交易是利用市场机制引领低碳经济发展的必由之路。低碳经济最终要通过实体经济的技术革新和优化转型来减少对化石燃料的依赖，降低温室气体排放水平。但历史经验已经表明，如果没有市场机制的引入，仅通过企业和个人的自愿或强制行为是无法达到减排目标的。碳市场从资本的层面入手，通过划分环境容量，对温室气体排放权进行定义，延伸出碳资产这一新型的资本类型。碳资本把原本一直游离在资产负债表外的气候变化因素纳入了企业的资产负债表，改变了企业的收支结构。而碳交易市场的存在，则为碳资产的定价和流通创造了条件。本质上，碳交易是一种金融活动，但与一般的金融活动相比，它更紧密地连接了金融资本与基于绿色技术的实体经济：一方面，金融资本直接或间接投资于创造碳资产的项目与企业；另一方面，来自不同项目和企业产生的减排量进入碳金融市场进行交易，被开发成标准的金融工具。碳交易将金融资本和实体经济连通起来，通过金融资本的力量引导实体经济的发展。这是虚拟经济与实体经济的有机结合，代表了未来世界经济的发展方向。

16.2.2 碳交易的三种机制

根据《京都议定书》的规定，碳交易有三种交易机制，分别是清洁发展机制、联合履行和排放交易。

16.2.2.1 清洁发展机制(Clean Development Mechanism，CDM)

在《京都议定书》的三种交易机制中，发展中国家可以直接从中获益的是CDM，简单地说，就是发达国家用资金和技术换取各种温室气体的排放权。清洁发展机制主要是指发达国家通过提供资金和技术的方式，与发展中国家开展项目合作，通过项目所实现的温室气体减排量，可以由发达国家缔约方用于完成《京都议定书》中的减排承诺。CDM 项目必须由经过联合国气候变化框架公约 CDM 执行理事会批准的，称作“指定的经营实体”(DOE)的第三方独立机构审定(validaced)和核证(verified)。CDM 交易市场分为一级市场和二级市场：一级市场是发达国家从发展中国家买入碳减排量的交易市场；二级市场是从 CDM 一级市场买入的碳减排量在欧盟内部交易形成的市场。

我国一直重视发挥 CDM 在促进可持续发展中的作用，并愿意通过参与 CDM 项目合作，为温室气体减排作出贡献。截至 2009 年，国家发改委批准的 CDM 项目已经接近 2000 个，我国在联合国 CDM 执行理事会注册成功的项目数量接近 500 个，注册成功的项目数和减排量均居世界首位[①]。

16.2.2.2 联合履行(Joint Implementation, JI)

联合履行主要指发达国家之间通过项目级合作，所实现的温室气体减排抵消额，可以转让给另一发达国家缔约方，但是同时必须在转让方的允许排放限额上抵扣相应的额度。《联合国气候变化框架公约》下的蒙特利尔高层会议于 2005 年成立了 JI 监督局，对 JI 项目进行监控。

16.2.2.3 排放交易(Emissions Trade, ET)

排放交易机制指的是发达国家间的合作，使温室气体排放规则成为“成本—效益”形式，通过将减排的温室气体量转化为一种商品量(相当于 CO_2 的量)，使各组织之间可以进行交易，以最低的成本满足其减排的指标义务。欧盟建立了全球第一个强制排放交易机制，由第三方独立机构进行温室气体排放量核证是保证该机制运行的核心要素。

16.2.3 碳交易的两种形态

根据碳交易的三种机制，碳交易可区分为配额型交易和项目型交易两种形态。

16.2.3.1 配额型交易(Allowance-based Transaction)

配额型交易是指在总量管制下所产生的排减单位的交易，例如，欧盟的欧盟排放权交易制的“欧盟排放配额”(European Union Allowances, EUAs)交易，主要是被《京

---

① 班炜淦．什么是碳交易，产生原因[EB/OL]．(2009-4-23)[2012-08-25]．http://www.022net.com/2009/4-23/432527332524963-2.html.

都议定书》规定的排减国家之间超额排减量的交易，通常是现货交易。

16.2.3.2 项目型交易(Project-based Transaction)

项目型交易是指因进行减排项目所产生的减排单位的交易，如清洁发展机制下的“排放减量权证”、联合履行机制下的“排放减量单位”，主要是通过国与国合作的排减计划产生的减排量交易，通常以期货方式预先买卖。

16.2.4 国际碳市场结构

国际碳市场主要包括三个领域，构成了碳交易市场的三角格局。

16.2.4.1 全球性履约碳市场

全球性履约碳市场(《京都议定书》下的碳市场)是整个国际碳市场的基础，其中美国是最不确定性因素。但美国在气候变化方面的野心是明显的，他们把气候变化作为重塑美国霸主地位的重要手段。以CDM机制为核心的全球性履约碳市场将在“后京都时代”发生演化和改进，主要体现在两个方面：一是向行业减排和规划类减排等效率更高的机制发展；二是在适用行业和领域有所调整和变化，以便更加适合市场的需求。全球性碳市场存在的最大意义是建立碳市场的信用基础。

16.2.4.2 区域性碳市场

区域性碳市场是国际碳市场的另一个重要角色。未来将形成以欧洲和北美两个市场为核心的区域性交易体系。两大市场的交易量将占碳市场的大部分，并在世界其他地区展开激烈的竞争。竞争的核心将是碳定价权的争夺，具体表现在碳交易所的谋划布局、标准竞争以及碳衍生商品的创新。事实上，从理论上来讲，区域性交易体系更加稳定和成熟，理所应当地承担起整个碳市场的发展重任。

16.2.4.3 自愿减排市场

自愿减排市场是另外一个重要领域。自愿减排市场近几年发展很快，但交易额还比较小，目前处于标准竞争的阶段。一旦某一标准在市场上明显胜出，那么自愿减排市场的表现可能会让很多人“大跌眼镜”，它的创造性会超过强制减排市场。自愿减排市场的运行机制与强制市场是截然不同的，这会带来与目前CDM完全不同的机会和商业模式。

目前，世界上的碳交易所共有4个：欧盟的欧盟排放权交易制(European Union Green House Gas Emission Trading Scheme，EUETS)、英国的英国排放权交易制(UK Emissions Trading Group，ETG)、美国的芝加哥气候交易所(Chicago Climate Exchange，CCX)、澳大利亚的澳洲国家信托(National Trust of Australia，NSW)。但是由于美国及澳大利亚均非《京都议定书》成员国，所以只有欧盟排放权交易制及英国排放权交易制是国际性的交易所，美国、澳大利亚两个交易所只具有象征性意义。

16.3　低碳外贸中的新问题：低碳贸易壁垒

16.3.1　低碳贸易壁垒的产生

贸易壁垒(barrier to trade）又称贸易障碍，即对国外商品劳务交换所设置的人为限制，主要是指一国对外国商品劳务进口所实行的各种限制措施。随着 WTO 等组织的成立以及世界各国为消除国际贸易关税所做的种种努力，传统的关税壁垒作为国际贸易的保护手段得到普遍约束，取而代之的是自 20 世纪 70 年代以后，逐渐形成的新形式的贸易保护壁垒。在目前拟议中的减排温室气体的国际策略和国内策略中，贸易措施也都被当做重要的减排工具。这些涉及贸易措施的减排安排将对国际贸易构成一种新的壁垒。因此，在低碳经济时代，出现了新的贸易壁垒——低碳贸易壁垒。

全球气候变化和环境恶化对人类的生存和发展构成了严重威胁，促使世界各国尤其是发达国家加强低碳经济体系的构建，并通过政策和法律将低碳经济逐步应用到实践中。从《京都议定书》到“巴厘路线图”，再到哥本哈根峰会，碳排放从一个环境问题渐渐演变成了政治、经济问题。由于各国经济发展不平衡，导致发展中国家和不发达国家在低碳技术、信息、人才、资金等方面的低碳实践上处于弱势，而发达国家作为低碳优势国，结合环保的国际诉求，对国际贸易中的进口产品设置一系列的低碳标准和采取相关措施，从而不断创设出新的低碳贸易壁垒。以“碳标签”“碳关税”为代表的隐性绿色壁垒正逐渐成为国际贸易壁垒未来发展的主要趋势。

16.3.2　低碳贸易壁垒的种类

在低碳经济时代，一些发达国家以环境为名义，在低碳技术领域设置“碳关税”“碳标签”“碳中和”等贸易壁垒[①]。

16.3.2.1　最重要的碳壁垒——碳关税

所谓碳关税，是指对高耗能产品进口征收特别的二氧化碳排放关税。最早由法国前总统希拉克提出，其目的是希望欧盟国家应针对未遵守《京都协定书》的国家课征商

① 邢继俊等人的相关研究认为，碳税和边境税调整、碳减排证明、碳标识和碳标准、补贴、政府采购，可能构成与减排温室气体相关的壁垒措施。

品进口税，以避免在欧盟碳排放交易机制运行后，欧盟国家所生产的商品遭受不公平的竞争。虽然目前针对进口产品的碳关税在世界上并没有实际征收的范例，但是欧洲的一些国家，如瑞典、丹麦、意大利等国家已经在本国范围内征收碳税。其他的国家也已经或正在采取与碳关税相关的措施，积极准备和部署开征碳关税。

2009年6月，美国国会众议院通过《2009清洁能源安全法案》，提议授权从2020年起对不实施碳减排的国家征收惩罚性的“碳关税”。2009年11月，法国政府提议从2010年1月1日开始对环保立法不及欧盟严格的发展中国家的进口商品征收碳关税。尽管该两国的碳关税目前还处于“纸上谈兵”阶段，但足以成为中国、印度等国家的出口企业的贸易壁垒。世界银行和美国彼德森研究所目前发布研究报告预测，一旦实行碳关税，中国制造业出口额将削减五分之一，所有中低收入国家出口额将削减8%。

16.3.2.2 碳标签(碳足迹标签、碳标识)

碳标签又称碳足迹标签、碳标识，是为了缓解气候变化，减少温室气体排放，推广低碳排放技术，把商品在生产过程中所排放的温室气体排放量在产品标签上用量化的指数标示出来，以标签的形式告知消费者产品的碳信息，是指产品从原料、制造、储运、销售、废弃到回收全过程产生的二氧化碳排放量。

碳足迹主要是指人类在生产和消费过程中所释放的与气候变化相关的气体排放总量。这个概念起源于“生态足迹”，它包括两个层面的含义：一是指产品或服务在生产、提供和消耗整个生命周期过程中释放的二氧化碳和其他温室气体的总量，又叫做产品碳足迹。二是仅指公司生产过程中导致的温室气体的排放，又称为公司碳足迹。通过对产品生命周期碳排放的计算，企业可将其产品的碳足迹以贴上“碳标签”的方式告知消费者，从而引导消费者的市场购买行为。所以说，碳标签就是产品碳足迹的量化标注。碳消耗的多，导致气候暖化的二氧化碳也制造得多，碳足迹就大，标注在产品上的碳标签也就越大；反之，碳标签就越小。

碳标签只是鼓励消费者和生产者支持保护环境和气候的一种方法，更多是取决于消费者和生产者的社会道德和责任感。碳标签的实施需要核定生产过程中导致的温室气体排放量，会给厂商带来额外成本，消费者也因此要承担一部分的加价。

一般来说，发达国家由于对环保意识水平更强，设置了广泛而严格的环保标准和标志要求，碳标签的使用在推动降低能耗、减少温室气体排放方面的确具有较大的潜力，因而发达国家会要求发展中国家在出口商品时加注体现产品在整个生命周期导致温室气体排放量的碳标签。

而发展中国家一方面由于国内技术水平较低，使用的生产商品的加工与生产方法很有可能会导致更高的温室气体排放，对缓解气候变化不利，往往具有较高的碳足迹，在出口目标市场上不具有竞争优势，很容易被赶出发达国家的市场。而且环保型的生产方法和技术需要较高的投入，这对于发展中国家来说难以在短期内实现气候友好产品及技术的引进和采用。另外，发展中国家的商品要想获得碳足迹的认定和碳标签的加注，需负担一定的时间成本和不菲的申请价格，这是依靠低廉的劳动力获得微薄利润的发展中国家厂商难以承担的。

英国率先推出了碳标签做法，英国在 2007 年专门成立了碳基金，鼓励向英国企业推广使用碳标签。法国的环境与能源管理部门(ADEME)出台相关政策，2011 年 1 月 1 日开始，在法国境内销售的消费品，将强制性要求披露产品环境信息(其中包括碳足迹信息)。目前，法国某些大型零售商已经着手对其产品进行碳指标(Carbon Index)标识工作。无独有偶，日本农林水产省也决定，从 2011 年 4 月开始实施农产品碳标签制度[①]。

不仅是法国、日本，碳标签在越来越多的国家开始推行，绿色供应链正成为国际贸易的新门槛。从 2007 年起，英国政府专门成立碳基金，鼓励英国企业推广使用碳标签，日本、法国、美国、瑞典、加拿大、韩国等紧随其后。目前，全球已有 12 个国家和地区，颁布了关于碳排放的法规，在其国内企业推行碳标签制度。

此外，世界 1000 多家知名企业已接受低碳理念，要求绿色供应链，其中包括联合利华、屈臣氏、Dell、Apple、可口可乐、耐克、BP 等。零售商在实施碳标识方面的行动也十分值得注意。它们通过采购合同要求供货商披露碳排放情况并由零售商予以统一标注，或者按照零售商的计算标准进行标注，这种做法不但会影响其本国的供货企业，而且会影响广大的海外供货企业，无论那些供货企业的母国是否参加碳减排计划。英国的大型连锁超市 Tesco 率先在本国开展了贯穿整个零售供应链的碳减排计划，力争从原材料采集、制造到配送、零售、消费以及废物弃置等整个产品生命周期的各个阶段都减少碳排放，从而把企业自身的减排努力与整个供应链的减排集成起来，最大限度地扩大减排效果。美国的 Timberland 是第一个在美国店内产品贴上碳标识的企业。世界零售巨头沃尔玛制定了“负责任的采购”计划，要求 10 万家供应商必须完成碳足迹验证，将要逐步披露其所售产品的碳排放情况，并逐步增加对低碳产品的采购；瑞典家具巨头宜家要求供应商贴上碳标签，非低碳产品若缺少“碳标签”产品，将意味着无法进入这些跨国公司的采购系统。

产品碳足迹的国际标准 ISO14067 已处于草案拟定阶段。一旦碳足迹认证国际标

---

① 中国新闻网．低碳将成国际贸易新壁垒[EB/OL].(2010-11-02)[2012-08-28].http://www.tianjinwe.com/rollnews/201011/t20101102_2336014.html.

准出台，商品加注碳标签将不可避免。

16.3.2.3 碳中和(碳减排证明、碳盘查、碳补偿)

碳中和是指企业、团体或个人计算其在一定时间内直接或间接产生温室气体排放总量，通常以吨二氧化碳当量为单位，然后通过购买碳额度的形式资助符合国际规定的节能减排项目，以抵消自身产生的二氧化碳排放量，从而达到环保目的。

碳盘查和碳中和在欧美企业中较为流行，一些大的跨国巨头甚至加入碳披露的供应链管理，如宝洁、DELL、IBM、惠普等，这些企业都要求其上游供应商提交相应的碳盘查报告。在进行碳盘查后，一些企业向外界购买碳额度，从而抵消自身的二氧化碳的排放，实现碳中和。2009 年 11 月，我国首笔碳中和交易在天津完成。可以预见，随着国际社会对碳减排工作的日益关注，会有越来越多的中国企业被要求开展碳盘查和碳中和。

2007 年《美国气候安全法案》(America's Climate Security Act of 2007)中即有此条款，只是尚未正式生效。该项法案的上述规定仅适用于能源密集企业，如钢铁、铝、水泥、玻璃和造纸等。美国的企业将从 2012 年开始受该法案的约束，来自外国的进口将从 2020 年起正式适用该法案。

碳减排证明要求进口产品的生产企业在生产阶段就解决它们的碳排放问题。考虑到某些国家可能拒绝采取所谓的与美国可比的减排温室气体的制度，这一法案还提供了使那些来自"不承担强制减排义务"国家的进口进入美国市场的途径：即生产企业自愿购买碳补助，以表明其承担了与美国的同类生产者可比的减排温室气体的义务。这样它就可以取得相应的证明，从而将产品出口到美国。

16.3.3 低碳贸易壁垒的国家博弈

气候变化外交格局形势复杂。从《京都议定书》，到"巴厘路线图"，再到哥本哈根，发展中国家和发达国家一直存在严重分歧，在低碳贸易壁垒领域也不例外。

在低碳壁垒的三种类型中，争议最大的是"碳关税"。2009 年以来，"碳关税"在国际上成为热门话题。以美国、法国为代表的少数国家热衷制定包含"碳关税"条款的法案，也有的国际组织提出"碳关税"可适用于国际贸易规则。

中国、印度等发展中国家则强烈反对开征"碳关税"，并认为，"碳关税"只是发达国家为采取贸易保护主义措施而寻找的一个借口，在当前国际金融危机背景下，征收"碳关税"将对发展中国家经济造成严重伤害。

2009 年 7 月，中国明确提出反对"碳关税"。中国认为，"碳关税"不仅违反了 WTO 的基本规则，也违背了《京都议定书》确定的发达国家和发展中国家在气候变化领域“共同而有区别的责任”原则，是“以环境保护为名，行贸易保护之实”。

“碳关税”不仅不可能真正抑制碳排放，事实上反而会增加一个贸易壁垒，而这个贸易壁垒与WTO现行规则有直接冲突。WTO基本原则中有一条“最惠国待遇”原则，其涵义是缔约一方，现在和将来给予任何第三方的一切特权、优惠和豁免，也同样给予其他成员。而征收“碳关税”，各国环境政策和环保措施都不同，对各国产品征收额度也必然差异甚大，这就会直接违反最惠国待遇原则，破坏国际贸易秩序。

当年，法国前总统希拉克提出“碳关税”这个概念，本意是希望欧盟国家针对未遵守《京都议定书》的国家课征商品进口税，以避免在欧盟碳排放交易机制运行后，欧盟国家所生产的商品将遭受不公平之竞争。但现实情况是，发达国家多数没有切实遵守《京都议定书》，发展中国家又暂时不承担减排份额，这使得“碳关税”征收缺少了现实的支撑。而美国这个温室气体的头号排放大国甚至拒绝签署《京都议定书》，不愿意承担减少排放额度的义务，现在却突然热衷于对他国产品征收“碳关税”，这除了借气候保护之名行贸易保护之实之外，实在找不出更合理的解释。

《京都议定书》实行的是“共同而有区别的责任”原则，发展中国家暂不承担排放额度。发达国家向发展中国家产品征收“碳关税”，结果只能是发达国家一箭双雕——堂而皇之地将发展中国家的财富纳入自己国库的同时，让发展中国家背负污染环境的恶名。这就违背了“共同而有区别的责任”的原则。然而，美国按照自己的标准征收“碳关税”，别的国家难道不可以按自己的标准征收美国的“碳关税”？如此，全球合作减排机制必遭破坏，世界卷入贸易战也势不可免。贸易保护主义从来不是单行线，历史经验表明，贸易保护主义是把双刃剑；全球经济的任何一环出现贸易壁垒，其后果都将是全球性的①。

2009年7月24日，欧盟成员国环境部部长非正式会议拒绝了法国有关对发展中国家出口产品征收“碳关税”的提议。不仅如此，德国、瑞典等欧盟国家也呼吁欧盟成员国环境部部长拒绝有关征收“碳关税”的提议②；欧盟轮值主席国瑞典的环境大臣安德烈亚斯·卡尔格伦提出，威胁对发展中国家出口产品征收“碳关税”，只会使联合国气候变化大会相关谈判更加难以达成一致；德国政府代表认为，征收“碳关税”是一种新形式的“生态帝国主义”，此举将会发出错误的信息，他表示，征收“碳关税”有可能让发展中国家感到发达国家正在关闭其市场，这是发展中国家一直担心的问题。

---

①　李北陵．碳关税是美披着漂亮外衣的保护主义[EB/OL].(2009-07-08)[2012-09-10].http：//news.xinhuanet.com/world/2009-07/08/content_11672554.htm.

②　侯力新．欧盟环境部长会议拒绝法国“碳关税”提议[EB/OL](2009-07-27)[2012-09-10].http：//business.sohu.com/20090727/n265505194.shtml.

16.3.4 我国应对低碳贸易壁垒的主要措施

16.3.4.1 转变外贸增长方式

一直以来，中国经济发展呈现粗放式特点，单位GDP能耗和主要产品能耗均高于世界平均水平，中国现在每百万美元GDP所消耗的能源数量是美国的3倍、日本的6倍。我国出口产品也以高能源投入、低附加值产品为主，面对“碳关税”问题，能源瓶颈及减排压力，都要求我国必须转变外贸经济增长方式，走绿色贸易发展之路。

16.3.4.2 完善低碳产品认证工作

目前国内低碳产品认证工作刚刚开始，关于碳足迹的研究刚处于起步阶段。如何研究出合理科学的方法，将产品生命周期中导致的温室气体排放衡量出来还有待进一步的探究和实证分析来检验。在此基础上将产品的碳足迹标在包装上，消费者从这些信息作出合理的判断和选择，才能达到从消费的角度影响生产，从而缓解气候变化的目的。所以，碳标签工作首要的一步就是要鼓励碳足迹方面的研究工作，形成合理的碳足迹核算方案，然后就可以开展实际的试点工作，先在部分商品上加注碳标签，看实行的效果后再进一步实行推广。

16.3.4.3 国内开征碳税，建立绿色政策法规体系

为推动国内节能减排，我国可以考虑在国内开征碳税，同时实施相应的绿色税收、绿色信贷等配套措施，最终形成一个绿色政策法规体系。另外，如果国内征收了碳税，进口国再征收“碳关税”就变成了双重征税，是违反WTO协议的。当然，碳税征收会增加国内企业的生产成本，削弱产品出口竞争力，但与其让其他国家征收“碳关税”，去补贴他们的企业，不如自己先征碳税，所得的税收再用于自己企业的碳减排工作。

16.3.4.4 利用CDM机制争取节能减排资金和技术

由于目前国际上并没有一个统一的碳排放量参照标准，所以我国应当积极开展“环境外交”，推动和参与制定国际碳排放量参照标准的国际谈判，发挥发展中大国的协调作用。通过清洁发展机制(CDM)争取到发达国家的资金和技术。目前中国是最大的CDM碳交易量国家，占到60%的份额。这些CDM项目换回的设备和技术在中国风电和建筑节能等方面的低碳发展发挥了积极作用。在哥本哈根气候峰会上，我国提出发达国家应向发展中国家进一步提供节能减排资金和技术，我国也可充分利用CDM机制，开展国际碳排放交易，吸引国际资金、技术进入减排项目。

与此同时，需要加快国内CDM进程，比如解决国内尚缺乏CDM项目审核机构的问题。另外，国内企业虽然都知道CDM，但对其操作中的具体规则并不清楚、知识和

经验的缺乏，导致很多国内企业在谈判过程中处于被动地位，也就丧失了讨价还价的能力。

16.3.4.5 参与全球碳交易市场

低碳经济所代表的未来方向，高度集政治、经济力量于一身的特点，成为国家博弈的焦点之一。目前，全球“低碳经济”刚刚开始，中国从一开始就参与其中，有可能获得领先优势。

16.3.4.6 坚决反对欧美国家开征“碳关税”

研究表明，人类排放的二氧化碳80%是发达国家在以前工业化进程中所排放的。而且，从20世纪50年代开始，发达国家已将本国高污染、高排放的工业转移到发展中国家，现在发达国家想通过“碳关税”让发展中国家承担碳减排责任是不合适的，违背了《联合国气候变化框架公约》及《京都议定书》确定的“共同但有区别的责任”原则，事实上成为贸易保护主义的新借口，严重损害发展中国家利益，所以我们要坚决反对欧美国家开征“碳关税”。

第 17 章　低碳城市

17.1　低碳城市建设

低碳城市建设是城市生态文明建设的重要组成，一方面它需要生态文明理论作指导，另一方面由于低碳城市建设具有较强的可操作性，它又是城市生态文明建设的有效途径。

17.1.1　低碳概念的延伸

温室气体排放导致的全球气候变化，不管是对人类的生存还是经济社会的可持续发展都提出了严峻挑战。人们不断寻找应对全球气候变化的方案，而旨在减少碳排放的“低碳”发展方式在世界范围内得到普遍认同，并成为未来人类发展的重要目标（Stern N，2006）。国际科学界已有充分的证据证明，当前气候变化有很大一部分原因是由人类活动造成的，而城市作为人类生产和生活的主要场所，在运行过程中消耗了大量的资源能源，尤其是化石能源，其所排放的温室气体已占到全球总量的 75% 左右，制造出全球 80% 的污染。

因此，如何建设一个低碳排放的城市已经成为全世界关注的问题，而低碳城市也成为学术界研究的热点。“低碳城市”概念的形成可以理解为是低碳理念从经济领域向社会领域延伸。从目前来看，低碳城市的雏形初现，从低碳经济发展到低碳城市，其实质是低碳理念在不同发展阶段和不同发展区域的实际运用。低碳经济和低碳城市的概念尽管各自的侧重点不同，但二者最终目标都是促进温室气体排放量的减少，转变经济发展方式，提升经济效益，提高人们生活质量。

虽然低碳城市的提出已经有一段时间，但到目前为止并没有形成统一的低碳城市概念与内涵，不同的学者和机构从不同的角度出发，对低碳城市有着不同的理解。有学者从经济增长、能源消耗增长与二氧化碳排放之间的关系出发，认为低碳城市是经济增长与能源消耗增长及二氧化碳排放相脱钩，如果化石燃料使用及二氧化碳排放量的增长相对于经济增长或城市发展是非常小的正增长，就属于相对脱钩；如果是零增长或负增长，就属于绝对脱钩(陈飞，褚大建，2009)。还有的学者从政府、企业、公众角色划分的角度来理解低碳城市，认为低碳城市是低碳经济作为发展模式、发展目标，政府以低碳社会为建设目的，企业以低碳生产为主要的生产方式，市民以低碳生活为特征的城市。

虽然不同学者对低碳城市的理解不同，但我们不难看出，低碳城市实质上是低碳经济理念、低碳社会理念在城市的生产和日常生活中的实际运用，主要包括了低碳经济和低碳社会两个层面。低碳经济注重在经济发展中减少以二氧化碳为主的温室气体的排放，强调城市生产活动的低碳化转变和发展有利于全球碳减排的低碳产业。低碳社会则注重城市日常生活和消费的低碳化转变，尤其注重人们生活行为方式的转变，以达到自然—人—社会复合生态系统的和谐发展。

低碳城市不仅是低碳理念从经济领域向社会领域的延伸，同时也是低碳理念与城市可持续发展理念的融合与升华。低碳城市与以往可持续发展城市的各种表现类型相比，在发展理念、发展目标、发展模式等方面都有着其独有的特征(表 17-1)(顾朝林，谭纵波等，2009；黄肇义，杨东援，2001；赵清，张珞平，2007)。

表 17-1　低碳城市与其他相关城市理论的比较

城市理论	主要观点	评价
花园城市	这一概念最早是在 1820 年由著名的空想社会主义者罗伯特・欧文(Robert Owen，1771～1858)提出的。1898 年，霍华德发表了题为《明天的花园城市》专著，阐述了“花园城市”的理论，提出城市建设要科学规划，突出园林绿化	过于注重城市的生活环境规划，忽略了城市经济发展和社会功能，缺乏对城市生态系统有机组成的认识
健康城市	健康城市，是世界卫生组织(WHO)在 20 世纪 80 年代面对城市化问题给人类健康带来挑战而倡导的一种模式。认为健康城市是由健康的人群、健康的环境和健康的社会有机结合发展的整体	健康城市更多的是从生命个体与环境之间的关系来看待城市。没有认识到自然、人、社会三者之间的有机联系
山水城市	山水城市是钱学森于 1990 年首先提出的。山水城市是在中国传统的山水自然观、“天人合一”哲学观基础上提出的未来城市构想	山水城市作为理论本身并不完善，更多的只是一种构想，缺乏解决现代城市问题的一套完整思路和可行方案
园林城市	“园林城市”是在中国特殊环境中提出的，凝聚着中国传统的审美情趣。强调城市景观的塑造，犹如绘画一般，用人为的审美情趣来建设城市的一砖一瓦、一草一木	强调地方城市的规划特色，过于注重对城市生态环境的改造，对城市的经济属性关注较少，没有认识到经济的发展对城市园林建设的支撑作用

（续）

城市理论	主要观点	评价
生态城市	这一概念是在20世纪70年代联合国教科文组织发起的“人与生物圈(MAB)”计划研究过程中提出的。反映了两个方面的特征：生态良好的城市和高效发展的城市。这个概念反映了在城市发展过程中经济发展与环境发展相互协调、相互促进的发展理念	比以往的城市发展理念有较大的进步，涵盖的范围大于低碳城市的概念范围，但是仍然片面注重城市生态环境的建设，可操作性不强
低碳城市	“低碳”概念是在应对全球气候变化，提倡减少人类活动产生的温室气体排放的大背景下提出的。低碳城市，就是在城市实行低碳经济，包括低碳生产和低碳消费，建立资源节约型、环境友好型社会，促进自然—人—社会(经济)复合生态系统的良性、持续发展	目标明确，低碳化发展是全人类迫切要解决的共同问题，相对其他未来城市理论具有更强的可操作性。低碳城市是实现城市生态化的有效方式之一，可以实现生态效益、经济效益和社会效益三大效益的相统一与最优化

从国内外实践情况来看，为促进个体生活方式转变，国内外纷纷展开低能耗社区建设和低碳城市建设，如英国贝丁顿项目、德国的“弗班可持续模式”计划、瑞典的韦克舍等。中国的低碳城市建设近年来也迅速“蹿红”，2008年年初，国家建设部和世界自然基金会将上海和保定两市作为“低碳”的城市进行建设，之后，许多城市都将“低碳城市”作为建设的目标。学术界、国际组织和各级政府于2007 年开始关注“低碳城市”的概念(戴亦欣，2009)，国外研究主要是从城市碳排放构成要素研究、城市生活碳排放量计算方法研究、城市生活方式规划研究、低碳城市政策规划研究等方面对低碳城市理论进行了相应的研究。城市生产、交通以及家庭生活被认为是制约城市低碳发展的三个重要因素(Chin Siong H，Wee Kean F，2007)，一些城市的二氧化碳排放量被计算出来(Edward L. G，Matthew K，2008,)，一些研究表明城市发展与居民二氧化碳排放量之间存在着相应的规律(陈国伟，2009)，而且城市规划与能源消耗、碳减排有着密切的联系(Wee-Kean Fong，2007)。有学者认为，应该从产业分布、低碳交通、建筑结构及新节能技术应用等方面出台一些具体措施来减少城市的碳排放[①]。

我国低碳发展的重点也在城市，在我国快速城市化的背景下，能否从产业结构、空间形态、消费模式和日常运行等多角度建设低碳城市是我国发展低碳经济的关键。

---

① 柳下正治. 脱温暖化社会のための政策课题，上智三菱 UFJ 環境講座. 上智大学大学院地球環境科学研究. http://www.genv.sophia.ac.jp/research/yanashita.html.

低碳城市的相关研究和实践也很多，国内学者基于低碳能源利用（胡鞍钢，2007）、可持续发展（封颖，杨春林，2010；李克欣，2009）、低碳生产和低碳消费（夏堃堡，2008；付允，汪云林，李丁，2008；2050 中国能源和碳排放研究课题组，2009）等不同视角对低碳城市的内涵进行了相关的研究，也对低碳城市的发展进行了一定的研究，认为建设低碳城市，低碳能源的开发和利用是基本保证，实现清洁生产是关键环节，循环利用是有效方法，持续发展是根本方向（辛章平，张银太，2008）；低碳城市发展必须制定相应的战略目标和评价指标体系，从而实现城市空间紧凑化、城市生活低碳化、城市物质循环化（陈飞，诸大建，2009）。也有学者从参与者角度出发，认为低碳城市是需要政府、公民、市场共同努力的新的城市发展模式，需要三方通力协作（戴亦欣，2009）。在整体的体系框架设计上，有学者认为低碳城市主要包括了低碳理念体系、低碳生产体系、低碳技术体系、低碳金融体系和低碳消费体系五个支撑体系（袁晓玲，仲云云，2010）。总之，低碳城市发展应立足于国情，充分借鉴我国传统生态思路（仇保兴，2009），走发展和减碳结合、经济与社会并行、政—企—民共治的中国特色低碳城市之路（刘志林，2009；戴亦欣，2009）。

17.1.2　低碳城市建设的基本内容

全面理解低碳城市建设内容，对于建设低碳城市具有十分重要的意义。关于低碳城市，许多人误认为，低碳城市就是简单的城市碳排放的减少，所以一提到低碳城市建设，就认为是一个强制性的、花钱不讨好的事情。其实不然，真正的低碳城市建设不同于传统意义上的单纯二氧化碳排放量的减少，而是城市经济发展方式的转变，传统发展方式的扭转，其探索的是减少碳排放、节约资源、环境保护与经济协调发展的城市发展模式。

在以上相关概念辨析的基础上，本书认为低碳城市建设应该包含以下几个方面的内容。

17.1.2.1　生态文明观的牢固树立

党的十七大报告要求建设生态文明，使生态文明观念在全社会牢固树立。党的十八大更是从关系人民福祉、关乎民族未来的战略高度，把生态文明建设放在五位一体的突出位置，贯穿在经济建设、政治建设、文化建设和社会建设的各个方面和全过程，实施绿色发展、循环发展和低碳发展，努力走向社会主义生态文明新时代。所以，低碳城市建设的首要内容就是生态文明观念在全社会的牢固树立，因为人是城市建设的主体，人的观念在一定程度上决定着低碳城市建设的成败。

但在当前，对于生态文明观念的具体内容，人们普遍有着不全面的理解，影响到低碳城市的建设。应该从两个方面来理解生态文明观：一是从宏观的层次来理解生态文明观，主要包括了地球生态母系统的生态法则和基本规律，生态整体主义的世界观和综合、系统、协调的方法论，生态文明的基本原理和本质特征，生态安全观、生态生产力观等内容；二是从中观、微观的层次来理解生态文明观，主要包括了生态文明价值观、生态文明消费观、生态文明伦理观、生态文明观的绿色精神等主要内容。

在低碳城市建设的过程中，应该把这两个方面的内容有机地结合起来，融入到生态文明观的宣传和教育之中，尤其是不能忽略生态文明观的宏观层次，这样才能使得生态文明观在全社会牢固树立。

17.1.2.2 生态环境的保护与固碳能力的增加

低碳城市意味着城市碳排放的减少，减少城市碳排放的途径主要有两个：一个是减少城市固有的碳排放，另一个是增加城市固碳能力，也就是城市吸收二氧化碳的能力。从减少城市碳排放的方面来看，主要是找出城市固定的碳排放源，采取有针对性的措施减少二氧化碳的排放。从增加城市吸收二氧化碳能力的方面来看，主要是要保护好城市生态环境和建设，有意识地增加城市固碳能力，也就是城市森林的建设。

17.1.2.3 发展低碳产业

低碳产业是转变传统的生产方式，减少城市碳排放的有效途径。发展低碳产业不是对传统产业的简单否定，而是对传统产业进行低碳化改造，同时发展一批新兴的、技术含量高的低碳新产业。

17.1.2.4 建设低碳排放的人居环境

据有关资料统计，建筑排放已经成为城市碳排放的一个主要来源。而且目前我国大多数城市仍不注重发展建筑减排，在建筑材料和建筑运行维护方面还存在着很大的减排潜力，因此必须大力发展低碳排放型的人居环境。

17.1.2.5 构建生态文明指导型消费体系

消费作为物质生产的最终环节，包括了生产和生活的方方面面，消费产生的碳排放也是城市碳排放的一个重要来源。因此低碳城市必须建立以生态文明观为指导的消费体系，也就是生态文明消费观及其消费模式之上。

17.2　城市碳排放根源分析

17.2.1　传统经济增长方式导致高碳排放

传统的经济增长方式实质上是一种粗放型的经济增长方式，是指在生产要素质量、结构、使用效率和技术水平不变的情况下，依靠生产要素的大量投入和扩张实现的经济增长。这种经济增长方式是以数量的增长速度为核心，忽略了质量的增长，这种经济增长方式的最直接结果是对自然资源的过度掠夺。在这种经济增长方式之下，为了追求经济增长速度，不惜过度消耗资源能源，排放更多的温室气体，生态环境受到严重的损害，人们健康受到严重损害。

传统的经济增长方式使我国面临发展的困境：资源的缺乏、生态和环境严重破坏的沉重代价已经难以承受。无论是从生产的角度或是从生活的角度来说，环境的恶化必然导致生活条件的恶化以及生产条件的恶化，而资源的不足又必然会加剧生产与生活的困难，使得我们的经济社会发展陷入一个从资源消耗导致高碳排放，再到更多的资源消耗导致更多的碳排放的恶性循环当中，北京雾霾就是一个明显的例子。

17.2.2　人口的过度增长

全球人口的过度增长是造成全球气候问题的一个重要因素，正如联合国人口基金在 2009 年 11 月发表的《世界人口状况报告》中指出，通过人口增长对全球二氧化碳排放量增长影响的计算，已经得出了非常一致的结论，即人口过快增长是导致总排放量增长 40% ~60% 的主要原因。

从自然资源消耗的角度来分析，过度增长的人口使资源得不到集约有效利用。人口过度增长和传统经济增长方式都有一个相同的结果，那就是对自然资源的过度掠夺和过度使用。首先，人口的过度增长加速了自然资源尤其是化石能源的使用，使得全球二氧化碳排放量增多。人类的衣食住行都跟资源密切相关，人口的增长必然导致与人类活动相关资源需求的增长。如人们在日常生产和生活中需要各种形式的能源（煤、石油、天然气等），能源的使用推动了社会生产力的发展，但能源的使用也增加了温室气体的排放，如多消耗 1L 汽油就会增加 2.3kg 二氧化碳的排放，多消耗 1L 柴油就会增加 2.63kg 二氧化碳的排放。其次，人口过度增长使森林资源日益减少。我国在历史上曾是一个森林资源丰富的国家，但随着人口快速增长和耕地需求的增加，大量的森林被砍伐破坏。目前我国人均森林面积为0.145hm^2，不足世界人均占有量的四分之一；我国森林覆盖率只有全球平均水平的三分之二，排在世界第139位。森林的急剧减少将会使我国的碳吸附能力大大降低，有研究表明，每公顷森林每天可吸收1000kg二氧化碳，并释放735kg氧气。因此，过度的人口增长导致了森林资源的减少，这也是导致全球气候问题的一个重要原因。

17.2.3 能源结构的不合理

目前，化石能源在我国的能源结构中所占比重过高，这是导致碳排放过高的一个主要原因。所谓化石能源就是煤炭、石油、天然气及转换衍生的燃料。据统计，目前中国的化石能源在整个能源消耗结构中占到93.5%的比重，也就是说水能、核能、太阳能、风能、生物质能等可再生能源只占能源消耗的6.5%。根据联合国政府间气候变化专门委员会(IPCC)估计，世界上每年排放的二氧化碳当量约为550亿t，其中能源行业占了最大的份额，约为26%，可见能源是全球二氧化碳排放的主要来源。

17.2.4 高碳的生活方式

在生活方面，高碳的生活方式也是造成全球气候问题的另一个因素。“高碳生活”可以理解为在生活的过程中造成资源能源的浪费，从而增加二氧化碳的排放；与高碳生活相对应的低碳生活，是指生活过程中耗用能量要减少，从而减少二氧化碳的排放。

低碳生活对于我们来说更多的是一种态度，我们应该积极提倡并去实现低碳生活，在日常生活中注意节电、节油、节气。有研究表明，每浪费1度电会增加0.625kg的二氧化碳排放，每浪费1m^{3}水会增加0.194kg的二氧化碳排放；每浪费1m^{3}天然气会增加2.1kg的二氧化碳排放；使用节能灯泡每小时排放约0.011kg的二氧化碳，而使用普通钨丝灯泡每小时排放约0.041kg的二氧化碳，这就意味着如果替换成节能灯，每小时可以减少排放二氧化碳0.03kg；开私家车出行每千米约排放0.22kg二氧化碳，搭乘公交车出行每千米约排放0.08kg二氧化碳，如果我们出行都能尽量搭乘公交车，那么每千米至少可以减少0.14kg的二氧化碳排放。

17.3 发展城市低碳经济

低碳城市建设主要有两个着力点，简单来说就是一减一增。一减就是采取各种方法和措施努力减少二氧化碳的排放，一增就是增加森林碳汇，吸收更多的二氧化碳，减少大气中二氧化碳的含量。在减少二氧化碳排放方面，可以通过发展城市低碳经济、优化能源结构、发展清洁能源、发展节能型材料及绿色建筑、发展节能减排技术、建立城市高效的交通系统等措施来减少城市二氧化碳的排放；在增加碳汇方面，主要是通过建设城市森林来增加二氧化碳的吸收能力。

建设低碳城市，最重要的是要实现既“低碳”又“经济”的发展目标，所以必须发展城市低碳经济。应该从生产、流通、消费和回收再利用这四个环节来进行具体谋划，以实现生态效益、经济效益和社会效益三大效益的相统一与最优化。

17.3.1 实现产业结构的低碳化升级

近几十年来，我国城市特别注重发展工业，使产业结构重工业比例过大，第三产业的比重过小，这是城市碳排放较高的一个重要原因。因此，建设低碳城市，发展城市低碳经济，要以低碳化为目标，对原有工业进行低碳化改造，积极发展服务业、旅游业、娱乐业和文化业等具有低碳排放、高附加值特征的第三产业，实现城市产业结构的升级与优化。

一是积极发展战略性新兴低碳产业，尤其是以信息产业为主导的高新产业，促进城市工业的低碳化升级与城市经济结构的优化。针对城市工业低碳型企业少、低碳化程度不高、自主创新能力不强等问题，实施项目引资双带动战略，以实现三大效益的统一与最优化为目标，加快高新技术产业向产业链的高端延伸，重点发展通信、数字视听、软件、新型储能材料等电子信息产业；加快发展精细化工、生物医药、化合物半导体等战略创新产业；发展高端服务业、新型服务业。

二是对原有工业的低碳化改造升级。进一步提高产业投资项目的碳排放、节能、环保等准入门槛，坚决淘汰高碳排放、高污染、高消耗的低端产业；新上项目必须进行资源能源消耗审核和环境影响评价，不符合碳排放、节能和环保标准的，坚决不批。依托以信息技术为代表的生态科学技术体系，为综合利用生产、生活资源，降低资源消耗，减少城市碳排放提供强有力的技术支撑，走资源消耗低、碳排放少、环境污染少、科技含量高、经济效益好的工业低碳化改造道路。

三是积极发展生态化技术，抢占国际制高点。为了能够占领世界领先地位，低碳经济的发展应该以生态化技术体系为支撑，重点在以下几个战略性产业领域取得技术突破：在新能源领域，发展一批包括燃料电池汽车、混合动力汽车等具有低碳特征的汽车产业，发展太阳能发电、风能发电、潮汐能发电、生物质能源等新能源产业；在环保领域，发展资源回收再利用与废弃物处理、环保设备制造等环保产业；在信息领域，重点发展数字通信、数字家电、半导体制造、软件制造等电子信息产业；在生物技术领域，发展生物制药、新型药物等先进医疗产业；在新材料领域，重点发展纳米技术、纳米材料产业，为其他重点产业领域提供广泛的实际应用。

四是增加低碳产品的国际国内市场份额，达到既“低碳”又“经济”，实现三大效益的相统一与最优化。通过调整结构，推进低碳产业和产品向利润曲线两端延伸。向前端延伸形成低碳技术的自主知识产权，向后端延伸，形成低碳品牌与销售网络，提高核心竞争力，增加国内和国际低碳产品的市场份额。可以从技术投入、市场保障、价格引导等三个方面，降低企业生产低碳产品的成本和风险，从而加快低碳产品的产业化发展进程。参照国家对相关产业发展给予的优惠政策，发挥企业主观能动性，建立政府管理与公众参与、社会制衡相结合的低碳产品发展机制。结合市场力量和社会参与，为低碳产业的发展营造良好的外部环境，并鼓励企业加大对低碳技术研发的投入，培养相关低碳技术人才，推动低碳产业的发展。

17.3.2 发展电子商务和低碳化的交通运输方式

一是积极发展城市电子商务，提倡虚拟化的货币交易，减少流通环节的物质消耗和碳排放，如银行电子缴费系统、采用电子账单等，减少纸张的使用，就是间接减少碳排放。同时，发展电子商务将会使城市经济运行具有以下一些优势：电子商务流程以电子化、数字化为特征，以信息流代替了实物流，不仅可以大量减少人力、物力的消耗，降低成本；还可以突破时间、空间的限制，使得交易活动可以在任何时间、任何地点进行，减少了中间环节，使得生产者和消费者的直接交易成为可能，突破了传统社会经济运行的方式，从而大大提高经济运行的效率，这也间接减少了因为经济运行不顺畅而导致的额外资源能源消耗，减少了碳排放。

二是积极发展低碳化的城市交通运输系统。在城市内根据功能定位划分出不同的功能区，如商业区、住宅区、工业区等，在不同的功能区采用不同的交通模式。如商业区，主要以城市轻轨、小型公交、自行车、步行等交通方式为主；住宅区主要以私家车、自行车、小型公交等交通方式为主；工业区主要以各类运输车辆、大型公交车为主；各功能区之间的交通主要以大型公交、地铁为主，以实现整个城市交通效率的最优化，减少因交通堵塞、不顺畅而产生的额外碳排放。

17.3.3 发展高端服务业

高端服务业，是在工业化比较发达阶段产生的、主要依托信息技术和现代管理理念发展起来的，以提供技术性、知识性和公共性服务为主的，处于服务业高端部分的服务业（杜人淮，2007）。高端服务业处于服务业的高端领域，是现代服务业的核心和最具代表性的行业。它既存在于消费服务业也存在于生产服务业，主要包括金融、民航、传媒、旅游酒店、咨询、会展、教育、医疗、法律等领域。这些产业都是典型的“低碳”产业，具有科技含量高、人力资本投入高、附加值高、高产业带动力、低资源消耗、低环境污染和低碳排放的特点。

发展高端服务业，不仅是发展低碳经济的内在要求，而且是实现三大效益相统一与最优化的重要保证。发展高端服务业一是要积极探索发展城市高端服务业的有效途径，利用生态化技术体系改造和提升传统服务业，使其向高端化发展；积极借鉴国外高端服务业的管理理念、技术、方式，培育一批与城市原有产业有效融合的高端服务业。二是进一步优化城市环境，包括生态环境的优化与经济发展环境的优化，促进城市高端服务业的发展。通过优化城市生态环境，建设宜居城市，吸引各类高端人才前来定居；通过完善交通、通信、网络等城市基础设施，提升城市化发展水平，建设宜商城市，促进资金流、信息流、物流向城市的集聚，从宜商宜居两个方面促进城市高端服务业的发展。

17.3.4　发展城市静脉产业

“静脉产业”最初起源于日本，又可称为“再生资源产业”，主要是指对社会生产过程和生活消费中产生的各种废弃物进行回收和再加工利用的产业（王爱兰，2008）。城市废弃资源回收利用是一个值得我们关注的问题。回收利用本身可以创造经济价值，还可以减少污染，增加就业，促进资源循环回收利用技术的发展。

发展静脉产业对有效提高废弃资源处理水平，实现废弃资源的无害化、减量化、资源化，解决好资源、环境与经济发展之间的矛盾，实现生态效益、经济效益和社会效益三大效益的相统一与最优化均有着重要而积极的意义。因此，一是尽快完善静脉产业的法律法规体系。在认真贯彻落实国家相关法律法规如《清洁生产促进法》《可再生能源法》《固体废弃物污染环境防治法》的基础上，结合城市发展的实际情况，尽快出台有利于低碳经济发展的地方性法规，为静脉产业的发展提供法律保障。二是应积极完善静脉产业相关的技术体系，挖掘潜在的社会财富。“垃圾”只是放错地方的“资源”，加快静脉产业相关技术的发展，就可以变废为宝，既获取经济效益，又使环境得到保护。可以依托城市相关大专院校和科研机构，建立起产、学、研相结合的静脉产业技术研究、开发、应用体系；积极开发和推广应用先进的废弃资源综合利用技术；借鉴国外发达国家静脉产业发展的经验，引进国外废弃物处理的先进技术和设备等，为静脉产业发展提供技术保障。三是加快完善静脉产业的信息与服务体系。发达高效的信息系统是静脉产业发展的重要支撑，同时也可以对静脉产业的发展起到监督管理的作用。发达的信息和服务体系可以使企业之间在能源综合利用技术的升级与优化、产业链接与资源整合、再生资源的相互转移开发等方面实现信息共享。可以建立一个以政府为主导，覆盖整个城市的信息服务平台，实时向社会发布相关技术、资源需求、管理和政策等方面的信息，为静脉产业的发展提供信息服务。

17.4 树立生态文明消费观，发展城市低碳型消费

构建可持续消费产业，必须通过转变传统消费观，积极培育先进的消费文化，建立和完善有利于可持续消费产业形成的相关政策和制度，大力发展生态生产力以提供质优价廉的生态文明消费品，积极发展非物质类消费等一系列措施的实施，在全社会牢固树立生态文明消费观，使人们自觉转变不合理的消费观念，使生态文明消费观成为主导人们消费行为的主流意识，引导可持续消费产业发展。

17.4.1 转变传统消费观念，树立生态文明消费观

树立生态文明消费观是构建可持续消费产业的思想基础，重点是在全社会牢固树立生态文明消费观。首先，要通过大量生动有效的鲜活事例把资源节约、环境保护和生态文明消费方式铭刻到人们的观念，使全民自觉地科学、合理消费，节约资源能源、保护环境。其次，是依托大专院校和科研院所，强化生态文明消费理论研究，以更先进的消费理论来指导人们合理、科学、健康消费。再次，是坚持正确的舆论导向，以新闻媒体为平台，开设生态文明消费专栏，报道生态文明消费的典型事例，让生态文明消费理念深入人心。最后，是开展一系列生态文化活动，以社区文化、校园文化和企业文化等为载体，宣传生态文明消费观，让生态文明消费理念在全社会得以广泛传播。

17.4.2 积极培育先进的消费文化

培育先进的消费文化也是构建可持续消费产业的重要内容。消费需求决定着生产，有什么样的消费观就会有什么样的消费产业形成。消费领域有大量的文化，但消费文化并不等同于消费主义。消费文化包括了物质文化、精神文化和生态文化（尹世杰，2002）。

在物质文化培育方面，应从社会引导和产品提供两个方面入手：一是在全社会形

成崇尚绿色、环保、节约的消费风气，使资源节约型和环境友好型物质产品成为社会消费的主流；二是积极发展绿色、健康、无公害的物质消费品，对那些危害消费者身心健康和对环境有害的消费品要坚决淘汰和打击，为消费者提供更多有益的、物美价廉的物质产品。

在精神文化培育方面，鼓励积极的、绿色环保文化的发展，加强对精神文化市场的管理。运用一些经济手段，鼓励和支持高质量、健康的精神文化产品的生产和高层次的精神文化活动；运用一些行政甚至是法律手段，限制带有浪费和奢侈倾向的精神文化产品的生产，对低级的精神文化活动要坚决取缔，营造一个积极健康的精神文化市场。

在生态文化培育方面，积极发展高层次的生态文化产业和产品，提高生态文化创新能力，将生态文化的发展与社会经济建设有机地结合起来。如绿色建筑就体现了生态文化与建筑的有机结合。绿色建筑不仅可以提供健康、舒适、安全的居住、工作及活动空间，而且绿色建筑在建造及使用的过程中，各个环节都能实现资源的高效利用，对周围的环境不产生或少产生不利的影响，并能跟周围的环境融为一体(罗栋燊等，2006)。这种绿色建筑往往能够获得市场的认可，具有较大的市场潜力，不仅可以获得经济效益，同时还能获得环境效益。

17.4.3 建立相关政策和制度，保障可持续消费产业的形成

构建可持续消费产业不能只停留在定性描述和宣传阶段，需要形成有效的机制确保构建可持续消费产业的实现，可以通过以下三个方面促进可持续消费产业的形成。

第一，出台与生态文明消费相关的法律法规，如《环境法》《生态税》《绿色税》《消费税》等税收方面的法律，有关垃圾分类、回收之类的法律以及排污权交易的法规。第二，鼓励开发环保技术，实施清洁生产，建立强制性的法规约束生产者的生产行为，为可持续消费产业的形成提供强有力的保障。第三，建立资源有偿使用制度。用经济手段来保证资源能源得到合理开发和有效保护，以达到节约资源能源，保护环境的目的。

17.4.4 大力发展生态生产力，积极促进非物质类消费

构建可持续消费产业，必须大力发展生态生产力，生产出大量的生态质优价廉的生态产品以满足人们的消费需求。一方面，转变传统高投入、高消耗、高污染的生产方式，以节约、循环利用和环保的生产方式大力发展生态农业和生态工业，提供足够的生态产品以满足人们的物质方面的需求；同时，坚决淘汰资源消耗大、污染严重的

落后生产能力，杜绝污染环境和危害人们健康的产品出现在消费市场。另一方面，积极发展非物质类消费，大力发展文化、娱乐和旅游等生态第三产业，引导人们的消费重心由物质消费转向非物质消费，在不影响环境的前提下提供更多的非物质消费品以满足人们的精神消费需求，促进人的全面发展。

17.4.5 引导科学、合理、健康消费，约束粗放生产

政府应该在构建可持续消费产业的过程中扮演好引导消费者和约束生产者的双重角色。一方面，政府应通过采取有效的措施和手段来引导消费者，利用电视、报纸和网络等多种形式的媒体平台积极宣传生态文明消费观，使其在全社会有效树立，使人们自觉抵制铺张浪费、追求排场和炫耀性消费等不合理的消费行为；另一方面，政府也要综合采取有效的方式来约束生产者。推行清洁生产，抓紧研究和制定清洁生产评价指标体系和行业标准，保证清洁生产在生产领域的广泛运用；制定经济激励措施，对有效节约资源能源的企业给予一定的财政补贴，提高企业节约利用资源的积极性；制定行业准入制度，坚决淘汰资源利用率低、污染严重以及危害人们健康的企业。

17.5 建立城市低碳制度体系

17.5.1 发展城市低碳制度体系

低碳城市是一种新的城市发展形态，需要法律法规的保障，才能保证低碳城市的顺利发展。目前我国已经制定了一些有利于低碳城市发展的法律法规，如颁布了《清洁生产促进法》和《环境影响评价法》等，为城市实现碳减排与保护城市环境提供了必要的保障。

17.5.1.1 制定促进低碳城市发展的法律法规及配套措施

为了保障低碳城市的顺利发展，需要制定符合城市实际的法律法规，如《城市低碳促进法》等，以立法的形式确定低碳城市发展地位和有效性，建立健全促进低碳城市发展的法律、法规体系，加大执法力度，严厉打击高碳排放行为。同时，应建立行之有效的规章制度来配合法律的实施，鼓励和引导从事提供低碳建设法律咨询的律师事务所等法律咨询机构的发展，建立一支高素质的律师队伍为低碳城市建设服务。

17.5.1.2 构建有利于低碳排放的决策机制

必须将低碳城市建设纳入国民经济和社会发展计划体系，把低碳化发展的思想与

战略贯彻到城市日常的计划和决策之中。加强经济、社会、资源与环境因素的综合决策，在各种经济活动中要充分考虑到资源能源与生态环境承载力以及碳减排的要求，凡是涉及资源与生态环境的经济项目，都应该估算该项目的碳排放量，实行碳排放量否决制度，对碳排放量过于巨大的项目，不予以批准。

17.5.1.3 建立有效的碳排放管理和监督制度

发展低碳城市，不可避免地会受到地方保护主义等不确定因素的干扰，因此有必要建立碳排放管理和监督制度。建立考评审计制度，把低碳发展的相关内容作为考核领导干部实绩的内容，把碳减排目标任务的完成情况作为政府和政绩的评价内容；建立决策失误追究制度，对造成碳排放过量的，要追究其经济责任，直至追究法律责任。

17.5.1.4 制定相应规章制度，推动政府机关和商业节能

应积极利用政府采购的导向作用，政府机构优先采购具有节能、环保、低碳排放等特征的产品；严格机关公务用车管理，减少不必要的公务用车，尽量减少车辆的使用次数；推广高效节能的办公电器，降低待机能耗；大力推广应用节能型灯具，政府机关应率先更换节能灯。引导民用和商业节能。在大型商业场所推广使用节能设施，推行节能标签制度；制定城市节能制度，合理控制室内空调温度，公共建筑夏季室内空调温度设置不得低于26℃；推广高效节能电冰箱、空调器、电视机、洗衣机、电脑等家用及办公电器，降低待机能耗，实施能效标准和标识。

17.5.2 建立城市碳排放评估与考核体系

17.5.2.1 制定城市低碳化发展规划

加快制定《低碳城市发展战略规划》，提出城市低碳发展的思路、目标、步骤和政策措施等，为各城市的低碳化发展提供指导性和建设性的意见。同时根据我国城市发展的现实条件和未来发展趋势，依托原有生态省和生态市（县）建设的基础，确定一批优先发展的低碳城市，给予政策和资金的扶持。各级城市要制定符合自身实际的城市低碳化发展规划，并将其纳入到城市战略发展规划中，根据自身实际情况合理地规划各项社会经济活动，调整城市功能、规模和布局，使城市经济发展与碳减排相适应，既保证了城市经济的持续发展，又能减少碳排放、减少污染、节约资源能源。

17.5.2.2 建立碳排放估算与考核体系

当前，我国各城市的国民经济核算体系没有扣除二氧化碳排放造成的损失，因此必须建立碳排放估算体系，使其与国民经济核算体系有机结合。建立健全碳排放考核体系，从低碳化、可持续发展的角度考核，使碳排放成为经济发展的考核标准，促使

城市抛弃传统的经济发展模式，走经济、社会和环境相和谐的发展道路，提升城市的核心竞争力。应建立政绩考评指标，把碳排放指标同经济增长指标一样纳入政绩考核体系；把新污染源也作为考核内容之一。城市低碳经济的发展要严格控制新污染源的产生。低碳经济不仅要“低碳”且“经济”，还要“环保”，不能因为追求“低碳”“经济”而产生新一轮的污染。

在城市低碳经济发展的过程中要严格控制新污染源的产生。在各种低碳项目建设过程中，环保部门要严格执行环境影响评价和“三同时”制度，避免在追求低碳的过程中产生新的污染，得不偿失，真正实现三大效益的相统一与最优化。

第 18 章　低碳经济的国际交流与合作

生态文明建设的国际合作交流，目前主要表现在绿色发展、循环发展和低碳发展的合作交流，其中尤以低碳发展的合作交流为甚。

气候是具有典型外部性的全球公共物品。根据萨缪尔森的经典定义，公共产品是任何一个人对某种物品的消费不会减少其他人对这种物品的消费，它的效用不可分割，具有消费、收益的非竞争性。气候稳定作为一种严格意义上的纯公共产品，其收益和效用真正体现了全球性。

由气候变暖催生的低碳经济同样也离不开一个全球各国通力合作的平台。发展低碳经济、推进节能减排已成为世界各国应对气候变化、实现可持续发展的战略选择，也是许多国家抢占未来制高点、形成竞争新优势的重要途径。低碳经济的国际交流与合作，不可避免将涉及基于气候变化的全球行动。

低碳经济的国际交流与合作，是政府、企业、社会组织各个层次，利用国际社会现有的各种平台、交互手段和国际协约基础，以气候、生态、环境、发展、合作、制约等为核心议题，展开国家政府之间的各种磋商，以期在全球范围取得共识，探寻国家合作应对问题的途径。该合作涉及国家的各个层级，合作主要集中在技术与资金。

目前，我国经济高速发展，迅速融入世界市场，低碳经济成为可持续发展的新途径。如何在自身发展与国际交往中协调发展，是中国政府在未来必须面对和处理好的一个问题，需要不断探寻合理的碳减排市场化方案，以期在全球交流与合作中，实现低碳经济发展的“双赢”。

18.1　发展低碳经济需要国际合作与交流

2006 年，前世界银行首席经济学家尼古拉斯斯特恩牵头完成的《斯特恩报告》指出，全球以每年 GDP 的 1% 低碳投入，可以避免将来每年 GDP 5% ~20% 的损失，呼吁全球向低碳经济转型。低碳经济随着全球化的浪潮，开始进入了国际交流与合作这一重要路径。

在国际社会的努力下，国际低碳经济的战略框架初具雏形，世界各国围绕气候环境问题，展开一系列的磋商和探讨，各自通过政府实施各种政策，众多发展低碳经济的概念、模式推广开来，各国政府开始探寻国家合作的机制。

作为最具潜力的金砖四国之一，中国的经济发展模式，越来越受到国际关注，国际社会也不断呼吁中国承担更多的责任。中国坚守“共同责任但有区别”的原则，坚持自由贸易核心原则，在国际公正、平等的组织框架中，积极承担碳减排的责任与义务。

低碳经济的国际交流与合作，是一个集体决策的产物，是在各国利益的冲突中寻求妥协和平衡的过程。中国在发展低碳经济的过程中，无论是外在的国际社会的压力还是内在的国内转型的挑战，都要求中国要积极开展国际合作与交流。

第一，低碳经济的国际交流与合作可以有效地应对国际社会的压力。

气候作为人类赖以生存的自然环境的重要构成部分，它的任何变化都将对自然生态系统、社会经济系统以及人类健康产生影响。环境、气候问题具有传递效应，它可以从城市向农村，从发达地区向不发达地区，从流域上游向流域下流转移，从而形成全球性的环境问题。

当今世界，在人口增长和经济发展的压力下，气候变化的负面影响备受关注，碳排放超标的问题越来越突出，这是需要全世界共同面对的。它关系到人类的生存与发展，必须开展该领域的国际合作。

现在作为最大的发展中国家，中国目前是仅次于美国的世界第二大经济体，国际社会要求我国强制性减排的压力越来越大。全球对发展低碳经济的共识，也给发展中国家带来了极大的压力，因为发展中国家的生态普遍比较脆弱，人口密集，适应能力差，这种压力导致发展中国家，特别是我国，在南北气候博弈中处于不利地位。20世纪90年代以来，国际气候谈判越来越受到重视，不仅发达国家温室气体碳排放受到了限制，对发展中国家的碳减排要求也日益强烈。尤其是对中国，要求减排的外在压力越来越大。这必然约束发展中国家的发展空间和权益。

目前，化石能源是人类社会发展不可或缺的动力来源，减少温室气体排放就意味着要发展新能源，限制化石燃料的使用，这必然会影响经济发展。按照气候公约的有关规定，中国作为发展中国家，在过去的10年中没有承担强制性减排的任务，但这只是暂时的。伴随着我国经济的快速发展和能源需求量的不断增加，二氧化碳的排放量也在不断增加。因此，国际社会要求中国参与温室气体减排或限排的压力会与日俱增。

第二，低碳经济的国际交流与合作是重要的国际平台，能够整合国际优势力量和资源，有利于我国实现科学发展、和谐发展。

推行低碳经济，参与国际合作项目，遵循国际准则，必然会对我国国际贸易产生影响，对我国的对外贸易造成直接的冲击，也给中国企业以巨大的压力。许多企业的生产线，可能面临停产、转产和技术改造的问题，这些都需要转化为我国内部的压力进行消解。因此，不仅在生产环节，甚至在贸易环节，中国都将面临发展的种种困难。低碳经济作为新的发展模式，不仅是实现全球减排目标的战略选择，也是保证经济持续健康增长的良方，只有不断的国际交流与合作才能更大程度地拓宽发展道路。

从短期来看，参与国际交流与合作，发展低碳经济，能够拉动就业，提振经济，还能有效调整经济结构，推动国内能源结构转型；从长期来看，发展低碳经济有利于全球经济的可持续增长，同时将促进我国的经济融入国际低碳经济发展的大趋势中去，实现真正意义上的协调发展。

中国发展低碳经济之所以必要，除了应对全球气候问题外，也与中国本身的产业结构和能源问题直接相关。我国目前的产业结构是以第二产业为主体的，而第二产业作为传统工业的代表，是以大量消耗煤炭、石油等不可再生资源为特征的。中国是处于工业化中期的发展中国家，改革开放 30 多年来，在经济的快速增长和财富的大量积累的同时，也消耗了大量的能源，污染了环境。目前我国的能源技术装备水平与企业管理水平都相对落后，这导致了能效相对偏低，单位 GDP 能耗和主要耗能产品能耗均高于国际的平均水平，整体能源利用效率更低于发达国家的水平。这是问题，但同时也是机遇，说明了我国低碳经济发展的空间较大，如果能够进行有效的国际交流与合作，通过取长补短，实现优势互补的资源整合，通过共同合作来实现全球减排目标。

第三，具有发展潜力的中国经济，是国际合作不可或缺的重要伙伴。中国发展低碳经济不仅满足了本国经济社会发展的需求，也给世界各国带来了发展机遇和发展空间。

一方面是发达国家有技术和资金，但缺的是市场。发达国家由于早已完成工业化，先行开发了相关的技术，在节能减排技术上拥有相对领先的优势，碳排放量呈现下降趋势。低碳经济的一些相关技术已经在其他工业化国家得到了应用，然而，因为一些社会原因，如人们习惯于使用私人车辆，较少利用公交出行等；已建的基础设施影响了新能源的使用，如氢能源燃料电池交通工具；或者是特殊技术的市场优势地位等原因，这些国家开发的其他一些技术并未很快得到有效运用。

另一方面，发展中国家有很大的市场需求和容量。在全球应对气候变化的大背景下，发展中国家需要创新性的技术解决方案，获得并运用那些能够大大降低当地污染和温室气体排放的技术，打破技术壁垒。

在这种情况下，国外开发商有可能会被中国市场带来的机遇所吸引。这就形成了一个双赢的局面：国外技术开发商可以展示他们的产品，其范围之大是其他国家所不可比拟的，并引导在本地进行生产；中国专家和企业通过了解这些技术可以获得相关经验，通过合资或独资进行开发生产；生产、转化和运用方面的效率提高将使中国能源经济获益（世界银行东亚和太平洋地区基础设施局，2007）。

第四，低碳经济的国际交流与合作可以为我国经济发展模式的转变提供资金和技术的支持。

在低碳经济领域开展国际合作，将有助于缓解我国的能源问题，也有利于我们通过国际的技术转让而获得最大的国家利益。对于安全问题，多年的国际经验表明，能源安全是全球性问题，每个国家都有合理利用能源资源促进自身发展的权利，绝大多数国家都不可能离开国际合作而获得能源安全保障。要实现中国乃至世界经济平稳有序发展，需要中国参与国际社会，共同推进经济全球化向着均衡、普惠、共赢的方向发展，需要国际社会树立互利合作、多元发展、协同保障的新能源安全观，多边和双边合作有助于保证国际市场的能源供应和最大可能地减少能源危机带来的负面影响。对于可持续发展的能源和技术转让问题，国际合作无疑是获得最先进技术的一项重要手段。目前在零排放煤炭技术领域，中国已与欧盟、日本和美国等国进行了一些项目的合作。

鉴于此，近些年来，中国努力进行低碳经济的国际交流与合作（李俊峰，马铃娟，2008）。中国积极完善对外开放的法律政策，先后颁布了《中外合资经营企业法》《中外合作经营企业法》和《外资企业法》等，以营造公平、开放的外商投资环境。2002 年制定了《指导外商投资方向规定》，2004 年修订了《外商投资产业指导目录》和《中西部地区外商投资优势产业目录》，鼓励外商投资能源及相关的采掘、生产、供应及运输领域，鼓励投资设备制造产业，鼓励外商投资中西部地区能源产业。2005 年 7 月 28 日，中国、美国、日本、印度、澳大利亚和韩国六国发表了《亚太清洁发展和气候新伙伴计划意向宣言》，这实际上是个联合技术研究和开发协定，合作内容包括了：能效、清洁煤、整体煤气化联合循环发电、液化天然气、碳捕获与储存、热电联产、甲烷捕获和使用、民用核能、地热、农村和山区能源系统、先进交通、建筑和住宅建设及维护、生物能、水力发电、风能、太阳能和其他可再生能源等但又不限于这些方面。2005 年 9 月，中国和欧盟发表了《中国和欧盟气候变化联合宣言》，确定中欧将在低碳技术的开发、应用和转让方面加强务实合作，尤其是在提高能源效率、促进可再生能源开发方面加强合作，促进低碳经济发展。

18.2　中国低碳经济与国际交流合作的途径

在低碳经济的发展过程中，中国积极参与国际能源组织合作，不断拓展交流的渠道。在多边合作方面，中国是亚太经济合作组织能源工作组、东盟与中日韩(10 +3)能源合作、国际能源论坛、世界能源大会及亚太清洁发展和气候新伙伴计划的正式成员，是能源宪章的观察员，与国际能源机构、石油输出国组织等国际组织保持着密切的联系。在双边合作方面，中国与美国、日本、俄罗斯以及欧盟等许多能源消费国和生产国都建立了能源对话与合作机制，在能源开发、利用、技术、环保、可再生能源和新能源等领域加强对话与合作，在能源政策、信息数据等方面开展广泛的沟通与交流。除了参与国际组织合作以外，中国政府还不断完善相关法律法规，构建市场经济的体制机制，努力营造公平、开放的合作环境。我国参与国际低碳经济交流与合作的途径主要有：制定国际技术协定、CDM 的国际合作、国际科技合作、吸引国内外资金。

18.2.1　制定国际技术协定

中国一直都是联合国气候变化框架公约的积极参与者，并为了公约的历次谈判和落实作出了卓有成效的贡献，得到世界各国尤其是发展中国家的广泛认可。

2007 年 12 月 3 日 ~15 日，联合国气候变化框架公约缔约方第十三次会议暨京都议定书缔约方第 3 次会议在印度尼西亚巴厘岛举行。这次会议的主要成果是制定了“巴厘路线图”，确定了公约和京都议定书下双轨谈判的进程，一是在京都议定书下的谈判，制定出发达国家 2012 年后量化的减排指标；二是在公约的框架下进行谈判，要求没有参加京都议定书的美国要承担量化减排指标，发展中国家也要在发达国家技术和资金支持下，采取有实质性效果的国内减排行动(卞相珊，2011)。

2007 年年底形成的“巴厘路线图”将技术转让与减缓、适应和资金问题一起列为应对气候变化的四大因素，强调了技术转让对帮助发展中国家应对气候变化的重要性，表明了国际社会对技术转让问题重要性的共识。会议各方达成协议，技术转让专家组负责在接下来的两年内设立机制，以推进大规模的环保技术转让。

但是，“巴厘路线图”只是笼统地规定了发达国家要通过资金和技术来支持发展中国家履行义务，并没有给出一个明确的、实际的促进向发展中国家进行技术转让的行动方案。由于能源技术内在的战略利益，技术转让议题极具政治敏锐性，在当前的气候谈判形势下，需要一个面向技术转让和技术进步的政策机制，超越现有的技术转移障碍，促进技术的转让。

为了能够使相关技术政策机制发挥更显著的作用，需要在《京都议定书》或者《联合国气候变化框架公约》下设立一个新的完备的政策体系（Zhang Zhongxiang，2007）。在这种现实下，国际技术协议作为一个可能解决气候变化问题的手段，得到广泛关注。

对于中国来说，发展低碳经济最大的瓶颈就是相对落后的教育水平与科技水平。在我国的低碳转型道路上，技术进步是最重要的决定因素，甚至可能会超过其他所有驱动因素总和。若想在中长期内尽快提升我国整体科技水平，国内首先要加快低碳技术自主创新研究的步伐，在《中国应对气候变化国家方案》中，中国政府明确提出了要依靠科技进步与创新应对气候变化，“要发挥科技进步在减缓和适应气候变化中的先导性和基础性作用，促进各种技术的发展以及加快科技创新和技术引进步伐”，并将“先进适用技术开发和推广”作为温室气体减排的重点领域。

其次要充分利用《京都议定书》中的技术转让条款，尽可能学习发达国家的先进低碳技术。在《京都议定书》中，规定了发达国家有技术开发与转让的必要性和迫切性。中国成为世界上二氧化碳排放大国后，发达国家一方面要求我们达到相应的二氧化碳减排标准，另一方面又对我们进行技术封锁，在技术转让方面迟迟不肯作出让步，进展甚微。目前，我们能够从发达国家得到的大多是科技含量较低的技术，且代价昂贵。当务之急是积极与发达国家进行谈判，促使其履行《京都议定书》中缔约国向发展中国家提供资金与技术支持的义务，无论是通过技术转让或是合作方式，尽可能推动中国低碳技术的科技进步。

中国所处经济发展的特定阶段决定了如果不能够进行有效的技术升级，尽快运用低碳技术，将会造成很大一部分的基础设施和工业设备的“锁定效应”，直接带来 CO_2 排放的大量增加，这不仅会给中国带来影响，也会对全球气候产生影响。因此，尽管目前全球处在后金融危机的笼罩下，但从长远看，也正是投资新的领域，开展大规模高效率的国际技术转让与合作的大好时机，这种机遇的把握需要发达国家和发展中国家政府的共同努力。

当前，在低碳技术的国际转让与合作方面存在着激励不足的问题，这从经济学角度来讲是市场失灵。众所周知，低碳技术一直是推动全球低碳经济发展的“瓶颈”，其作为一种创新活动尽管有着巨大的经济社会价值，但由于创新者必须承担所有的成本和风险，一旦成功，又不得不与其他市场主体分享创新成果（金乐琴，2010）。

因此，这种技术创新的溢出效应使相当一部分的发达国家企业缺乏将技术转让给发展中国家企业的意愿。现有的高新低碳技术通常由发达国家的跨国公司拥有，而跨国公司转让技术的意愿很低，愿意转让的技术很多都是过了成熟期、被新技术所淘汰与取代的技术。

这正是政府应该关注并致力解决的问题。单纯依靠企业的自发行为不可能完成这一任务。应该充分发挥政府在低碳技术的转让与合作中的引导者作用，通过发达国家与发展中国家的通力合作，为私营部门参与国际技术合作消除各种障碍而提供正向激励。

发达国家政府可通过消除各种障碍来改善发展中国家的适宜性环境，包括增强环境规章、增强立法系统、保护知识产权、为私营部门的技术转移提供便利和帮助，最终促进私营部门的技术向发展中国家转移。而发展中国家政府也应该帮助企业自身提高能力，使其能够参与国际技术合作，并使技术合作的效用能真正发挥。

国际技术协议具有独特的重要价值，其既具有减缓气候变化的环境效益，又可以增强各国适应气候变化的能力，同时还能兼顾各国利益的国际公平取向，体现"共同但有区别的责任"。此外，国际技术协议还具有完善国际法律体系的法律正义取向。但由于气候变化问题的复杂性，以及应对气候变化的国际合作的环境效益、国家利益、政治因素、经济利益等相互制约与影响，目前国际技术协议的实施还具有很多的局限性，如法律覆盖范围及效力有限，环境效益的扭曲和存在风险的不确定性等（裴卿，王灿，吕学都，2008）。因此，国际技术协议的制定一定要保证各国参与的积极性，要推动并有力地保障发达国家和发展中国家在应对气候变化领域内的更深层次的合作。

18.2.2　CDM的国际合作

18.2.2.1　CDM的国际背景

《京都议定书》虽然没有为发展中国家规定具体的减排或限排义务，但是发展中国家日益面临国际社会要求控制温室气体排放的巨大压力。《京都议定书》同时引入了三种灵活机制——排放交易（Emission Trading，ET）、联合履行（Joint Implementation，JI）和清洁发展机制（Clean Development Mechanism，CDM），这些机制的主要目的是帮助发达国家以较低成本完成其减排义务，允许国家通过相互之间及其同发展中国家之间的合作，完成其有关限制和削减排放的承诺。

在这三种灵活机制中，联合履行JI和排放贸易ET是发达国家之间的合作，只有CDM是唯一涉及发展中国家的"灵活机制"，是发达国家与发展中国家的合作。该机制是发达国家提供资金和技术援助，在发展中国家境内实施温室气体减排项目；通过购买发展中国家二氧化碳减排指标，发达国家抵消国内温室减排高成本的指标。

CDM规定，国家可以通过在发展中国家进行既符合发展中国家可持续发展政策要求，又能产生温室气体减排效果的项目投资，以此换取投资项目产生的部分和全部温室气体减排额度，作为其履行减排义务的组成部分。CDM项目合作领域很广，对发展中国家来说，其国内的新能源和可再生能源行业，包括风能、水能、生物质能、沼气发电等领域以及有潜力在钢铁、水泥、化工等大型工业建筑业进行节能的技术和项目，或者能够大量回收甲烷气体的垃圾发电和煤层气回收领域，都在CDM项目合作领域之内，都可以寻找发达国家进行合作。一方面，CDM给予了发达国家一些履约的灵活性，使其得以较低成本履行义务；另一方面，对发展中国家而言，可以利用减排成本低的优势从发达国家获得资金和技术，是一种“双赢”的选择。

《京都议定书》签署以来，CDM的实施进入实质性的操作阶段。而以履约为主要目的的国际温室气体排放权交易开始活跃起来，在这个市场中一直发挥重要作用的CDM更是获得了飞速的发展。

18.2.2.2 CDM机制带来的多重效益

CDM项目将有助于减少温室气体排放，并帮助发达国家实现自己在气候变化公约和京都议定书下的减排义务。作为发展中国家，利用联合国气候变化合作框架下的CDM机制，可以获得发展低碳经济的技术和资金，实现可持续发展，这是发展传统经济所不具备的优势。中国应该抓住这样的机会，获得新的国家竞争优势(2050中国能源和碳排放研究课题组，2009)。

首先，外国投资净增加额(由CDM活动引起的资金流入)到2020年时将达到每年4.75亿美元(包括减排增量成本和收益)；加快能源终端使用和发电部门效率改进的速度，从而导致较高的资源利用率和生产效率。2005~2010年，总的新增17.8亿美元CDM投资导致GDP相应增加21.3亿美元。换句话说，中国CDM项目每1美元的投资推进中国经济到2010年时GDP增加0.20美元，这主要得益于技术转让本土化和效率改进。2005~2030年，CDM投资将对2030年的GDP年增长率贡献约0.5个百分点，这主要得益于将一些国内尚未成熟的先进技术的引进和国产化。随着技术本土化的加快，预计这种倍数效应还会继续增加。

其次，CDM能够带来与中国国内政策优先领域相一致的、其他多方面的可持续发展效益，包括以下积极效果：促进地方经济发展、提高资源利用效率、保护当地环境、提高水质减少有机氧需求、保护自然和森林植被。

合理选择和设计CDM项目可以为有关行业及能源最终使用部门提供财务杠杆和加速技术进步。由此产生的多重效益会对中国经济增长和中国人民的生活质量带来长期明显的积极效果。然而，不是所有产生真实、可测量和长期温室气体减排效果的项目都会对当地的可持续发展带来明确的贡献，所以很有必要仔细筛选项目，以便与中国的可持续发展战略和中国政府优先领域的行动计划一致。

因此，中国政府应积极利用 CDM 引进的资金和技术，推进高效、节能技术的推广和应用，以促进节能减排工作。2012 年以后，如果“后《京都议定书》”可以按照目前的约定继续，那么，这一交易和补偿机制将还能进行；如果国际社会对“后《京都议定书》”进行调整，认定我国也有减排包括二氧化碳在内的温室气体的责任，意味着我国需要在新的框架下购买其他国家的减排指标。

18.2.3 国际科技合作

在国际科技合作方面，我国坚持合作互利共赢、保护知识产权、先进技术共享、集成优势资源和开展技术创新等原则，通过国际科技合作向国际社会展示中国依靠科技创新，积极发展低碳经济的决心，以及和世界共同应对气候变化问题的努力。

具体措施方面，通过选择国际领先和国内急需的可再生能源与新能源科学技术开展国际科技合作，拓宽引进先进技术的渠道，促进发达国家先进技术向发展中国家转移以及发展中国家之间的技术转移。通过建立国际交流平台，支持我国先进、实用的能源技术走向国际市场，推动低碳技术的整体发展，促进各国先进技术的融合。通过国际科技交流合作，积极引进低碳经济领域的技术人才，提高中国低碳技术的基础研究水平，解决低碳经济发展中的关键科技问题。

例如，中美双方以 2009 年建立的中美清洁能源研究中心为平台，加快双方在清洁能源方面的技术突破和商业化运用，双方还应共同投入人力和物力进行联合研究和开发，共享研发成果的知识产权。从可再生能源到新能源技术的合作不仅可以为双方创造无数的就业机会，而且可以达到减少能源消耗、减少温室气体排放的目的，符合中美双方的共同利益。2009 年 11 月，美国总统奥巴马访华，中美的气候变化合作是双方讨论的重点，也是访问期间所发表的《中美联合声明》的主要内容之一。双方确认了在气候变化问题上的原则共识，确定了双方在应对气候变化方面的重点合作领域和项目。

此外，中国近年来一直在加快城镇化发展，中国的建筑业在能耗方面和国外相比还有很大的差距。随着我国人均收入水平的提高，汽车消费急剧增加，这会导致我国的汽车温室气体排放大量增加。我国已经在一些领域制定了比较严格的标准，如小轿车的油耗标准，2008 年规定，新车的平均燃油效率要达到每加仑 36.7 英里，这一标准比澳大利亚、加拿大和美国的标准都更严格(尽管还不及欧盟和日本)。但是，中国要在这些方面取得更大的成就，不仅需要自己的努力，而且还需要加强国际合作，引进发达国家的先进技术和工艺，实现温室气体排放减少的目的。

18.2.4 吸引国内外资金

资金是国际上技术转让与合作的瓶颈，以现有的状况和经验来看，应该采取创新性融资机制，这需要建立公私合作伙伴关系，获得来自公共财政和私营部门的多种资金来源的资助。

具体地说，发达国家政府应当在征收的各类环境能源税费中、拍卖的排放权收入中、用于科技研发的公共财政预算中提取固定比例的资金，建立一个基于公私合作伙伴关系的国际技术合作基金，用于资助支持联合设计研发具有商业化或大规模应用前景的低碳技术，为技术合作者提供示范、信息、降低市场开拓和采用新技术风险等方面的便利和服务等。

截至2009年年底，世界银行在10年间已设立各种不同类型碳基金达10个，总额超过25亿美元，这些基金主要由承担减排义务的发达国家或企业出资，来购买发展中国家CDM等环保项目的减排额度。目前许多国家都已设立各种形式的碳基金，包括国家主权碳基金、多边合作型基金、金融机构盈利基金、非盈利公益基金、私募碳基金等。

目前，中国已设立支持节能减排的碳基金有：2006年成立的中国碳基金，即中国清洁发展机制基金，总部设在荷兰阿姆斯特丹，旨在购买由各种CDM项目产生的减排量；2007成立的中国绿色碳基金，是设在中国绿化基金下的专项基金，属于全国性公募基金。

与国外碳基金相比，我国目前碳基金规模较小，发挥作用有限，因此，我国应进一步扩大中国碳基金的影响力，同时成立地方级的碳基金，鼓励金融机构以及其他组织设立私募性质的碳基金，比如中国投资有限公司利用所管理的巨大外汇储备设立参与我国碳交易市场的基金，在管理外汇的同时，也可以促进我国碳交易市场的活跃。

总之，只有发达国家和发展中国家政府明确了各自的任务，采取有效的措施，给企业以足够的激励和资金支持，才能解决市场失灵问题，保障低碳技术在全球范围的使用收益达到最大化，为全球气候保护作出贡献。

18.3 中国促进低碳经济国际交流与合作的对策

面对瞬息多变的国际形势，中国不仅要面对其他国家要求减排的压力，还要面临国内各行业、企业因减排温室气体而影响发展的难题。摒弃合作绝对是不明智的选择，而如何在低碳经济的国际交流与合作中寻找到正确的方向，是重要的课题。中国应该坚持“共同但有区别的责任”的原则立场，发挥负责任大国的作用，不回避自己应承担的责任和义务，但也绝不接受任何形式的不合理要求，以维护中国正当的发展权益，使中国承担的国际义务与中国的经济和社会发展水平相适应。

18.3.1 加强开发利用的互利合作

中国在发展低碳经济过程中，必须加强与国际社会的对话与合作。要建立与发展低碳经济国际科技合作对话机制，交流在低碳经济发展（如可再生能源和新能源的开发与利用方面）领域的观点和经验，共同探讨解决发展瓶颈的方法与策略，比如以论坛、研讨会、政策对话等形式加强中国与世界各国政府、企业和科研机构之间的对话、协商和沟通。

与此同时，中国应呼吁国际社会加强应对气候变化政策的磋商和协调，完善国际能源市场监测和应急机制，实现能源供应的全球化和多元化，保证稳定和可持续的国际能源供应，维护合理的国际能源价格，确保各国的能源需求得到满足。

18.3.2 政府行为与企业行为相结合，构建强有力的合作机制

开展国际交流与合作，中国首先需要一个强有力的合作机制，有效途径就是政府行为与企业行为的结合。在该机制下，应完善与国外合作过程中涉及的相关法律，建立合理的风险分担模式，为顺利合作提供制度保障。

众所周知，节能环保领域的合作项目存在着很多的风险，项目成败取决于能否有效地分散和化解风险。在风险分担上，政府的支持至关重要。政府应承担起如汇率、通货膨胀等投资方无法控制的风险，而将其中的融资风险、运营风险交由企业来承担。从政府和市场两方面保障国际合作的有效开展。

18.3.3 开展基础研究

节约能源，促进能源多元化发展，是实现我国能源安全的长远大计。中国将鼓励

和支持国内研发机构与大学积极参与可再生能源与新能源的国际合作研究与交流，开展新技术的基础理论研究，增强基础科学和前沿技术研究的综合实力，取得一批在世界上具有重大影响的科技理论成果；此外还应大力加强节能技术的研发和推广，推动能源综合利用，提高能源效率。

18.3.4 利用市场经济机制促进国内外交流与合作

通过进一步完善市场机制，建立低碳市场是发展低碳经济、促进国际交流与合作的有效平台。我国应依照国际通用的“碳源—碳汇”平衡规则，以“外部效益”溢出份额建立生态补偿基金，同时开征碳税和推行碳交易制度；建立环境权益交易市场，开展环保和排放的技术交易、二氧化硫排污权交易、碳排放交易等，为平衡环境责任提供平台；探索建立环境基金和碳基金，开发资金渠道，规范资金运作，基金要严格用于资助低碳的项目、低碳技术研发和技术商业化。

18.3.5 建立产业化示范和面向规模化的应用

中国将重点跟踪、引进和研究国际适宜的低成本、规模化开发利用可再生能源与新能源的先进技术，开展可再生能源资源禀赋的系统评价及分布式可再生能源与新能源多能互补系统等研发工作。可再生能源与新能源的发展是以现代制造技术为基础的新型产业，因此需要与国际社会重点合作开发其装备设计与制造技术，合作建立国际化的检测中心，同时，积极参与制定可再生能源与新能源的国际化和地区性技术标准与规范，为新产品进入市场提前做好准备。

18.3.6 培养高层次人才

利用合作研究项目、合作研究中心和示范工程等国际科技合作交流平台，共同培养从事可再生能源与新能源研发的高层次专业人才队伍。同时，鼓励中国企业、研发机构和大学走出去，积极参与国内外大型低碳经济合作项目，并在国内外合作建立研发中心或基地，与有关国家建立长期合作伙伴关系，共同培养低碳人才，为我国低碳经济的发展提供充足的智力支持。

第5篇

发展低碳经济的引擎与保障：技术与制度

第19章　低碳技术——低碳经济发展的引擎

19.1　低碳技术的重要性

低碳技术是生态化技术体系的重要内容，它是发展生态生产力、发展生态文明经济、建设生态文明的决定性因素之一。

19.1.1　技术是经济发展的重要推动力

世界经济发展的实践已经证明了技术进步是促进经济发展的最重要的推动力，对于我们这样的发展中国家来说更是如此。

首先，近代经济学从一开始就关注技术对经济发展的推动作用的研究。16世纪以来，随着社会分工的迅速发展和工厂手工业向机器大工业的转变，技术进步对经济发展的作用日益凸显，技术进步作为经济发展的一项重要因素越来越受到国内外学者的重视，众多学者对技术进步与经济增长之间的关系做了探讨，并得出了许多重要结论。

早在200多年前，亚当·斯密就已经意识到技术进步对经济增长的重要作用，他在其经典著作《国富论》中采用经济增长的要素分析法，指出劳动、资本、土地的数量决定一国的总产出，是经济增长的基本要素。他又进一步指出任何社会的土地和劳动的年产物，都只能由两种方法来增加：一是改进社会上的实际雇佣的有用劳动生产力；二是增加社会上实际雇佣的有用劳动量。有用劳动生产力的改进，取决于：①劳动者能力改进；②他工作所用的机械的改进。显然，在亚当·斯密看来，劳动者能力的提高，机械的改进，都与技术进步相关，斯密已潜在地意识到，在经济增长三个基本要素之外，技术进步是更深层次的经济增长要素。

新古典经济增长理论对于技术进步的重要作用的建树颇多，其中最重要的代表有将技术进步作为促进经济发展外生变量的伊索罗、斯旺以及将技术进步作为内生变量的伊罗默等经济学家。

在新古典经济增长理论中，索罗、斯旺指出由于资本边际报酬的递减，人均收入水平最终将处于停滞状态，即如果人口增长为零，那么经济增长率会趋于零。尽管他们的模型在理论上是可行而且是完美的，但是它不能解释为什么工业革命两百多年来发达国家的经济增长会持续超过人口增长。因此，众多西方经济学家潜心研究希望能找到一个合理的解释。有经济学家认为扩大资本范围能够避免资本边际报酬递减；也有经济学家以厂商投资所产生的外部性使得其他厂商生产率提高来加以解释，另外一种解释就是通过内生的技术变迁。但是，对于第一种解释来说，由于发达国家所拥有的资本范围大于发展中国家的资本范围，因此，发展中国家的经济增长率永远不可能大于发达国家的经济增长率，这就更不可能出现欠发达经济向发达经济收敛的情况，显然难以解释第二次世界大战后新兴工业经济向发达国家收敛和中国的经济增长奇迹。对于第二种理论来说，由于发达国家的资本存量大于发展中国家的资本存量，因此，发达国家新投资所产生的外部性也应该大于发展中国家新投资所产生的外部性，这也难以解释上述现象。因此，第一、二种解释都被否定了，最后大多数经济学家将发达国家经济获得持续增长的原因归结于技术变迁。

所以，后来在扩展的索罗—斯旺经济增长模式中，索罗等人将技术进步因素引入模型，指出经济增长不仅取决于资本和劳动要素的投入，还取决于技术变化因素。运用增长会计方法，索罗根据美国1909～1949年的统计数据发现，这期间美国的产出水平增长了1倍，其中只有12.5%源于资本和劳动投入的贡献，而87.5%的增长取决于技术变化，虽然他的模型对技术进步以及技术进步的源泉没有进行说明和解释，技术进步被假定为外生决定的、偶然的、不费成本的资源，在这一点上还有一定缺陷，但他的模型足以说明技术进步在长期的经济增长中起着决定性的作用。

在20世纪80年代中期，以罗默、卢卡斯等人为代表的一批经济学家，在对新古典增长理论重新思考的基础上，提出了以“内生技术变化”为核心的新的经济增长理论。新增长理论最显著的特点是将新古典经济增长理论的“外生的技术变化”转变为“内生的技术变化”，强调经济增长的根本原因在于经济体系的内部力量，尤其是内生的技术变化。罗默在其1990年发表的《内生技术变化》一文中，对新经济增长理论的分析提出三个前提：第一，技术变化是经济增长的核心；第二，技术变化很大程度上是创新者响应市场刺激的自主行为结果，市场刺激在新知识转变为具有实际价值的商品方面起着举足轻重的作用；第三，改变材料性状进行加工所需的技术只是与其他经济商品在本质上是不同的。

新古典经济增长理论与新经济增长理论虽然对技术的描述有些不同，但都强调技术进步的重要性。可以说，当代经济学界对经济增长所形成的共识，都将技术进步作为经济增长的一个要素，在影响广泛的萨缪尔森和诺德豪斯合著的《宏观经济学》教科书中就曾这样描述技术进步的作用。虽然所有曾经快速发展的国家其发展途径不尽相同，但经济增长的基本机制都是一样的。研究经济增长的经济学家已经发现，无论是穷国还是富国，经济增长必定安装在四个轮子上，这四个轮子，或者说增长的要素是人力资源、自然资源、资本以及技术，如果用总生产函数来表达这些因素之间的关系，其数学表达式为：$Q = AF(K,L,R)$，其中，Q 为产出；A 代表经济中的技术水平；K,L,R 分别代表投入的资本、劳动力及自然资源，F 代表生产函数。这个函数式表明，由于新发明的技术创新的出现或者先进技术的引进，技术水平 A 得到提高，因此技术进步可以使一国在相同的投入水平下生产出更多的产品，换言之，技术进步对经济增长起着巨大的推动作用。

其次，对于发展中国家来说，技术进步的推动作用就更为重要。因为从总体上看，发展中国家的技术水平远落后于发达国家，这也是制约发展中国家的经济社会发展的重要障碍。我国目前的情况也是如此。一个国家总体技术水平可以由技术产出指标来衡量，主要是专利发明数量和专利申请授权数量。专利发明数量可以反映一个国家技术创新活动发展的水平、方向和在技术市场上的竞争能力。发明专利因其技术含量较高、具有国际可比性等成为衡量技术产出的重要指标。与发达国家相比，中国的发明专利授权总数长期以来一直处于较低水平。数据显示，1999～2006年，中国在美国专利商标局专利申请授权数总共只有3178件，而日本为658827件、德国为295110件、韩国为44125件，与这些国家相比，中国总体技术产出差距极其明显（李猛，2011）。

发展中国家的快速发展需要有技术进步的支撑。对于一个发展中国家来说，要实现比发达国家更快、可持续的经济增长，就必须比发达国家有着更快的技术变迁速度。这需要发展中国家以比发达国家更加低廉的成本来实现技术的升级。实现技术升级有两种方式：一是技术引进，二是自主研发。关于如何构建合适的技术体系以有效促进经济发展，林毅夫教授和他的学生提出了著名的“技术选择假说”，认为一个国家的经济结构是由其要素禀赋结构所决定的。一个发展中国家的政府所采取的发展战略如果背离了最优的技术选择，将影响该国的经济增长速度及是否能够向发达国家的收入水平收敛。2005年，林毅夫教授和他的学生张鹏飞再次在一篇文章中提出发展中国家除了可以采用研发的方式来实现本国的技术进步外，还可以采用技术引进的方式来实现本国的技术进步。因此，对于中国来说，坚持技术引进和自主技术创新相结合就成为我国科技发展和经济发展的重要原则和手段。

19.1.2 低碳技术是低碳经济发展的重要推动力

技术创新是经济增长的重要推动力，而发展低碳经济的核心之一就是低碳技术的研发和广泛使用。

首先，低碳经济的实施和发展需要低碳技术的支撑，低碳技术对于低碳经济的发展至关重要。低碳技术会改变人类能源利用方式，进而导致社会发展模式的转变(刑俐，2009)，有学者建立了基于动态CGE模型的中国能源—环境—经济模型，模拟了低碳技术发展对于实现减排目标的贡献。研究结果表明，发展低碳技术，推动能源利用效率提高和能源结构转换，可以实现减排目标的64%～81%(石敏俊，2010)。因此，低碳技术往往被学者认为是低碳经济发展的对策之一，应从技术着手，对以源头控制、过程控制、目标控制相结合的低碳经济发展范式体系进行分析，促进低碳经济的迅速推广和应用(王文军，2009)。

只有低碳技术发展起来了，才有可能在新一轮的世界低碳经济较量中占据上风。正是看到了这一点，世界上各主要发达国家已经致力于发展新能源技术和清洁能源技术等低碳技术。例如，截至2013年，欧盟计划投资1050亿欧元用于绿色经济；美国能源部投资31亿美元用于碳捕获及封存技术研发；在日本的科学技术相关预算中，仅单独列项的环境能源技术的开发费用就达近100亿日元，其中创新性太阳能发电技术的预算为35亿日元。对于中国来说，低碳技术有助于获得新的经济增长点。与碳相关的行业的快速发展造成了对低碳技术的巨大需求。据报道，如果全球实现控制温升2℃的目标，每年在低碳领域的投资就要达到1.2万亿美元。而只有掌握了低碳技术才能实现产业结构的调整，才能抓住机遇，在这个新兴市场中获得新的经济增长动力和强大的竞争力。

其次，发展低碳技术有助于我国实现产业结构的升级和能源结构的优化。作为全球能源消耗的第二大国，中国的能源消耗情况不容乐观。在我国的工业行业中，冶金、化工、建材等高耗能工业，其产值不足工业总产值的20%，但能源消耗却超过工业用能总量的60%。加上中国的能源技术水平与发达国家相比尚有一定差距，特别是高耗能产业的能源利用效率较低，因此，推动能源技术进步，提高能源利用效率，对于降低单位GDP的能耗水平和碳排放强度尤为重要。更进一步说，只有通过低碳技术创新，才有可能优化能源结构，从而调整产业结构。

最后，从企业来说，低碳技术的开发和使用有助于企业的转型和升级，生产经营活动向低污染、低排放和低能耗转变的企业能生产出更多的低碳产品，免受国际贸易中的制约，这对于出口型企业来说尤为重要。此外，在国际合作与交流中，如果我们没有掌握一定的低碳技术，必然在合作和贸易中处于被动地位(孙滔，2010)。

19.1.3 低碳技术

国内外经济学者将低碳技术定义为所有能够实现低碳经济目标的技术手段，它主要涉及电力、交通、建筑、冶金、化工、石化等部门以及在可再生能源及新能源、煤的清洁高效利用、油气资源和煤层气的勘探开发、二氧化碳捕获与封存等领域开发的有效控制温室气体排放的新技术。低碳技术主要分为三大类：一是节约能源方面的低碳技术；二是碳排放降低技术；三是新能源和可再生能源技术(张坤民，潘家华，崔大鹏，2008)。低碳技术既包括能源技术进步，促进能源利用效率提高，也包括发展低碳能源，促进能源结构转换。

首先是节能方面低碳技术。节能方面低碳技术主要有四类：一是建筑节能技术，主要包括节能门窗、外墙保温材料、节能灯具及家电相关技术等；二是节能设备技术，主要包括垃圾发电、余热发电技术等；三是节能材料技术，主要包括碳纤维、节能保温材料、涂料、复合板材等相关技术；四是汽车的燃油经济性问题、混合动力汽车、清洁能源汽车的相关技术等。

其次是碳排放降低技术。碳排放降低技术主要包括两类：一是火电减排技术。电力行业中煤电的整体煤气化联合循环技术(IGCC)、高参数超临界机组技术、热电多联产技术、清洁煤技术、输配电环节技术等。二是循环经济中的矿产资源综合利用开发技术、可再生资源回收技术等。

再次，新能源和可再生能源技术。新能源和可再生能源技术主要包括新能源发电替代传统发电的技术，低碳能源供应技术主要包括可再生能源(太阳能、风能、潮汐能、生物质能等)、核能、碳捕获与封存(CCS)等。还有一些即将发展的新技术，比如碳捕获和封存技术、新型交通燃料以及对能源使用进行监控的信息技术等。大型风力发电设备、高性价比太阳能光伏电池技术、燃料电池技术、生物质能技术及氢能技术等。其中，碳捕获和封存技术是近年来新兴的一项碳排放降低技术，它是指把二氧化碳 从工业或相关能源排放源分离出来，输送到封存地点进行储存，并使其长期与大气隔绝的过程。CCS 技术分为捕获、运输和封存三个环节。对于碳捕获，目前已掌握的三种方法是燃烧后捕获、燃烧前捕获和富氧燃烧捕获。碳捕获的最终目的是把排放出来的二氧化碳封存起来，从而控制大气中的二氧化碳含量，因此收集到的二氧化碳必须运送到一个合适的场所进行封存。二氧化碳的封存方式分为四种：一是通过化学反应把二氧化碳转化成固体无机碳酸盐；二是工业应用，直接作为多种含碳化学品的生产原料；三是注入海洋 1000m 深处以下；四是注入地下岩层。其中，仅向地下岩层注入二氧化碳的方式乐观估计就可埋存 10 万亿 t 二氧化碳，基本可以处理未来 100 年全球的二氧化碳排放总量。由于煤炭的储量丰富且价格低廉，很长一段时间内其在能源消耗构成中依然会占有很高的比例，而应用于燃煤发电厂的 CCS 技术最高捕获效率高达 90%，因此各国都视之为应对气候变化的最佳方案之一。

19.2　中国低碳技术的发展

实现低碳经济的发展离不开技术的支撑。我国的低碳技术的发展需要坚持技术引进和自主技术创新相结合的原则和道路。

19.2.1　技术引进

所谓技术引进，学者汪星明在其出版的著作《技术引进：理论・战略・机制》中综合了国内外众多学者关于技术引进内涵的基础上将其定义为：技术引进使当事人通过国际之间贸易行为，建立传授专有技术，转让或许可工业产权的契约关系，通过引进、消化、创新和扩散四个过程来实现生产要素、生产条件的重新组合，获得最大效益的过程。

首先，关于技术引进的作用。需求资源（NR）关系理论认为，由于不同地区资源禀赋的不同，需求与供给机制导致了地区间要素价格的差异，进而促成了各地区生产技术的不同。在这种情况下，进行技术引进可以改善资源与需求的关系。我国学者庄峻在其专著《外贸自乘效益论》中指出，一国通过对外贸易引进吸收包括知识产权、专利技术和非专利技术、装备技术、技术信息等各种形态的技术成果，可以使本国的劳动生产率得以倍数增加，从而促进本国经济发展。

其次，低碳技术的引进需要考虑引进成本，发达国家的技术比发展中国家具有优势，技术引进是发展中国家发展低碳经济的一条比较可行也是比较有效率的方式。

对于发展中国家来说，它们的资本相对稀缺、劳动力相对丰富，发展中国家如果按照自己的要素禀赋结构所决定的比较优势来发展，那它们的企业所进入的产业必然是劳动力密集型产业，企业所采取的生产技术绝大多数是比较成熟的技术，基本上不需要太多的自主研发。并且，由于这些企业并不处于其所在行业的世界技术前沿，因而企业的产品换代升级也可以通过从发达国家引进技术的方式，或者靠模仿发达国家技术的方式，甚至通过“干中学”来分享国际技术溢出所带来的好处。因此，发展中国家通过从发达国家引进技术来提升自己的技术水平，相对于单靠自主研发来说，是一种成本更为低廉的技术变迁方式。亚洲新兴工业经济增长以及中国的奇迹就证明了这一点，美国经济学家 Barro and Sala-i-Matin(1997)通过模型说明，只要落后国家技术模仿的成本低于先进国家技术研发的成本，那么在内生增长模型中也可以得到落后国家经济收敛于先进国家的结论，甚至可以超越先进国家。

研究表明，国际技术合作是中国加快发展低碳技术，推动能源技术进步的重要途径(石敏俊，2010)。目前，国际低碳技术转让主要有三种途径：一是传统的基于市场的商业性技术转让，二是多边或者双边的国际技术合作，三是《联合国气候变化框架公约》及其《京都议定书》下的国际技术转让机制。对于中国来说，清洁发展机制(CDM)下的低碳技术转移，对企业低碳技术进步及节能减排具有更为重要的意义。因为低碳技术创新具有高沉没成本、高研发风险及强外溢性(Saches，2008)，因此企业在低碳技术的创新与应用的过程中，可能出现因动力或能力的不足而导致效率低下甚至是难以持续运行的状况。相比之下，若中国企业借助清洁发展机制(Clean Development Mechanism，CDM)进行低碳技术创新，就可能提升效率。国外学者通过理论分析指出，CDM 可通过资金回报、信息流动等方式克服技术转移的障碍，促进技术转移并提高其效果(Schneider，Holzer，2008)，通过经验研究表明技术转移发生的概率受到项目类型、规模、所在行业、政府行为等众多因素的影响(Haites，2006；Dechezlepretre，2008；Seres，2009)。而关于 CDM 下低碳技术转移的可能性、效果、影响因素等重要问题，国内外学者均做了系统性的研究与分析。针对中国的情况，有研究表明，获得减排量(CER)收益是技术转移的根本动力，而项目规模、CER 价格及其形成机制、买方类型及其市场势力、政府对此类收益的征税率等因素均可通过影响收益而作用于技术转移。从行为主体上看，由碳交易机构、科研机构或政府部门提供咨询，可显著促进技术转移。中间商亦可凭借专业化优势或资源配置效率产生正面作用，不同程度地抵消其市场势力所致的不利影响。尤其应当关注的是，项目所在地的经济发展程度、市场、金融资本的价格操控、已有相似项目的累积等，会显著制约技术转移(罗堃，叶仁道，2011)。

再次，作为发展中国家，我国低碳经济发展比较落后，低碳技术水平不高，特别是核心技术缺乏，所以更需要通过引进来促进低碳经济的发展。欧盟国家早在 20 年前就开始研究低碳技术，而我国才开始不久，总体技术水平和发达国家相比还有一定的差距。加上我国现有技术仍然以低端技术为主，核心技术缺乏，先进的技术和设备多是向国外购买的。例如，我国的低碳技术方面发展最快的是风力发电行业，其相关产品的国产化率达到 70%，已经具备 1.5MW 以下风机的整体生产能力。但是，一些核心零部件，如轴承、变流器、控制系统、齿轮箱等的生产技术难关却迟迟未能攻克。再如，可再生能源发电并网一直是一大技术难题，其中重要原因是中国没有构建智能电网，没有先进的电网调控和调度技术。诸如此类的问题还比较多，因此，目前我国在这些技术上还是以引进为主，自主研发还不够。

从另一方面来看，在考虑我国要素禀赋结构的基础上，技术引进是一种成本比较低廉而且效率比较高的技术变迁方式，技术引进或者说技术的国际转让对我国低碳经济的发展主要起到两方面的作用：第一，大规模、高效率的国际低碳技术引进对于我国克服技术上路径依赖的“锁定效应”起到重要作用。以电力为例，中国电力产业对煤的依赖性是众所周知的。据有关估计，到 2030 年，在我国新增的发电能力中有 70% 为燃煤电站。因此，在高速发展的电力建设中，如果不能改变传统燃煤发电为主的结构，技术得不到提升，则 20 年后的这些电站还是会成为碳排放大户。有关研究表明，如果中国没有及时对燃煤火电机组进行技术升级，那么中国到 2030 年可能多排放近 60 亿 t 二氧化碳，其“锁定效应”是十分明显的。第二，低碳技术的引进可以快速提高碳生产率。提高碳生产率，即每排放单位二氧化碳要产生更多的 GDP，是低碳经济的本质要求。

最后，推动低碳技术的国际转让，有利于全球的气候环境改善和低碳经济的发展。在目前，包括我国在内的发展中国家正在进行大规模的基础建设，如果能够抓住这一黄金时期，加快国际低碳技术转让，迅速用低碳技术替代高碳技术，以避免“锁定效应”成为现实，这将有利于全球气候环境的改善。根据 Kaya 公式，一个国家或地区的碳排放量主要取决于人口、人均 GDP、能耗强度和单位能源碳排放量等基本要素，即：

$$C = P \times \frac{\mathrm{GDP}}{P} \times \frac{E}{\mathrm{GDP}} \times \frac{C}{E}$$

式中，C 为碳排放总量；等式右边四个要素依次为人口、人均 GDP、能耗强度和单位能源碳排放量。由公式可见，在我国人口(P)仍处于上升状态，人均 GDP(GDP/P)也必须保持持续增长的情况下，减少碳排放总量的重担只能由降低能耗强度(E/GDP)和单位能源碳排放量(C/E)来承担。换句话说，要减少最终碳排放量，后两个要素下降导致的碳排放减少必须大于前两个要素增长带来的碳排放增加。而这有赖于低碳技术数量的扩张和低碳技术水平的提高。鉴于当前我国以及大多数发展中国家普遍存在的技术落后状况，大幅度提高能源效率和降低基于能源结构改善的单位能源碳排放强度，从而实现碳排放总量的大幅度减少，需要国际间进行合作，需要高效率的国际低碳技术转让。

当然也要看到，国际上低碳技术转让的进展是比较缓慢的。虽然《联合国气候变化框架公约》签署已过去了17年，《京都议定书》通过也有12年，但是发达国家向发展中国家转让技术、提供资金方面始终没有获得实质性进展(潘家华等，2010)。这是因为低碳技术转让存在着明显的障碍(吴国华等，2010；潘家华等，2010)，发达国家也包括他们的企业缺乏将技术向发展中国家企业转让的经济动力，发达国家知识产权保护体系不利于技术向发展中国家转移，发展中国家自身不足影响对发达国家先进技术的吸收和应用等(潘家华等，2010)。事实上，由于技术研发投入巨大，而且有时还与国家利益密切相关，发达国家的私有机构和公司在进行转让技术时往往都要求得到足够的商业回报，不可能以无偿的方式提供给发展中国家，也不会转让核心技术，甚至还受到国家的阻挠。运用博弈论方法，构建了一个双重博弈模型框架，分别从企业层面和国家层面的角度建立相应的博弈模型。研究表明，虽然技术转移的实施主体是企业，但国家在低碳技术国际转移中起着关键作用。低碳技术国际转移不应该被当做纯粹的商业活动，更应该是“国家驱动”的，发达国家和发展中国家的政策空间都很大(李志军，1999)。对于转移难度太大或者涉及核心竞争力的技术，发达国家(企业)不会转移给发展中国家(企业)，发展中国家(企业)必须加强自主研发(张发树等，2010)。

学者Acemoglu和Zilibotti认为一个国家的技术引进要考虑本国要素禀赋结构，要素禀赋不同会导致生产率上的巨大差异。我国经济学家林毅夫通过模型证明了发展中国家最适宜的技术一定不是发达国家最先进的技术，并且技术引进要考虑到技术引进成本、自主创新成本以及应用技术成本。

19.2.2 低碳技术的自主研发和创新

对于发展中国家来说，发展低碳技术除了技术引进的途径外，更根本的是自主创新。

首先，引进技术的过程就需要自主研发与创新。因为只有适合于本国要素禀赋结构的技术才能有比较高的生产效率，而这就需要自主的研究与创新。许多学者认为，发展中国家的技术学习与模仿只能趋近而最终无法超越发达国家的“技术前沿”。即使发展中国家可以从发达国家引进技术(不考虑技术锁定因素等)，技术引进还必须与本国的要素禀赋结构相一致，如果引进了同本国的要素禀赋结构不相一致的技术，引进的技术就不能发挥应有的作用，其生产率会与发达国家之间存在巨大的差异。英国经济学家舒马赫从发展中国家角度，针对发展中国家与发达国家间的经济、技术差距日益扩大的现状，提出了解决发展中国家经济与技术落后问题的中间技术论，该理论认为，发展中国家从发达国家进行技术引进可以解决落后问题，但是这种技术引进不是越先进越好，最先进的技术往往不适合发展中国家的各种条件限制。引进能够适合的技术本身就需要自主的研究与创新。

中国学者林毅夫等将亚洲新兴工业经济和中国发展取得的成功归因于这些国家采用了“遵循比较优势的发展战略”。他认为，发展中国家在遵循由本国经济的要素结构所决定的比较优势进行发展时，不但可以使经济获得最大的资本累积速度，而且还可以通过引进技术来发挥自己的后发优势，并由此获得比发达国家更快的技术变迁速度。林毅夫等学者将发展中国家技术引进的成本分为两部分：购置技术的成本和应用技术的成本。其中，购置技术的成本是由发展中国家拟购置技术和世界技术前沿的差距决定的，差距越大，相应的购置技术的成本就越小。对于那些已经过了专利保护期的技术，发展中国家可能无需支付任何购置技术的费用。而发展中国家应用技术的成本则主要受到本国要素禀赋结构的影响。一个国家的技术结构内生于生产要素投入结构，即一项技术的应用，需要通过其他相应的生产要素投入品(包含人力资本和物质资本)来匹配。而其他生产要素投入品的相对价格是由经济体系的要素禀赋结构所决定的。在发展中国家实现本国技术升级的过程中，最小化技术变迁的成本(包括自主研发的成本、引进技术的成本和应用技术的成本)是选择适宜技术的关键。而发展中国家最小化技术变迁的成本的基本原则在于保持其技术结构和本国要素禀赋结构之间的一致性。因此，考虑到技术变迁的成本以及本国的要素禀赋结构的特性，发展中国家在遵循由自己的要素禀赋结构所决定的比较优势发展时，技术变迁应该是循序渐进的。随着发展中国家要素禀赋结构的提升，发展中国家的产业结构和技术结构也会随着提升。与此同时，相对于技术引进来说，发展中国家自主研发的重要性也变得越来越大。

布雷兹斯、克鲁格曼和齐登在《国际竞争中的蛙跳：国际技术领先地位的周期理论》一文中，提出了一个国际竞争的蛙跳模型。该模型指出后进国家具有“后发优势”，通过国家有利的技术政策，后进国家可以“赶超”先进国家，而先进国家的技术地位则可能“锁定”在原有的路径上。该蛙跳模型的独特理论框架阐明了先发与后发并不是一成不变的，后发国通过更好地把握新技术创新的机会，有可能赶上甚至超越原来的先进国家。一方面，在没有发生边际技术变迁时，规模收益递增趋向于强化发达国家的经济领先地位，而在出现重大技术突破时，由于发达国家高工资水平和既得利益的影响，它可能会延滞对新思想新技术的采用；另一方面，发达国家对旧技术有生产经验，新技术初始反而不如旧技术有效率，而发展中国家更倾向于采用那些最初效益不高但潜力很大的新技术。由此可见，发达国家可能基于其经济领先地位以及采用新技术的高成本，结果因循守旧，难有创新；而发展中国家正是由于落后，其采用新技术的预期收益超过机会成本，结果它们就更可能利用新技术的潜在优势而实现增长。由此看来，作为技术较为落后的后发国，要发展低碳经济，在引进技术的同时，技术的自主研发与创新就显得尤为重要。

其次，低碳技术的自主创新也是现实提出的要求。2010年4月15日，联合国开发计划署对外公布了《2010年中国人类发展报告——迈向低碳经济和社会的可持续未来》，报告称中国实现未来低碳经济的目标，至少需要60多种骨干技术支持。而在这60多种技术里，其中有42种技术是中国目前还没有掌握的核心技术，这说明我国70%的减排核心技术需要"进口"。而且，许多发达国家通过专利强制许可制度，引进这些关键的"低碳技术"，需要支付高昂的技术许可使用费。根据有关的预测，到2050年，我国减排的投资成本会达到国内生产总值的6%。或被迫接受苛刻的附加条件，如英国壳牌公司曾提议把他们的碳捕获和碳封存技术作为CDM（清洁发展机制）项目转移给发展中国家，然后算作壳牌公司的碳减排量（孙韬，2010）。所以，对于现阶段的我国来说，尽管技术引进是实现低碳经济的主要手段，但是低碳技术的自主研发与创新是赶上甚至超越技术先进国家低碳经济发展的最有效手段。为了能克服这些发展中的技术缺乏的障碍，作为技术比较落后的后发国，我们只能通过技术自主创新实现技术变迁，从而保证低碳经济长期稳定发展并最终赶上甚至超越发达国家。

从目前人类已经掌握的低碳技术程度看，风能、太阳能、生物质能、二氧化碳捕捉埋存等相关技术已经成熟并得到广泛应用，这些也应该成为我国未来低碳技术自主研发的重点。而对于那些已有基础技术，但还没有大规模应用的，应该进行关键技术应用障碍、工艺改进、降低成本等技术研究。

再次，在低碳技术创新发展的过程中，企业是技术创新活动的主体，随着市场经济的深入发展，企业成为技术创新主体的趋势也越发明显，体现在技术总研发经费中企业研发经费支出所占比重的不断增加。在20世纪90年代中国研发活动经费中企业研发活动所占比例仅为同时期发达国家的一半左右，而十年后，中国研发活动经费中企业研发活动所占比例已经达到了发达国家的水平（李猛，2011）。这说明中国企业已经认识到技术的重要性，并将其作为企业发展的重点。但是从目前情况来看，中国企业在低碳技术方面的创新活动并不活跃，推行节能减排的过程中，虽然中央政府出台了一些政策措施以引导、限制和激励企业的行为，但是并未得到完全的贯彻落实，许多政策都还没有达到预期的效果。有学者针对我国低碳企业技术效率及其影响因素进行了实证研究发现，我国低碳企业平均技术效率为0.751，企业间技术效率变动存在较大差异且有进一步扩大的趋势；我国低碳企业产出增长主要是基于资本驱动的，劳动力的贡献较低；资金运用能力对低碳企业技术效率具有显著促进作用，技术能力、企业规模均与技术效率呈现较为显著的负相关，资本结构对技术效率的提高具有一定的抑制作用，我国低碳企业技术无效率程度有不断减弱趋势，但这种趋势还不够明显（师萍，2010）。

这种情况与我国当前资源价格较低、环境尚无价格有一定的关系。由于能源和环境的稀缺性及价值没有在价格上得到充分的反映，企业习惯于依靠能源和资源如人力资源作为发展壮大的手段，导致能源浪费严重，缺乏技术设备更新改进和升级的压力，也没有动力去采用节能减排等技术以发展低碳经济。在环境方面，由于企业所造成的环境污染等社会成本没有内部化为企业的生产成本，即使内部化了也因为环境成本过低甚至无价，造成内部化的成本偏低，企业由此缺乏环境保护的压力，不会主动去进行相关的技术创新和研发。因此，针对低碳技术创新的困境，学者们从资源要素价格、政府科技投入、科技税收优惠、政府采购制度（李猛，2011）、政府加大低碳技术创新力度和资金支持（吴国华等，2010）等方面提出了一些对策思考。

19.3 影响我国低碳技术发展的重要因素

技术的变迁过程会受到一系列因素的影响，比如技术锁定与技术的路径依赖，在分析低碳技术的变迁问题上，需要综合考虑到这些因素。

19.3.1 发达国家的技术封锁——技术锁定

“技术锁定”是国际上研究跨国公司的经济学家最近提出来的一个名词，其涵义相当广泛，是指具有先进技术的跨国公司利用其技术垄断优势和内部化优势在技术设计、生产工艺、包装广告、营销网络等中间的关键部分设置一些难以破解其诀窍的障碍，而利用其技术生产的东道国在技术本地化的过程中往往就会发现这些障碍，但由于这些障碍设计得很精致巧妙而不得其解。

“技术锁定”不同于“技术封锁”与“技术垄断”。“技术封锁”是指发达国家为防止其技术产品的外溢效应而想方设法把其技术与发展中国家隔离开来的行动，这种行为在防止对手获益的同时，也丧失了自己产品在对方市场上获得巨额利润的机会。“技术垄断”往往指跨国公司利用其核心技术（如专利等）来垄断技术产品市场。它是一种全面的技术壁垒，是以设置一个整体的技术障碍为前提的。而“技术锁定”只是在某些关键的地方“轻轻”地加上一道“牢固”的锁，就得到了“技术垄断”所能得到的任何好处。也就是说，为了达到弥补技术产品效益外溢的同一个目的，“技术锁定”所花代价显然比“技术垄断”要低得多。

由此可见，“技术锁定”“隐性地”影响了技术引进的成本，因此，在国家对技术变迁的既定预算约束条件下，这一成本的增加会导致最优资金分配向自主研发方面倾斜。

19.3.2 技术创新的路径依赖

技术创新的路径依赖主要是指技术发展的历史因素在决定未来的技术变迁(核心内容是技术创新)方面起到了主要作用。这些历史因素主要包括：最初市场、技术管理、制度、规则、消费者预期等。在它们的作用之下，技术创新受到社会、经济和文化发展变化的影响，进而导致成功的创新和采用新的技术取决于现有技术的发展(Rip and Kemp，1998；Kemp，2000)。这些历史因素在某种程度上“赞同”采用现有的技术而“反对”采用新的技术。Arthur 等学者指出，采用现有技术的收益递增(造成积极的正反馈)导致创新“锁定”于现有的、非优的、低效率的技术，且阻止采用好的、优越的、可替换的技术，并最终造成技术创新的低效率。

由此可见，技术创新的路径依赖直接影响了技术研发的路径选择，进而导致技术创新的低效率，间接增大了技术研发的投资成本。

19.3.3 资金缺乏

资金是技术创新最根本的保障，无论是技术引进还是技术创新，都需要国家资金支持。在国际间的技术合作和转让上，虽然国际公约有明确规定，发达国家负有向发展中国家转让环境友好、有利于减缓气候变化的技术的责任，但是发达国家并没有在技术转让和资金支援上履行他们的责任。这意味着没有国家资金的支持，企业很难从该渠道引进先进技术。在技术创新方面，对于中小企业而言，在缺乏资金的情况下通过技术创新而实现技术转型是不可能实现的。

第 20 章　低碳经济发展的战略与制度保障

人类社会文明的实践证明，发展低碳经济已经成为全球不可逆转的趋势，而制度体系的构建对于低碳经济发展至关重要。首先要使市场在低碳经济的发展中起资源配置的决定性作用，同时又要使政府在引导和保障低碳经济发展中发挥着主导性的作用，既要进行全面的低碳战略规划，“从体制上促进‘两只手’优势互补，努力实现 1 +1 >2的系统效应”（郑晶等，2014）。探寻一条具有中国特色的低碳经济发展之路，是推动低碳经济发展，建设生态文明的重要保障。

20.1　确立低碳经济发展的战略

20.1.1　我国低碳经济发展相关战略的历史沿革

低碳经济虽然是个新兴的名词，但是从我国 30 多年来的经济发展来看，它是国家立足于国情和世界发展趋势的发展战略的演变结果，是可持续发展战略的重要组成部分。

20 世纪 90 年代初，我国确立了国家可持续发展战略。我国政府在 1992 年联合国环境与发展大会上承诺，要用实际行动实施可持续发展战略。1994 年 3 月为履行这一承诺，我国成为世界上第一个制定《中国 21 世纪议程》的国家，并相应制定了《中国 21 世纪议程优先项目计划》。优先项目计划逐步纳入了各级国民经济和社会发展中长期计划，特别是在“九五”计划（1996 ~ 2000）和到 2010 年的规划制定中得到具体体现。1996 年 3 月，第八届全国人民代表大会第四次会议批准了《国民经济和社会发展“九五”计划和 2010 年远景目标纲要》，将可持续发展作为一条重要的指导方针和战略目标上升为国家意志，这更标志着我国进入了持续发展战略的实施阶段。

其后，气候和能源问题的出现，引起了世界各国的关注，我国也高度关注并积极应对。一方面，我国加入了《京都议定书》，在《京都议定书》的历次缔约方会议上发挥了重要的作用，推动了《京都议定书》落实；另一方面，我国相继制定了《节约能源法》

《清洁生产促进法》《可再生能源法》等一系列相关法律政策。以切实的行动来解决气候和能源问题。2007年6月，中国政府决定成立国家应对气候变化及节能减排工作领导小组，组长由国务院总理担任。同年9月胡锦涛同志在APEC第15次领导人会议上明确提出要“发展低碳经济”。2007年之后，国务院先后制定了《节能减排综合性工作方案》《中国应对气候变化国家方案》。2009年5月，我国政府公布了“落实巴厘路线图”的文件，阐述了中国关于哥本哈根会议落实巴厘路线图的立场和主张，表明了中国推动哥本哈根会议取得积极成果的意愿和决心；8月，继制定《可再生能源法》《循环经济促进法》后，十一届全国人大常委会高票通过了关于积极“应对气候变化”的决议；9月，胡锦涛同志在联合国气候变化峰会上，提出了中国今后应对气候变化的一系列具体措施；11月25日，国务院温家宝同志向全世界公布了我国2020年降低碳强度的目标。2010年3月9日，吴邦国同志在十一届全国人大三次会议上提出将更加注重绿色经济、低碳经济领域立法。2011年12月11日，中国在南非德班气候大会中坚持了《联合国气候变化框架公约》《京都议定书》和“巴厘路线图”授权，并在12月22日，国务院新闻办公室发表《中国应对气候变化的政策和行动(2011)》白皮书，全面介绍中国“十一五”期间应对气候变化采取的政策与行动，取得的积极成效以及“十二五”期间应对气候变化的总体部署及有关谈判立场。

20.1.2 中国发展低碳经济的战略取向

面对严峻的气候变化形势，部分发达国家已经制定出发展低碳经济的国家长远战略。2007年6月，英国出台《英国气候变化战略框架》，标志着英国在国内发展低碳经济的雄心以及在全球开创低碳经济的国际战略。2007年6月，日本内阁会议审议通过《21世纪环境立国战略》。这部有关环境政策的战略报告将建设低碳社会确立为政府目标，并宣布要构建以低碳社会为基础的国家环境战略。此外，美国和除英国外的欧盟国家都紧跟英国的步伐，先后将发展低碳经济提高到国家战略的高度。日本政府则是采取了倒逼机制法，寻求到2050年实现比1990年的二氧化碳排放减少70%的途径，并将具体阶段要完成的指标从战略的高度融入各项政策中。

如上所述，发展低碳经济已经成为我国政府和社会的共识，特别是如何以较低的成本来发展低碳经济，使我国经济具有后发优势，是我国低碳经济发展的关键。这需要把顶层设计的战略落实在规划和具体的各项工作中。有学者提出“碳预算”框架，在未来十年甚至20年的发展中，将“碳预算”列入部门和地方政府预算框架。碳预算方案以气候安全的允许排放量为刚性约束，并将有限的碳预算总额以人均方式初始分配到每个公民，满足其基本需求，不仅确保了公平和可持续性的双重目标，而且根据历史排放和未来需求，设计了碳预算的平衡机制和相应的资金机制，具有效率配置特征。有了“碳预算”，今后政府的每项决策，不仅要考虑资金的收入和支出，还要考虑碳的排放和吸收。这意味着把减排工作渗透到经济活动的方方面面。2009年，中科院发布的《2009中国可持续发展战略报告》更为详细地指出了中国发展低碳经济的5大战略取向：

第一，在可持续发展的框架下，把低碳发展作为建设资源节约型、环境友好型社会和创新型国家的重点内容，并将发展低碳经济作为走低碳之路的重要载体，纳入可持续工业化和可持续城镇化的具体实践中。

第二，把“低碳化”作为国家社会经济发展的战略目标之一，在中短期内应该把提高能效和碳生产率作为核心，努力降低能源消费和碳排放强度，降低二氧化碳排放的增长率。

第三，权衡经济发展与气候保护、近期和远期目标，处理好利用战略机遇期实现重化工业阶段的跨越与低碳转型的关系，同时充分考虑碳减排、能源安全、环境保护的协同效应，有效降低减排成本。一方面，充分利用目前国内外相对较好的资源能源条件，加速完成重化工业化的主要任务；另一方面，利用低碳商机，提高中国重点行业节能减排和低碳技术与产品的竞争力，最大限度地以低成本的清洁增长方式和现实的低碳技术实现阶段跨越，减少潜在的碳排放锁定效应的影响。

第四，加强部门、地区间的合作，吸引各利益相关方的广泛参与，发挥社会各方面的积极性，特别是通过新的国际合作模式和体制创新，共同促进生产模式、消费模式和全球资产配置方式的转变。

第五，积极参与国际气候体制谈判和低碳规则制定，为我国的工业化进程争取更大的发展空间。在近中期，通过选取合适的指标(如能源消耗强度或碳排放强度)，承诺符合国情和实际能力的适当的自愿减缓行动，为防止气候变暖作出新的贡献，提升负责任大国的国际形象。同时，要求发达国家继续率先大幅度减排温室气体，并建立“可测量、可报告、可核实”的技术转让与资金支持新机制。

20.2 制定低碳经济发展的激励性政策

低碳经济发展需要战略性的顶层设计，同时也需要有一系列激励性的政策工具，其中重要的是实现节能减排的一系列财政收支政策组合，包括碳税等环境税收的征收及低碳领域的政府投资、财政补贴、低碳政府采购和税收优惠等一系列财税政策，旨在克服低碳经济发展的市场失灵，应对低碳经济发展的全球博弈。

作为国家干预的重要手段之一，财政干预的使用和使用程度在经济学发展历史和现今学术界中始终存在着一定的争论。经济发展的实践表明，无论是政府还是市场都不是万能的，财政政策可以在经济发展中起到积极的作用，但需要适度。政府应该也可以通过财政工具来引导市场的主体即企业的生产活动，鼓励企业和民众参与低碳行动的积极性。

此外，政府还必须在出现“市场失灵”的时候发挥重要的作用，例如，公共物品和具有“外部性”的物品或生产行为，就需要政府有形的手出面干预。生态环境资源就属于公共品，具有非竞争性、非排他性和不可分割性，同时也具备很强的外部性。福利经济学指出，单纯依靠市场这只无形的“手”是无法实现生态环境资源的帕累托最优配置。生产活动所造成的环境污染和破坏的成本如果由社会承担，这种“负外部性”所带来的社会成本若未内化为生产成本时，企业就无需承担相应的责任和代价，也就缺乏治理污染的动力。相反，生态环境友好的行为和技术所带来的“正外部性”由社会享受，这种社会收益如果不能转化为企业的内部收益，企业同样也没有动力进行相应的生产活动。对于“市场失灵”政府可以通过三种手段来应对，第一是利用行政和法律手段来直接管制；第二是利用科斯定理等产权理论，通过明晰产权将社会成本和社会收益纳入可交易的市场体系；第三就是政府的财税政策，包括税收和财政支出。具体来说，对造成外部不经济的企业采取新开税种、提高税率等措施，而造成外部经济的企业，则通过税收优惠、补贴等措施，使得企业的私人成本或私人收益等于社会成本或社会收益(李先俊，2012)。

低碳经济的发展同样需要政府的扶持。低碳经济是各国在新的环境背景和经济背景下出现的新的经济发展模式，发达国家将其视为拉动经济乃至获得世界经济发展领先地位的重要途径。传统经济发展中出现的过度使用化石燃料所带来的温室气体排放和对生态环境的破坏是一种典型的外部不经济，大多数企业不会主动自发地减少碳排放，进行低碳技术的开发和使用。因此，在低碳经济发展初期需要政府承担起相应的职责，发挥更积极的作用。发达国家在这方面有许多成功的经验，除了发展战略外，还制定了相应的财政政策、能源政策。如美国、欧盟和日本等都采取了税收优惠或者财政补贴以支持和鼓励节能、可再生能源和低碳技术开发。英国政府还将碳预算纳入国家财政管理，走在了世界的前列。

20.2.1 加大碳交易与碳金融方面的政策支持

随着全球“碳减排”需求和碳交易市场规模的迅速扩大，碳排放权进一步衍生为具有投资价值和流动性的金融资产。在碳交易市场不断发展的基础上，碳金融也适应时代的潮流与趋势，开始理论的研究与实践的探索，其目标是通过金融市场对经济的调节作用，以最低成本降低整个经济体系的温室气体排放。碳金融逐渐成为抢占低碳经济制高点的关键，为了让碳减排获得持续不断的融资和资金流，更为了从碳减排权中获得能源效率和可持续发展的收益，全球开始建立碳资本与碳金融体系，这将对危机后的全球经济与金融格局产生广泛而深远的影响。出于对未来经济潮流的考虑，我们有必要关注碳交易和碳金融这个新兴市场的出现和发展，并制定相应的政策来扶持其壮大。

中国拥有巨大的碳排放资源。到2010年我国提供的碳减排量已占到全球市场的1/3左右，居全球第二。据世界银行测算，全球二氧化碳交易需求量超过2亿t。近年，中国市场出售的年减排额已达到全球的70%，这决定了至少有30亿t来自购买中国的减排指标。我国已经确定碳减排的规划，在努力实现这一目标的过程中，通过大力推广节能减排技术，努力提高资源使用效率，必将有大批项目可被开发为CDM项目。在全球碳市场中，中国是全世界核证减排量(核证的温室气体减排量CER)一级市场上最大供应国。据联合国CDM项目执行理事会数据，截至2009年11月25日，中国已注册项目671个，占总数35.15%，已获得核发CER1.69亿t，占核发总量的47.51%，项目数和减排量均居世界首位。联合国开发计划署的统计显示，2012年中国占联合国发放全部排放指标的41%。

碳交易市场发展过程与趋势表明，只有引入市场机制和金融机构的支持作用，才能同时实现节能减排与经济可持续发展。我国的碳排放交易已经开始起步。相比国外碳金融市场的快速发展，国内市场略显沉寂，虽然在2008年成立了三家碳排放权交易所：上海环境能源交易所、北京环境交易所和天津排放权交易所，但都还仅限于节能环保技术的转让交易，并不涉及排放权的交易。随后，广州、武汉、杭州、大连、昆明、河北、新疆、安徽等地的环境权益交易所相继成立。深圳联合产权交易所、深圳国际能源与环境技术促进中心及香港RESET公司将联合发起成立亚洲排放权交易所，主要业务将包括国家环保部现有的排污许可权交易。

碳金融方面。学术界目前对碳金融还没有统一的概念，加拿大多伦多大学环境研究中心教授拉巴特和怀特教授则从解决气候变化的金融方法角度，在著作《碳金融是碳减排良方还是金融陷阱》中定义为：代表环境金融的一个分支；探讨与碳限制社会有关的财务风险和机会；预期会产生相应的基于市场的工具，用于转移环境风险和完成环境目标。从功能或作用的角度，也有学者将其定义为：是服务于各种碳交易的投融资和中介服务活动。如为碳交易买卖双方融通资金、基于碳交易的投资增值、依托碳交易的金融中介服务。2006年世界银行对其的定义，即碳金融是指提供给温室气体减排量购买者的资源(World Bank，2006)。具体来说，碳金融作为环境金融的一个分支，泛指为低碳经济发展及温室气体减排提供支持的所有金融活动及制度政策的总称，包括碳排放权及其衍生产品的买卖、套利、投机等交易活动，与低碳消耗项目相关的直接或间接投融资活动以及由此产生的担保、咨询、财务顾问等中介服务活动。碳金融紧密地连接了金融资本与基于低碳技术的实体经济：一方面金融资本直接或间接投资于创造碳资产的项目与企业；另一方面由这些项目和企业产生的减排量也被开发成新的金融工具，进入金融市场进行交易。由于碳交易市场规模的扩大以及碳货币化程度的提高，碳排放权进一步衍生为具有投资价值和流动性的金融资产。因此，发达国家围绕碳排放权资产，已经形成了碳交易货币，以及包括直接投资融资、银行贷款、碳指标交易、碳期权期货、碳基金等一系列金融工具为支撑的碳金融体系。而碳排放权有可能进一步发展成为类似国际货币基金组织特别提款权的权利，同时也成为未来重建国际货币体系和国际金融秩序的基础性因素。

自2003年低碳经济概念提出以后，从实践上来看，国际碳排放权交易市场的发展，鼓励并吸引了很多银行和非银行金融机构参与其中。国际上比较著名的是国际金融公司和荷兰银行，前者建立了与多国银行合作的能效融资合作机制，通过提供技术援助或借助商业银行信贷杠杆的作用，鼓励银行开展节能设备融资；后者凭借其广泛的全球性客户基础，为碳交易提供代理服务，获得中间收入，同时推出了追踪欧盟排碳配额期货的零售产品。国际主流商业银行大部分都已经加入两个主要自愿性规范：联合国环境规划署金融行动机构(UNEP Finance Initiative)的《银行界关于环境与可持续发展的声明》和赤道原则（the Equato：Principles，EPs）。这两个规范为金融机构的环境和社会责任设立了新的行业基准，即要在项目融资中考虑环境、社会等可持续发展问题并尽到审慎性审核调查义务，为经济社会可持续发展发挥应有的作用。

国内比较有代表性的是兴业银行和浦发银行。兴业银行于2009年1月成立可持续金融中心，负责全行能效金融、碳金融、环境金融等领域的业务经营和产品营销。浦发银行则紧随其后，在全国商业银行中率先推出首个针对低碳经济的综合服务方案《绿色信贷综合服务方案》，具体包括国际金融公司的能效融资方案、法国开发署的能效融资方案、清洁发展机制财务顾问方案、绿色股权融资方案和专业支持方案，形成业内最全的覆盖绿色产业链上下游的金融产品体系。其他如中国银行和深圳发展银行则先后推出了收益率挂钩海外二氧化碳排放额度期货价格的理财产品等。所有这些实践过程中的金融创新，在推动低碳经济发展的过程中，正起着越来越重要的作用。

因此，面对巨大的碳交易市场和国际金融模式的调整，为了可以融入全球金融低碳转型的趋势当中，对我国低碳经济的发展提供保障和支持，政府应该扮演起引导者和支持者的角色。从近几年我国碳交易实践来看，可以看出当前国内碳金融发展缺少的不是具体的发展模式和实施手段，而是国家的发展定位以及政策导向。所以，政府各级相关部门可以加强财税、信贷、监管、信息等方面的政策激励与支持，以提高金融机构参与低碳经济金融支持的积极性，例如加大对节能减排领域的财政投资力度与减税的优惠政策；通过财政担保、扶持、风险补偿、税收优惠等措施，进一步鼓励与带动企业加大对节能减排领域的投资；人民银行加大信贷倾斜与引导力度、银监会等金融监督部门要通过差异化监管、制定具体标准等措施促使商业银行的业务向碳金融领域倾斜等。最为关键的是尽快出台碳交易和碳金融发展指导规章制度，用于指导金融机构项目业务的具体实施，消除企业对政策不确定性的恐惧。财政部与国家税务总局联合出台了《清洁发展机制基金及清洁发展机制项目实施企业有关企业所得税政策问题的通知》，国家外汇管理局出台了《关于办理二氧化碳减排量等环境权益跨境交易有关外汇业务问题的通知》等，对实施CDM项目的企业予以政策支持，引导我国碳市场的发展。进一步加大金融政策与财税政策的引导与激励作用，鼓励更多的金融机构积极探索我国碳金融的发展之路。最后，切实发挥公共资金的引导作用，通过各种相关政府基金的政策导向性，四两拨千斤，引导更多的民营资本向低碳领域进行投资。

另外，还应通过发布可持续发展报告或社会责任报告等形式向外界披露企业环境与社会业绩，报告银行在可持续发展上的行动以及战略。绝大部分国内外商业银行都已经自愿、定期地在财务报告之外单独发布社会责任报告等涉及社会与环境方面的报告，并与利益相关者和公众分享银行在可持续发展方面的做法和经验。其中于1997年成立的全球报告倡议机构（Global Report Initiative，GRIP）发布的《可持续发展报告指南》已成为国际许多商业银行的报告标准，该指南中金融业补充指引列出金融业在经济、环境、社会三方面的可持续发展绩效指标。汇丰银行、花旗银行等一些银行，不仅通过发布可持续发展报告披露自己在可持续发展上的进展，还积极鼓励其利益相关者加强环境与社会信息披露。

20.2.2　税费政策

由于我国目前的发展模式还属于政府主导，市场经济发育还不是很充分，在财政工具的运用上，更偏好于运用财政支出这一工具，较少采用税收这一手段。因此，可以考虑结合绿色税制的构建，开征碳税。面对国际形势，在制度层面抓紧开征“国内碳税”，在现阶段有特殊的意义。首先双重征税是违反WTO原则的，尽管美国提出的“碳关税”违反自由贸易原则，但从趋势看，发达国家已经设定了这方面的话题，我国开征碳税，能够在国际“碳关税”压力中，变被动为主动，即如果我们征收了国内碳税，美国再征收碳关税就是违法。其次，从税收与财政支出的区别来看，碳税的构建能够在国内生产中，提高能源使用效率。典型的例子如瑞典，通过对石油课以重税（标准是每吨100美元）来推广生物能源。在重税之下，瑞典众多企业竞相寻找低成本的生物能源，将很多生物质废弃物变成了能源。第三，从开源节流的角度来说，开征碳税，能够为政府带来新的税收收入，通过配套政策，用于补贴那些节能减排更为突出的企业，能够更好地完善低碳经济中政府的财政政策体系。

20.2.2.1 在税收政策的设计中，首先要考虑开征环境税

在征税对象方面，可先把工业污水、二氧化硫、二氧化碳、工业固体垃圾以及超过国家环保标准的噪音作为课税对象，待条件成熟后，再进一步扩大范围。在计税依据方面可借鉴国外的一些做法，以污染物的排放量及浓度为税基，根据企业的生产能力推算出其排污量来计税。除了要创建完善的绿色税收体系外，在下一轮税制改革中，要着重在主要的税种设计中体现出低碳经济的要求，利用杠杆机制引导低碳经济发展。在企业所得税制设计中，可以将和低碳核心技术相关的研发费用给予更高的扣除比例。在消费税的改革中，也要改变简单地以奢侈消费品为课征对象这一理念，而采用高碳和低碳为标准，来修订当前的消费税政策，更多地贯彻对高碳产品消费要课征重税，等等。

政府可以通过对碳排放超标的企业征税而使企业的外部成本内部化。征税增加了生产者和消费者的成本，迫使它们减少碳排放及污染和浪费性地消耗公共资源。政府常常采用的办法是对碳排放超标的产品征税。如对钢或石油化工产品征税，或者对汽油征税。征税的目的是要减少产品的生产量，降低环境污染的水平，合理利用自然资源。政府还可以对污染直接征税，这种征税办法的优点是可以刺激碳排放超标的单位采用新技术治理。例如，对化工厂的有毒气体和有毒物质排放量征税，会促使其减少污染，因为这样就可以减少上缴税额。

20.2.2.2 进一步完善分税制

由于财政支出和财政收入的联动效应，分税制固有的弊端导致的基层政府，尤其是县乡政府的财政困难，一直是制约我国经济发展模式转型的重要因素。如果不能通过完善分税制解决基层政府的财政困境，发展循环经济也将成为一句空话。比如，2010年刚刚实行的《循环经济促进法》明确了国务院和各省、自治区、直辖市政府要设立循环经济发展专项资金，支持循环经济的科技项目发展；对于循环经济重大科技攻关项目的自主创新研究和产业化发展，有符合规定的安排财政性资金予以支持等政策。但是在基层缺乏必要财力，政府日常运行都存在困难的情况下，抽出额外的财力

来设立各种发展基金，必然不能真正落实。因此，在完善分税制的过程中，要综合考虑改革现行的转移支付制度，考虑设置节能减排等因子，给予地方政府充足的财力保障，以保证地方政府节能减排目标的顺利实施。

20.2.2.3 加大税收的优惠政策

在税收优惠政策上，目前与低碳经济发展相关的税收优惠政策主要采用税收减免方法，对投资抵免、再投资退税、加速折旧和延期纳税等其他手段基本没有采用。应综合加大税收优惠的宽度和力度，运用多种手段引导低碳投资、生产、消费以及技术推广，以保护企业核心竞争力，促进新技术和新能源的发展。如对企业安排减排设备给予免税措施，对相关固定资产实行加速折旧，对可再生能源的开发、普及以及技术研究给予税收减免、贷款、研发等方面的优惠政策鼓励。

从短期看，面对紧迫的节能减排任务以及较为不利的国际外部环境，为减少税制变动对经济主体的影响，可以通过整合现行税制中具有促进节能、碳减排、新能源及可再生能源研发和利用的税种，调整其税制要素，对其进行绿色化改造。从长远看，借鉴西方发达国家的经验，对消耗不可再生能源和高二氧化碳排放的产品，在综合考虑经济发展状况、能源结构战略调整的基础上择机设立一些新的税种，如碳税、碳关税、环境保护税和能源消耗税等。

20.2.3 财政政策

政府应当加大财政转移性支出的力度，调整购买性支出的项目来支持和引导低碳经济的发展。首先，在转移支付方面，中央政府可以增加对地方节能减排项目的支持力度，缓解地方政府财力不足的问题，例如设立财政专项拨款，加大对低碳技术创新的资金投入，支持新能源产业和低污染、低能耗、高效益的产业发展等，充分体现财政转移支付对低碳经济发展的支持。其次，在购买性支出上，可以从政府采购项目出发进行相应的引导，例如政府采购可以扩大对环保产品、低碳产品的购买，以显示政府在低碳产品、环保产品和绿色产品上的偏好，做好引导和示范效应。再次，政府还可以通过财税政策、补贴政策等，扶持低碳企业的发展，特别是财政补贴，以保护和鼓励企业发展低碳经济的积极性。

绝大多数CDM项目都是属于国家政策鼓励的风电、生物质发电、太阳能、余热余压回收利用、能效提高等项目，这些项目本身就享受国家财政优惠政策。长期以来，中国的财政补贴范围很广，现行的财政补贴主要包括各种价格补贴、企业亏损补贴等，补贴的对象是国有企业和居民等，补贴的范围涉及工业、农业、商业、交通运输业、建筑业、外贸等国民经济各部门和生产、流通、消费各环节及居民生活各方面，有很多补贴几乎成了一种常态。截至2008年年底，我国已成为亚洲第一、世界第四的风电大国；太阳能电池突破2000MW，连续两年保持全球市场份额第一的位置。中国新能源产业之所以能取得这一系列成绩都源于政府一系列财政补贴政策的出台。2009年全国财政仅是对于可再生能源的预算安排就达到了100亿元，比2008年高出60亿元左右。

我国的低碳经济发展与国家财政补贴有着密切的联系。一方面，从技术上讲，财政补贴没有什么可争议的，关键在于财政补贴的环节和方向选择。从过去政府运用补贴工具的经验来看，主要问题在于，政府过分调控，补贴范围过广、项目过多，扭曲比价关系，削弱价格作为经济杠杆的作用，妨碍正确核算成本和效益。就低碳经济来讲，财政补贴政策工具的运用要十分注意不能成为干预市场价格的工具。在市场化的情况下，就应该让市场价格发挥其应有的作用。否则价格杠杆就会失灵，反而会扰乱市场的正常秩序。补贴应该在特定群体的消费环节而不在流通环节体现。如果财政补贴补在流通环节，一是会进一步加大价格体制的扭曲程度，如果补贴降低了能源产品的终端价格，会导致比没有补贴时产生更多的能源消费和更大的污染排放，中国油、电价格管制和能源补贴就是这个问题。使得财富分配向企业倾斜，达不到调节公平的目的。比如说对石油的补贴。两大石油公司同时从国家获取了巨额的财政补贴——仅以中石化为例，2006年获得财政补贴50亿元，2007年获得123亿元，2008年则达到惊人的503亿元。有专家预测，根据我国现有的石油产量，当油价涨到140～160美元的时候，财政对石化石油企业的补贴将会达到1500亿元。1500亿元是一个什么概念？1500亿元相当于2007年国家财政总收入的2.9%，这是一个非常惊人的数字。与此同时，国家信息中心经济预测部宏观经济研究室主任牛犁在2009年8月7日接受采访时称，2006～2008年我国中石化和中石油两大公司上缴了2130亿元的特别收益金给国家，其中中石油大概上缴了1600亿元，中石化大概缴了530亿元。另一方面，一些新兴能源产业方面的资金投入、补贴则很不足。上一轮金融危机中国家出台的4万亿元投资计划和一揽子刺激经济的计划中，其中包括支持实现风电设备关键技术国产化，但还远远不够，应该集中更多的资金用于新能源科技的研发和节能减排的补贴。由于目前新能源还是一个弱小的产业，离发展壮大还很远。这就意味着，国家财政补贴还要支持一段时间。

这其中也产生了一些新的问题。2009年年底出台的新能源产业振兴规划调整了此前的新能源发展目标，明确到2020年我国风电装机容量将达到1.5亿kW，这意味着从2009～2020年的12年间，全国风电装机将净增1.38亿kW，年均新增装机约1200万kW。由于新能源产业可以享受国家补贴政策，所以出现很多地方一窝蜂上新能源项目的情况，据国家发改委能源研究所研究员姜鑫民介绍，到2010年，全国大概有18个省份在打造新能源基地，或者把新能源作为支柱产业来发展。另外有接近100个城市把太阳能、风能作为城市的支柱产业。但目前国内新能源产业技术水平比较落后，行业竞争力不强，行业内企业在产业链的低端环节盲目扩张。有些项目根本不具备起码的技术条件，也不进行项目的评估，这实际上与国家的财政补贴政策不明朗有直接关系。因此，对于补贴政策应该有一条界线，国家在发展新能源，审批项目的时候要设立一定的标准，避免不计成本的、不计投资效益的无序竞争，不能只要与新能源搭上边就可以享受到补贴，补贴政策应该明确体现国家的政策导向，应该补贴技术研发，而不应补贴低端的生产加工。

20.3　完善低碳经济发展的法律体系

我国是民主法制的国家，完善的法律体系必定会使低碳经济的发展产生事半功倍的效果。我国现在尚处在低碳经济发展的初级阶段，相关配套的法律法规尚不健全，因此制定完备的法律法规是国家有关部门在未来一定时间内需要落实的重要问题。我国的环境保护法制定于1989年，在经济发生变化和低碳经济成为热点的今天，环境保护法应当做出相应调整和完善，并制定新的法律法规以调整新出现的社会关系。在法律法规的制定过程中，应当明确碳排放的法律地位，做出准确的界定，明确企业、政府的法律义务和权利，企业违反特定的法律义务应承担相应的法律责任。

自1996年《国民经济和社会发展“九五”计划和2010年远景目标纲要》，将可持续发展上升为国家战略以来，我国已相继出台了《节约能源法》《清洁生产促进法》《可再生能源法》《循环经济促进法》，以及《节能减排综合性工作方案》《中国应对气候变化国家方案》等。这几部重要法律性文件、法律和决议的出台，为我国发展低碳经济提供了良好的法律制度基础。然而，目前我国尚未出台专门的低碳经济法案，整体上还没有形成规范低碳经济发展行为的法律法规体系。

因此，可以针对低碳经济的特征，制定和完善低碳经济的相关法律保障体系。例如，按照发展低碳经济的总体要求，加强能源有关的立法工作，制定和修改能源法律法规，包括制定《能源法》，修订《可再生能源法》《节约能源法》《电力法》《煤炭法》等，建立健全有利于减缓温室气体排放的能源法律、法规体系。此外，还可完善已有法律的相关配套法规和标准。通过法律法规的强制性作用，推动政府、企业、居民的低碳经济行为。

20.4 建立低碳经济发展的行政管理体系

20.4.1 加强政府管制

行政管制手段的作用是通过制订计划，指明经济发展的目标、任务、重点；通过制定法规，规范经济活动参加者的行为；通过采取命令、指示、规定等行政措施，直接、迅速地调整和管理经济活动。其最终目的是为了补救市场在调节微观经济运行中的失效。

近年来中国政府制定了一系列的政策，从不同方面采取措施，利用行政手段推动低碳产业的发展和技术创新，这些相关的政策主要包括以下内容：

2008年10月29日中国政府发表的《中国应对气候变化的政策与行动》白皮书。白皮书分为前言、气候变化与中国国情、气候变化对中国的影响、应对气候变化的战略和目标、减缓气候变化的政策与行动、适应气候变化的政策与行动、提高全社会应对气候变化意识、加强气候变化领域国际合作、应对气候变化的体制机制建设和结束语等十个部分，具体的政策主要有：在13个行业加速淘汰落后产能；限制高耗能、高排放的行业快速扩张；将节能减排放在一个更突出的位置，并明确相应的目标；执行旨在节约能源的经济政策，包括差别电价政策等；制定节能减排的相关法律；发展循环经济，大力植树造林，减少农业的温室气体排放，加强应对环境变化的研究等。

《国务院关于投资体制改革的决定》：2004年国务院下发了该决定，旨在规范投资行为，杜绝高耗能项目的重复建设。2007年4月，国家发展改革委下发了关于加快推进产业结构，调整遏制高耗能行业再度盲目扩张的紧急通知，要求严格按照上述决定规范高耗能项目盲目投资行为；坚决取缔违规出台的鼓励高耗能产业发展的各项优惠政策；认真贯彻国家产业政策和有关法律法规，积极推进产业机构调整；进一步提高行业准入门槛，淘汰能耗高、污染重的落后生产企业；加强产业政策与国土、信贷、环保等政策的协调配合和市场监督；加强督促检查，确保政策措施落实到位。

机动车尾气排放标准：中国机动车排放温室气体的情况正在日趋严重。仅北京一地，大排量的汽车就占北京汽车总量的10%，所排放的温室气体占排放总量的50%。为此中国宣布2009年1月1日起，将提高大排量汽车的车辆购置税税率，而给予小排量汽车购置税税率优惠。此举意在减少温室气体排放和能源消耗。对于排量超过4.0L的汽车，购置税税率将提高至40%，排量在3.0～4.0L的汽车，购置税将提高至

25%，排量低于1.0L的汽车购置税税率仅为3%～1%。

关于温室气体总量控制与交易：中国到目前为止还没有建立起一个正式的统一的温室气体总量控制与交易制度框架，而且中国在短期内也不太可能对二氧化碳的排放总量予以限制。但是我国在“十一五”计划中，扩大了减少空气污染物的适用范围，而且还可能在近期出台关于二氧化硫排放总量限制的政策。与此同时，中国在北京、上海和天津等地已经开始小规模试点排放权交易，并允许其在企业之间进行交易。

《民用建筑节能条例》：中国每年新增建筑面积高达18亿～20亿m^2，建筑耗能目前已经占全国能源消耗总量的27.5%。2008年7月发布的该条例实施之后，使得“建筑能耗减少50%”成为建筑节能工作的硬性指标。为了严格节能管理，从2008年起所有新建商品房需在合同文件中标明能耗量、节能措施等信息。根据住房和城乡建设部设定的建筑节能目标，到2010年要实现建筑节能1.1亿t标准煤，可再生能源应用面积占新建筑面积比例达25%以上。

《关于建立政府强制采购节能产品制度的通知》：2007年7月，国务院办公厅下发了该通知。通知要求切实加强政府机构节能工作，发挥政府采购的政策导向作用，建立政府强制采购节能产品制度，在积极推进政府机构优先采购节能(包括节水)产品的基础上，选择部分节能效果显著、性能比较成熟的产品，予以强制采购。

《关于严格执行公共建筑空调温度控制标准的通知》：2007年6月，国务院办公厅下发了该通知。通知要求所有公共建筑内的单位，包括国家机关、社会团体、企事业单位组织和个体工商户，除医院等特殊单位以及在生产工艺上对温度有特定要求并经批准的用户之外，夏季室内空调温度设置不得低于26℃，冬季室内空调温度设置不得高于20℃。一般情况下，空调运行禁止开窗。

《煤层气(煤矿瓦斯)排放标准(暂行)》与《关于禁止全氯氟烃物质生产的公告》：2008年4月和2007年6月国家工信部、国家环保总局分别下发了这两项通知。通知要求禁止甲烷浓度大于等于30%的高浓度瓦斯的排放；自2007年7月1日起，任何企业不得生产除药用吸入式气雾剂用途、原料和豁免用途以外的全氯氟烃物质；各相关企业应于2007年8月15日前拆除附件所列全氯氟烃物质的生产装置。生产药用吸入式气雾剂用途、原料和豁免用途以外的全氯氟烃物质的企业必须向国家环保总局申请，经批准后方能生产。

20.4.2　构建低碳宣传机制

中央政府和地方政府都应该加强低碳能源等低碳经济技术及低碳经济发展模式的宣传力度，提高公众对低碳经济的正确认识，鼓励公众积极参与。政策效力的发挥除了政策本身的科学性和可行性之外，也需要政策制定者的正确引导。政府除制定国家低碳经济发展战略、低碳能源产业政策法规之外，还需主动引导全社会公众参与节能减排，使用低碳能源，引导公众转变生活方式和消费方式。政府可以建立政府、媒体、企业与公众相结合的宣传机制，通过报纸、电视、电台、网络等途径广泛传播节能减排的科学知识，使媒体宣传成为加强政府引导、推进企业行动、提高公众意识的有效途径，提高人们的节约和环保意识，使节能减排成为每个企业、每个单位、每个社区、每个家庭、每个人的自觉行动，成为文明健康生活方式的重要组成部分。例如，为了减少碳排放，政府可以努力发展低碳公共交通，降低人均汽车占有率；号召公众戒除以高耗能源为代价的“一次性”用品、“面子消费”以及“奢侈消费”的嗜好；等等。

此外，还应大力发挥社会组织的监督制约机制。民众的行为方式和消费选择，不仅对企业的生产行为有着决定作用，同时对政府的行为也起到监督作用。很多跨国企业主动选择低碳或无碳生产，正是为了在消费者中间树立良好的外部形象。而政府的经济发展政策也只有被公众监督和评价，才能避免以牺牲后代环境为代价单纯追求GDP的短视做法。对于那些需要牺牲一部分当前利益换取长远利益的决策以及政策实施效果不能及时显现的决策，需要通过教育和宣传让民众了解和认可，并使他们相信他们未来的利益会得到保障，这样才有可能实现经济形式的长期有效性转变（郭印，王敏洁，2009）。我们可以借鉴国外的一些做法，例如，英国鼓励公众参与环境评价，英国规定环境影响评估项目中必须有公众参与，这是决策制定过程不可缺少的步骤。加拿大的社区服务组织和英国环保团体积极协助政府贯彻落实环境保护的相关政策，对政府和企业行为进行监督等。

参考文献

[1][美]艾伦・杜宁. 多少算够——消费社会与地球的未来[M]. 长春:吉林人民出版社,2000.

[2][美]芭芭拉・沃德,勒内・杜博斯. 只有一个地球[M]. 长春:吉林人民出版社,1997.

[3][美]丹尼斯・米都斯. 增长的极限[M]. 长春:吉林人民出版社,1997.

[4][美]蕾切尔・卡逊. 寂静的春天[M]. 长春:吉林人民出版社,1997:13.

[5][英]亚当・斯密. 国民财富的性质和原因的研究(上)[M]. 北京:商务印书馆,1972:310.

[6]2050 中国能源和碳排放研究课题组. 2050 中国能源和碳排放报告[M]. 北京:科学出版社,2009:602.

[7]阿玛蒂亚・森. 以自由看待发展[M]. 北京:中国人民大学出版社,2012.

[8]班炜淦. 什么是碳交易,产生原因[EB/OL]. (2009-04-23)[2012-08-25]. http://www.022net.com/2009/4-23/432527332524963-2.html.

[9]鲍宗豪,张华金. 科学发展观论纲[M]. 上海:华东师范大学出版社,2004:58~59.

[10]彼得・P・罗杰斯. 可持续发展导论[M]. 北京:化学工业出版社,2008:22.

[11]毕军,冯小军,姚章军. 京都协议下森林碳汇(CDM 造林,再造林)项目及前景分析[J]. 河北林业科技,2005(5):35~36.

[12]毕世宏,王健. 我国现代服务业集聚区的形成与发展问题研究[J]. 生产力研究,2011(2):69~71.

[13]卞相珊. 从国际气候谈判看中国低碳经济转型[J]. 政法论丛,2011(3):3.

[14]蔡永海,张召. 低碳经济引领经济的生态化转向[J]. 中国国情国力,2010(2):28~31.

[15]柴青宇. 以低碳金融促进我国低碳经济发展[J]. 哈尔滨商业大学学报(社会科学版),2011(1):60~63.

[16]陈池波. 论生态经济的持续协调发展[J]. 长江大学学报(社会科学版),2004(2):97~102.

[17]陈飞,诸大建. 低碳城市研究的内涵、模型与目标策略确定[J]. 城市规划学刊,2009(4):7~13.

[18]陈国伟. 规划研究动态[J]. 江苏城市规划,2009(7):42~43

[19]陈惠雄. "快乐"的概念演绎与度量理论[J]. 哲学研究,2005(9):81~87.

[20]陈军. 低碳管理[M]. 北京:海洋出版社,2010:62.

[21]陈晓春,谭娟,陈文婕. 论低碳消费方式[J]. 新华文摘,2009(13):30.

[22]陈学明. 在建设生态文明中如何走出两难境地[J]. 北京大学学报(哲学社会科学版),2010(1):59~61.

[23]成华. 中国新能源开发现状、问题与对策[J]. 学术交流,2010(3):57~60.

[24]程大章. 低碳城市与智能建筑电气[J]. 现代建筑电气,2010(1):1~3.

[25]丑洁明,封国林,董文杰. 构建中国应对气候变化的低碳经济发展模式[J]. 气候变化研究进展,2011(1):48~53.

[26]春雨. 跨入生态文明新时代——关于生态文明建设若干问题的探讨[N]. 光明日报,2008-07-17.

[27]崔宇. 如何让中国人更幸福[N]. 华尔街日报,2010-03-12.

[28]达德利・西尔斯. 发展的意义[J]. 国际发展评论,1969(12):2 ~3.

[29]戴亦欣. 中国低碳城市发展的必要性和治理模式分析[J]. 中国人口资源与环境,2009,19(3):12 ~17.

[30]丹 YI. 转变经济增长模式:俄罗斯的当务之急[EB/OL]. (2011-01-31)[2012-05-12]. http://www. chinanews. com/fortune/2011/01-31/2823211. shtml.

[31]单宝. 解读低碳经济[J]. 内蒙古社会科学:汉文版,2009(6):75 ~78.

[32]邓华宁,等. "十五"期间我国投入七千亿元实施林业六大工程[EB/OL]. (2005-10-28)[2012-03-20]. http://www. gov. cn/ztzl/2005-10/28/content_86080. htm.

[33]丁树桁. 技术进步路径选择:理论及中国的经验研究[J]. 工业技术经济,2005(4):61 ~63.

[34]杜人淮. 发展高端服务业的必要性及举措[J]. 现代经济探讨,2007(11):17 ~21.

[35]段建华. 主观幸福感概述[J]. 心理学动态,1996(4):46 ~51.

[36]自然辩证法[M]. 北京:人民出版社,1984:305.

[37]樊纲. 走向低碳发展:中国与世界[M]. 北京:中国经济出版社,2010.

[38]范小克. "幸福经济"的思考[J]. 环境经济,2010(7):68 ~69.

[39]封颖,杨春林. 低碳城市是改善我国城市环境与发展的新机制——关于低碳城市的理论、政策和实践的研究[J]. 全球科技经济瞭望,2010(3):20 ~26.

[40]冯之浚,周荣,张倩. 低碳经济的若干思考[J]. 中国软科学,2009(12):18 ~23.

[41]冯之浚,周荣. 低碳经济: 中国实现绿色发展的根本途径[J]. 中国人口・资源与环境,2010(4):1 ~7.

[42]付允,马永欢,刘怡君,等. 低碳经济的发展模式研究[J]. 中国人口・资源与环境,2008(3):14 ~18.

[43]付允,汪云林,李丁. 低碳城市的发展路径研究[J]. 科学对社会的影响,2008(2):5 ~10.

[44]傅晓华,欧祝平. 低碳经济: 新型工业化的新途径[J]. 中南林业科技大学学报(社会科学版),2010(5):73 ~76.

[45]甘泉. 论生态文明理念与国家发展战略[J]. 中华文化论坛,2000(3):25 ~30.

[46]高长江. 生态文明——21 世纪文明发展观的新维度[J]. 长白学刊,2000(1):7 ~9.

[47]顾朝林,谭纵波,韩春强. 气候变化与低碳城市规划[M]. 南京:东南大学出版社,2009.

[48]顾朝林,谭纵波,刘宛,等. 气候变化、碳排放与低碳城市规划研究进展[J]. 城市规划学刊,2009(3):38 ~45.

[49]郭彩萍. 全球低碳经济发展进入重要的分水岭[EB/OL]. (2009-12-04)[2012-06-08]. http://finance. sina. com. cn/roll/20091204/13427057591. shtml.

[50]郭强. 竭泽而渔不可行——为什么要建设生态文明[M]. 北京:人民出版社,2008:94.

[51]郭印,王敏洁. 国际低碳经济发展经验及对中国的启示[J]. 改革与战略,2009(10):176 ~179.

[52]国际能源署(IEA). 世界能源展望 2008(中文版)[M]. 2008.

[53]国家环保总局. 中国碳平衡交易框架研究报告[R],2006.

[54]国家环保总局环境认证中心. 中国环境标志认证[EB/OL]. (2006-04-28)[2012-07-19]. http://kjs. mep. gov. cn/zghjbz/xgzhsh/200604/t20060428_76245. htm.

[55]国家环境保护总局科技标准司. 清洁生产审计培训教材[M]. 北京:中国环境科学出版社,2001:7.

[56]国家统计局. 中国能源统计年鉴(2008)[M]. 北京: 中国统计出版社,2008.

[57]国外低碳产品认证发展概况及经验初探[EB/OL]. (2012-04-30)[2012-07-19]. http://www. cait. cn/cpnew_1/

rdht/dtcprz/jgqy/jgdtrz/201204/t20120430_105131. shtml.

[58]郝远. 实施太阳能“南墙计划”的提案[R]. 2010.

[59]何煦. 生态文明价值域内自然—人—社会的重新解读[J]. 广西社会科学,2010(2):8.

[60]侯力新. 欧盟环境部长会议拒绝法国“碳关税”提议[EB/OL]. (2009-07-27)[2012-09-10]. http://business. sohu. com/20090727/n265505194. shtml.

[61]胡鞍钢,管清友. 中国应对全球气候变化[M]. 北京:清华大学出版社,2009.

[62]胡初枝,黄贤金,钟太洋. 中国碳排放特征及其动态演进分析[J]. 中国人口·资源与环境,2008,18(3):38~42.

[63]胡俊南,何宜庆. 中国工业企业低碳发展路径与政策研究——基于商品经营与资本经营互动视角[J]. 求索,2011(12):1~2.

[64]胡新良. 低碳农业生产:农产品质量安全管理的治本之策[J]. 江汉论坛,2011(8):15~19.

[65]胡雪萍,周润. 国外发展低碳经济的经验及对我国的启示[J]. 中南财经政法大学学报,2011(1):16~20.

[66]黄星君,杨杰. 科技创新生态化——可持续发展的必然趋势[J]. 武汉科技大学学报(社会科学版),2004(6):48~51.

[67]黄约. 后现代自然观对生态文明建设的启示[J]. 人民论坛,2010(32):180~181.

[68]黄肇义,杨东援. 国内外生态城市理论研究综述[J]. 城市规划,2001,25(1):59~66.

[69]黄肇义,杨东援. 未来城市理论比较研究[J]. 城市规划汇刊,2001(1):1~6.

[70]姬振海. 生态文明论[M]. 北京:人民出版社,2007.

[71]吉利斯等. 发展经济学[M]. 北京:中国人民大学出版社,1999.

[72]贾书梅,宋天和. 低碳经济与企业战略转型[J]. 企业研究,2010(1):24~27.

[73]蒋金荷,吴滨. 低碳经济模型现状和几个理论问题探讨[J]. 资源科学,2010,32(2):242~247.

[74]蒋钦. 中国节能减排理论研究综述[J]. 社科纵横,2010(10):41~43.

[75]解利剑,周素红,闫小培. 国内外“低碳发展”研究进展及展望[J]. 人文地理,2011(1):19~24.

[76]金乐琴. 中国低碳发展: 市场失灵与产业政策创新[J]. 北京行政学院学报,2010(1) : 56~59.

[77]金石. WWF 启动中国低碳城市发展项目[J]. 环境保护,2008(3):22.

[78]李北陵. 碳关税是美披着漂亮外衣的保护主义[EB/OL]. (2009-07-08)[2012-09-10]. http://news. xinhuanet. com/world/2009-07/08/content_11672554. htm.

[79]李宏. 生态足迹理论及其应用研究[D]. 兰州:兰州大学,2006.

[80]李金辉,刘军. 低碳产业与低碳经济发展路径研究[J]. 经济问题,2011(3):37~40,56.

[81]李俊峰,马铃娟. 低碳经济是规制世界发展格局的新规制[J]. 世界环境,2008(2):17~20.

[82]李克强. 积极发展新能源和节能环保等战略性新兴产业[N]. 中国财经报,2009-05-21.

[83]李克欣. 低碳城市建设的技术路径及战略意义[J]. 城乡建设,2009(11):72.

[84]李猛. “中国模式”与中国低碳经济困境[J]. 人文杂志,2011(1):57~61.

[85]李猛. 能源结构约束下的技术创新与中国低碳经济困境[J]. 江苏社会科学,2011(2):95~99.

[86]李培超. 论生态文明的核心价值及其实现模式[J]. 当代世界与社会主义,2011(1):51~54.

[87]李胜,陈晓春. 低碳经济: 内涵体系与政策创新[J]. 科技管理研究,2009(10): 41~ 44.

[88]李世闻,谢先江.反思与超越:生态文明建设的观念基础[J].科学技术与辩证法,2005(5):8~13
[89]李顺龙,杜咏梅,蒋敏元.我国森林碳汇问题初探[J].学术天地,2004(7):5~6.
[90]李先俊.促进我国低碳经济发展的财税政策研究[J].商业文化(上半月),2012(5):105.
[91]李旸.我国低碳经济发展路径选择和政策建议[J].城市发展研究,2010(2):10.
[92]李颖慧,吴佳.低碳饮食很健康,烹饪方法大流行[EB/OL].(2010-06-25)[2012-07-20]. http://news.xinhuanet.com/life/2010-06/25/c_12262589_3.htm.
[93]李志军.当代国际技术转让发展趋势及对策[J].国际技术经济研究,1999(1):58~66.
[94]李周.生态经济理论与实践进展[J].林业经济,2008(8):7~11.
[95]联合国环境规划署.改变生活方式:气候中和联合国指南[M].2008.
[96]廖福霖,陈如凯.海峡西岸经济区生物质工程产业研究[M].北京:中国林业出版社,2007:3.
[97]廖福霖. 生态生产力导论——21世纪财富的源泉和文明的希望[M].北京:中国林业出版社,2007.
[98]廖福霖.海峡西岸发展生物质能产业的机遇与挑战[J].林业经济问题,2007(8):10.
[99]廖福霖.生态文明建设理论与实践[M].北京:中国林业出版社,2001.
[100]廖福霖.生态文明建设与构建和谐社会[J].福建师范大学学报(哲学社会科学版),2006(2):1~9.
[101]廖福霖.再谈生态文明及其消费观的几个问题[J].福建师范大学学报(哲学社会科学版),2010(1):12 ~17.
[102]廖福霖,等.生态文明经济研究[M].北京:中国林业出版社,2010.
[103]廖福霖,等.生态文明学[M].北京:中国林业出版社,2012.
[104]廖红英,孙志威.发达国家低碳政策对我国经济发展的启示[J].生态经济,2011(5):72~76,99.
[105]林伯强,蒋竺均.中国二氧化碳的环境库兹涅茨曲线预测及影响因素分析[J].管理世界,2009(4):27~36.
[106]林家彬.中国企业的低碳发展[R].北京:社会科学文献出版社,2012.
[107]林毅夫,董先安,殷韦.技术选择、技术扩散与经济收敛[M].太原:山西经济出版社,2006.
[108]刘海霞.不能将生态文明等同于后工业文明——兼与王孔雀教授商榷[J].生态经济,2011(2):188~191.
[109]刘青松.可持续发展简论[M].北京:中国环境科学出版社,2003.
[110]刘上洋.试论世界经济格局变化与我国经济发展方式转变[EB/OL].(2011-01-17)[2012-07-08].http://news.sohu.com/20110117/n278919930.shtml,2011-01-17.
[111]刘细良.低碳经济与人类社会发展[N].光明日报,2009-04-21.
[112]刘延春.关于生态文明的几点思考[J].生态文化,2004(1):20~20.
[113]刘智峰,黄雪松.建设生态文明与城乡社会协调发展[J].池州师专学报,2005(6):11~13.
[114]卢嘉瑞,吕志敏.消费教育[M].北京:人民出版社,2005.
[115]吕江.低碳转型计划与英国能源战略的转向[J].中国矿业大学学报(社会科学版),2010(3):26~32.
[116]罗程远.大学生消费问题研究[D].南京:南京师范大学,2003.
[117]罗栋燊,廖福霖,官巧燕,郑国诜.绿色建筑的内涵及其发展的若干思考[J].亚热带资源与环境学报,2006(2):84~87.
[118]罗堃,叶仁道.清洁发展机制下的低碳技术转移:来自中国的实证与对策研究[J].经济地理,2011,31(3):493~499.

[119]罗运阔,周亮梅,朱美英.碳足迹解析[J].江西农业大学学报(社会科学版),2010(2):123~127.

[120]马克思恩格斯选集[M].北京:人民出版社,1995,4.

[121]马斯洛.人类动机的理论[M].许金声,译.北京:中国人民大学出版社,2003.

[122]毛世英.低碳经济中若干矛盾的哲学思考[J].人民论坛,2010(10):98~99.

[123]穆存远,夏南.低碳经济下的可持续产品设计与服务[J].合肥工业大学学报(自然科学版),2011(2):278~281.

[124]倪志安,王培培.马克思实践自然观对我国生态文明建设的理论启示和实践启迪[J].西南大学学报(社会科学版),2011(2):55~59.

[125]牛桂敏.生态文明建设中的企业技术创新生态化[J].经济界,2006(5):65~68.

[126]欧阳志远.关于生态文明的定位问题[N].光明日报,2008-01-29.

[127]潘海啸,汤祸,吴锦瑜,卢源,张仰斐.中国"低碳城市"的空间规划策略[J].城市规划学刊,2008(6):57~64.

[128]潘家华,庄贵阳,马建平.低碳技术转让面临的挑战与机遇[J].华中科技大学学报,2010,24(4):85~90.

[129]潘家华.搞低碳经济不等于放弃重工业[N].广州日报,2010-01-12.

[130]潘岳.论社会主义生态文明[J].绿叶,2006(10):1.

[131]庞元正,丁冬红.当代西方社会发展理论新词典[M].长春:吉林人民出版社,2000:200~201.

[132]裴卿,王灿,吕学都.应对气候变化的国际技术协议评述[J].气候变化研究进展,2008(5):263~264.

[133]钱俊生.怎样认识和理解"建设生态文明"[J].半月谈,2007(21):88.

[134]钱易,唐孝炎.环境保护与可持续发展[M].北京:高等教育出版社,2000:139.

[135]青木昌彦.比较制度分析[M].上海:上海远东出版社,2001.

[136]全国人大常委会首次发声再申气候谈判"中国立潮"[N].南方周末,2009-09-03.

[137]任勇.践行科学发展 推进生态文明[N].中国环境报,2007-10-30.

[138]申曙光.生态文明及其理论与现实基础[J].北京大学学报(哲学社会科学版),1994(3):31~37.

[139]沈晓梅.现代经济学导论[M].北京:国防工业出版社,2005.

[140]师萍,韩先锋,等.我国低碳企业技术效率及其影响因素的实证研究[J].中国科技论坛,2010(11):67~72.

[141]施恬.从低碳经济的特点看我国经济发展的路径选择[J].企业经济,2011(3):59~61.

[142]石敏俊,周晟吕.低碳技术发展对中国实现减排目标的作用[J].管理评论,2010(6):48~53.

[143]世界环境和发展委员会(WECD).我们共同的未来[R].长春:吉林人民出版社,1997.

[144]世界经济论坛,新能源财经.绿色投资——向清洁能源基础设施迈进[R].世界经济论坛,2009.

[145]世界银行东亚和太平洋地区基础设施局,国务院发展研究中心产业经济研究部.机不可失——中国能源可持续发展[M].北京:中国发展出版社,2007:166~167.

[146]宋成华.中国新能源的开发现状、问题与对策[J].学术交流,2010(3):57~60.

[147]宋德勇,卢忠宝.我国发展低碳经济的政策工具创新[J].华中科技大学学报,2009(3):85~91.

[148]宋德勇,卢忠宝.中国碳排放影响因素分解及其周期性波动研究[J].中国人口·资源与环境,2009,19(3):18~24.

[149]宋泽滨,齐爱兰.社会全面进步研究[M].北京:人民出版社,2001:5.

[150]苏伟.积极应对全球气候变化[N].中国改革报,2011-08-19.

[151]苏振锋. 科学发展低碳经济需处理好四大关系[N]. 中国经济报道,2011-06-28.

[152]苏振兴. 拉丁美洲经济发展战略研究[M]. 北京:北京大学出版社,1987:76.

[153]孙敬水,李志坚,陈稚蕊. 低碳经济发展的驱动因素研究——以浙江省为例[J]. 中南财经政法大学学报,2011(2):50~54.

[154]孙滔. 低碳技术——低碳经济的核心竞争力[J]. 河南科技,2010(16):2~3.

[155]谭崇台. 发展经济学[M]. 太原:山西经济出版社,2006.

[156]汤超颖. 从里约热内卢到约翰内斯堡,追逐人类可持续发展的明天——访中国科学院生态环境研究中心主任赵景柱教授[J]. 管理评论,2002(11):4~6.

[157]汪星明. 技术引进:理论・战略・机制[M]. 北京:中国人民大学出版社,1998.

[158]王爱兰. 世界"静脉产业"迅速崛起的原因及趋势探讨[J]. 上海环境科学,2008,27(4):178~181.

[159]王爱霞. 完善森林管理,增强碳汇能力[R]. 全国环境资源法学研讨会,2010.

[160]王朝全. 论生态文明、循环经济与和谐社会的内在逻辑[J]. 软科学,2009(8):69~73.

[161]王福波,冯全普. 国外发展低碳经济的立法考察及对我国的启示[J]. 中国行政管理,2010(10):77~80.

[162]王海文. 低碳农业发展展望及政策建议[J]. 中国农业综合开发,2010(10):21~23.

[163]王海霞. 低碳经济发展模式下新兴产业发展问题研究[J]. 生产力研究,2010(3):14~16.

[164]王宏珍. 浅谈我国能源危机应对策略[J]. 山西财经大学学报,2010,32(1):50.

[165]王健. 论建设生态文明的技术创新路径[J]. 理论前沿,2007(24):40~41.

[166]王金南. 走低碳环保之路　实现气候与环境保护双赢[J]. 环境污染与防治,2010(5):1.

[167]王璟珉,聂利彬. 低碳经济研究现状述评[J]. 山东大学学报(哲学社会科学学版),2011(2):66~76.

[168]王璟珉. 环境资源约束下的可持续消费[J]. 山东大学学报,2007(2):121~125.

[169]王如松. 奏响中国建设生态文明的新乐章[J]. 环境保护,2007(11):37~39.

[170]王伟,孙立敏. 我国节能减排问题与对策探讨[J]. 管理观察,2011(2):28~29.

[171]王雅丽,刘洋. "低碳银行"模式下的信贷战略调整[J]. 浙江金融,2011(1):43~45.

[172]王治河. 中国和谐主义与后现代生态文明的建构[J]. 马克思主义与现实,2007(6):46~50.

[173]魏澄荣. 科学发展观与中国生态产业发展[EB/OL]. (2007-08-15)[2012-07-02]. http://www.eedu.org.cn.

[174]吴国华,吴琳,张春玲. 低碳技术转让的障碍及其克服[J]. 经济参考研究,2010(40):5~8.

[175]吴解生. 对"再生资源"集中定义的简略评价[J]. 有色金属再生与利用,2003(1):23~24.

[176]吴丽. 失地农民幸福感研究[D]. 杭州:浙江大学,2009.

[177]吴晓江. 转向低碳经济的生活方式[J]. 社会观察,2008(6):10.

[178]吴燕平,等. 低碳经济开辟绿色就业之路[J]. 经济研究导刊,2010(36):211~213.

[179]夏海霞. 国民幸福感与经济增长[J]. 合作经济与科技,2010(11):17~18.

[180]夏堃堡. 发展低碳经济,实现城市可持续发展[J]. 环境保护,2008(2A):33~35.

[181]相震,吴向培. 森林碳汇减排项目现状及前景分析[J]. 环境污染与防治,2009(2):94~95.

[182]谢天,潘家华. 中国加速低碳转型决心不容怀疑[EB/OL]. (2010-08-23)[2012-07-19]. http://theory.people.com.cn/GB/12508505.html.

[183]辛章平,张银太.低碳经济与低碳城市[J].城市发展研究,2008(4):98~102.

[184]邢继俊,黄栋,赵刚.低碳经济报告[R].北京:电子工业出版社,2010.

[185]邢兆远,张培国.鲁南农民青睐“低碳生活”[N].光明日报,2009-12-13.

[186]徐春.对生态文明概念的理论阐释[J].北京大学学报(哲学社会科学版),2010(1):61~63.

[187]徐国泉,刘则渊,姜照华.中国碳排放的因素分解模型及实证分析:1995-2004[J].中国人口·资源与环境,2006,16(6):158~161.

[188]徐国伟.低碳消费行为研究综述[J].北京师范大学学报(社会科学版),2010(5):135~139.

[189]徐华清,郭元,郑爽.全球气候变化——中国面临的挑战、机遇及对策[J].经济研究参考,2004(84):21~26.

[190]徐瑞娥.当前我国发展低碳经济政策的研究综述[J].经济研究参考,2009(66):34~40.

[191]徐宜军,孙洪磊.低碳经济将成为转变经济发展方式的重要抓手[EB/OL].(2010-03-10)[2012-06-12].http://www.zj.xinhuanet.com/website/2010-03/10/content_19205727.htm.

[192]许涤新.生态经济学的发展与创新——纪念许涤新先生主编的《生态经济学》出版20周年[J].内蒙古财经学院学报,2006(6):20 23.

[193]薛进军,赵忠秀.中国低碳经济发展报告[R].北京:社会科学文献出版社,2011.

[194]薛晓源,李惠斌.生态文明研究前沿报告[R].上海:华东师范大学出版社,2007.

[195]严立冬,邓远建,屈志光.论生态视角下的低碳农业发展[J].中国人口·资源与环境,2010(10):40~45.

[196]燕乃玲.生态文明[N].解放日报,2007-10-24.

[197]杨国锐.中国经济发展中的碳排放波动及减碳路径研究[D].武汉:华中科技大学,2010.

[198]杨柳,杨帆.略论中国建设生态文明的大战略[J].探索,2010(5):152~156.

[199]杨雪峰.幸福经济学研究述评[J].江汉论坛,2008(7):52~56.

[200]杨玉坡.全球气候变化与森林碳汇作用[J].四川林业科技,2010(1):14~17.

[201]杨玥,文淑惠.工业化阶段基于企业联盟的低碳经济发展问题研究[J].经济问题探索,2011(2):49~52.

[202]杨志,马玉荣,王梦友.中国“低碳银行”发展探索[J].广东社会科学,2011 (1):5~12.

[203]易培强.低碳发展与消费模式转变[J].武陵学刊,2011(1):28~33.

[204]尹世杰.消费文化学[M].武汉:湖北人民出版社,2002:17~18.

[205]英国政府.我们能源的未来:创建一个低碳经济体[R].2003.

[206]于恒奎.低碳经济——生态经济建设的路径选择[J].生态经济,2011(1):61~66.

[207]于小迪,董大海,张晓飞.产品碳足迹及其国内外发展现状[J].经济研究导刊,2010(19):182~183.

[208]余谋昌.环境哲学:生态文明的理论基础[M].北京:中国环境科学出版社,2010.

[209]俞可平.科学发展观与生态文明[J].马克思主义与现实,2005(4):4~5.

[210]袁男优.低碳经济的概念内涵[J]. 城市环境与城市生态,2010(2): 43~46.

[211]袁晓玲,仲云云.中国低碳城市的实践与体系构建[J].城市发展研究,2010(5):42~47.

[212]张超武,邓晓峰.低碳经济时代企业的社会责任[J].重庆科技学院学报,2011(3):86~90.

[213]张春霞.绿色经济发展研究[M].北京:中国林业出版社,2002.

[214]张发树,何建坤,刘滨.低碳技术国际转移的双重博弈研究[J].中国人口·资源与环境,2010(4):12~16.

[215]张戈.浅谈生态经济理论在房地产开发中的应用[J].河南企业,2009(4):59~60.

[216]张俊杰,朱孔来,宋真伯.论建设生态文明与走新型工业化道路和大力发展循环经济三者之间的关系[J].山东商业职业技术学院学报,2006(8):14~16.

[217]张坤民,潘家华,崔大鹏,等.低碳经济论[M.北京:中国环境科学出版社,2008:5.

[218]张坤民.发展低碳经济是中国的内在需求[J].理论视野,2010(2):26~28.

[219]张青.低碳经济时代中国新能源产业的新机遇研究[J].科技情报开发与经济,2010(10):135~137.

[220]张绥新.拉动经济发展转型　先锋企业领跑低碳经济时代[J].瞭望,2010(50):31.

[221]张秀华.生态文明的形上奠基——马克思与怀特海的聚合[J].自然辩证法研究,2010(12):37~39.

[222]张泽一.理解马克思生态文明理论的两个维度[J].前沿,2010(21):49~51.

[223]赵兵.当前生态文明建设的新动向和路径选择[J].西南民族大学学报(人文社科版),2010(2):152~154.

[224]赵惊涛.低碳经济与企业环境责任[J].吉林大学社会科学学报,2010(1):132~138.

[225]赵黎青.非政府组织与可持续发展[M].北京:经济科学出版社,1998:11.

[226]赵清,张珞平,陈宗团,等.生态城市理论研究述评[J].生态经济,2007(5):155~159.

[227]郑晶,廖福霖.生态文明体制政策的重大创新[J].林业经济,2014(1):21.

[228]郑永红,梁星.我国发展低碳经济的对策和建议[J].环境经济,2009(11):23~26.

[229]郑志国.四个文明构成文明建设完整体系[N].广州日报,2007-10-18.

[230]中国21世纪议程管理中心.中国21世纪议程[M].北京:中国环境科学出版社,1994:1.

[231]中国访谈.低碳认证引领低碳化发展[EB/OL].(2010-12-10)[2012-08-20].http://www.china.com.cn/fangtan/2010-12/09/content_21512282.htm.

[232]中国将全面启动环境标志框架下的低碳产品认证[EB/OL].(2010-09-29)[2012-08-18].http://news.xinhuanet.com/2010-09/29/c_12620067.htm.

[233]中国科学院可持续发展战略研究组.2009年中国可持续发展战略报告——探索中国特色的低碳道路[R].北京:科学出版社,2009.

[234]中国科学院可持续发展战略研究组.2012中国可持续发展战略报告[M].北京:科学出版社,2012.

[235]中国能源和碳排放研究课题组.2050中国能源和碳排放报告[R].北京:科学出版社,2009.

[236]中国统计局.中国统计年鉴[M].北京:中国统计出版社,2010.

[237]中国新闻网.低碳将成国际贸易新壁垒[EB/OL].(2010-11-02)[2012-08-28].http://www.tianjinwe.com/rollnews/201011/t20101102_2336014.html.

[238]中华人民共和国国家发展和改革委员会.EIA称世界将长期依赖化石能源[EB/OL].(2009-12-16)[2012-06-05].http://www.sdpc.gov.cn/nyjt/gjdt/t20080917_236233.htm.

[239]中华人民共和国国家发展和改革委员会.中国应对气候变化国家方案[EB/OL].(2012-02-29)[2012-06-05].http://www.sdpc.gov.cn/xwfb/t20070604_139486.htm.

[240]中华人民共和国环境保护部.环境标志在全球范围的作用[EB/OL].(2004-09-10)[2012-07-20].http://kjs.mep.gov.cn/zghjbz/xgzhsh/200611/t20061106_95531.htm.

[241]钟茂初,张学刚.环境库兹涅茨曲线理论及研究的批评综论[J],中国人口·资源与环境,2010(2):62~67.

[242]钟史明.低碳经济与能源[J].区域供热,2011(3):1~4.

[243]周海林.可持续发展原理[M].北京:商务印书馆,2004:7.

[244]周生贤.积极建设生态文明[J].环境经济,2009(22):8~10.

[245]周生贤.走和谐发展的生态文明之路[J].环境保护,2008(1):1.

[246]朱淀,王晓莉,吴林海.影响工业企业低碳生产意愿的主要因素研究——江苏353个案例[J].科技进步与对策,2011(21):87~92.

[247]朱新春,吴兆雪.低碳经济及其影响因素的多维度比较分析[J].社会科学研究,2010(5):1~6.

[248]朱轩彤.国际能源格局发展新趋势[J].中国能源,2011(1):27~28.

[249]庄贵阳.气候变化挑战与中国经济低碳发展[J].国际经济评论,2007(5):50~52.

[250]庄贵阳.我国经济低碳发展的途径与潜力分析[J].国际技术经济研究,2005(3):79~87.

[251]"2050 Japan Low-Carbon Society"Scenario team. Japan Scenarios and Actions towards Low-Carbon Societies[EB/OL].(2008-5-28)[2012-07-18]. http://2050. nies. go. jp/material/2050_LCS_Scenarios_Action_English_080715. pdf.

[252]Andries F Hof,Michel G J den Elzen,Detlef P van Vuuren. Analysing the costs and benefits of climate policy:Value judgements and scientific uncertainties[J]. Global Environment Change,2008,18(3):412~424.

[253]Carolina Burle Schmidt Dubeux,Emilio le bre La Rovere. Local perspectives in the control of greenhouse gas emissions-the case of Rio de Janetiro[J]. Cities,2007,24(5):353~364.

[254]Carroll A. B. Corporate social responsibility:evolution of a definitional construct[J]. Business and Society,1999,38(3):268~295.

[255]Chin Siong H,Wee Kean F. Planning for Low Carbon Cities: the Case of Iskandar Development Region[C]//Sungkyunkwan University,Toward Establishing Sustainable Planning and Governance II,Seoul. Korea:SUDI,2007,(11):11~15.

[256]Chris G. How to Live a Low-carbon Live:the individual's Guide to Stopping Climate Change[M]. London Sterling,VA,2007.

[257]Dechezleprete A,Glanhant M,Meniere Y. Technology Transfer by CDM Projects: a Comparison of Brazil,China,India and Mexico[J]. Energy Policy,2009(37):703~711.

[258]Dechezlepretre A Glachant M,Meniere Y. The Clean Developmengt Mechanism and the International Diffusion of Technologies: an Empirical Study [J]. Energy Policy,2008(36):1273~1283.

[259]Department of Trade and Industry(DTI). UK Energy White Paper:Our Energy Future-Creating a Low Carbon Economy[M]. London:TSO,2003.

[260]Edward L G,Matthew K. The Greenness of City[J]. Rappaport Institute Taubman Center Policy Briefs,2008(3):I~II.

[261]Ehrlich P R,Ehrlich A H. population,Resources,Environment: Issues in Human Ecolog[M]. San Francisco: Freeman,1970.

[262]Ekins P. The UK's Transition to a Low-carbon Economy[J]. Forum for the Future,June,2001.

[263]Elkington J. Cannibals with forks:the triple bottom line of 21st century business[M]. 1997:39.

[264]Fangfang. 美的:企业是发展低碳经济的主体[EB/OL]. (2011-07-08)[2012-07-08] http://active. zgjrw. com/News/201178/News/771133823500. shtml.

[265]Haites E,Duan M,Seres S. Technology Transfer by CDM Project [J]. Climate Polocy,2006(6):327 ~344.

[266]International Energy Agency, World Energy Outlook, 2009[M]. Paris: International Energy Agency/Organization for Economic Cooperation and Development, 2009: 183.

[267]IPCC. Climate Change 2007:The Physical Science Basis[R]. IPCC Secretariat,2007.

[268]Johnston D,Lowe R,Bell M. An Exploration of the Technical Feasibility of Achieving Carbon Emission Reductions in Excess of 60% Within the UK Housing Stock by the Year 2050[J]. Energy Policy,2005,33(13):1643 ~1659.

[269]Kaya Yoichi. Impact of Carbon Dioxide Emission on GNP Growth:Interpretation of Proposed Scenarios[J]. Paris: Presentation to the Energy and Industry Subgroup,Response Strategies Working Group,IPCC,1989.

[270]Paul A. Samuelson,William D. Nordhaus. Microeconomics[M]. 17th edition. New York:The McGraw-Hill companies,Inc,2001.

[271]Sachs J D. Keys to Climate Protection[J]. Scientific American,2008(298):40.

[272]Schneider M,Holzer A,Hoffmann V H. Understanding the CDM's contribution to Technology Transfer [J]. Energy Policy,2008(36):2930 ~2938.

[273]Seres S,Haites E,Murphy K. Analysis of Technology Transfer in CDM Projects: an Upate[J]. Energy Policy,2009(37):4949 ~4926.

[274]Simon Dietz,Chris Hope ,Nicola Patmore . some economices of 'dangerous' climate change: Reflections on the Stern Review [J]. Global Environmental Change,2007,17(3 ~4):311 ~325.

[275] Stern N. The Economics of Climate Change: The Stern Review [M]. Cambridge, UK: Cambridge University Press,2006.

[276]Tapio Petri. Towards a Theory of Decoupling:Degrees of Decoupling in the EU and the Case of Road traffic in Finland Between 1970 and 2001[J]. Transport Policy ,2005(12):114 ~119.

[277]Treffers D J. Exploring the Possibilities for Setting up Sustainable Energy Systems for the Long Term:Two Visions for the Dutch Energy System in 2050[J]. Energy Policy,2005,33(13):1723 ~1743.

[278]UNEP. Element of policies for sustainable consumption[R]. Nairobi,1994.

[279]Wang Can,Chen Jining, Zou Ji. Decomposition of Energy-related CO_2 Emission in China:1957 ~2000[J]. Energy,2005,30(1):73 ~83.

[280]Wee-Kean Fong. Energy Consumption and Car-bon Dioxide Emission Considerations in the Urban Planning Process [J]. Energy Policy,2007(11):3665 ~3667.

[281]World bank Carbon Finance at the word Bank,Frequently Asked Questions:what is Carbon Finance[EB/OL]www. carbonfinanee. org. 2006.

[282]Zhang Zhongxiang. China. the United States and technology cooperation on climate control[J]. Environmental Science & Policy,2007(10):622 ~628.

[283][日]柳下正治. 脱温暖化社会のための政策課題,上智三菱 UFJ 環境講座[R]. 上智大学大学院地球環境科学研究. (2007-04-17)[2012-06-12]. http://www. genv. sophia. ac. jp/research/yanashita. html.